史學研究叢書・歷史文化叢刊

經史疑義辨析叢稿

李學銘　著

自序

一

本書是一本談經說史論文集，其中有辨析，有述證，有長篇，有短篇。我的談經說史，有幾種情況：一是或談經，或說史，各自成篇，經史並不互涉；二是一篇之中，兼談經史，特別是經與史的關係；三是從經的發展歷史來談經，這是辨析經學史上的各種問題。不過本書的編排，分為兩輯，甲輯重在談經，乙輯重在說史。這樣歸類，主要是方便讀者選讀，如果甲輯有些篇章在談經中涉及史，乙輯有些篇章在說史中涉及經，該是在情理之中罷！

二

在大專院校的課程中，經是國學，屬中文系的課程，但中文系有不少人，往往認為國學既不是語言文字也不是文學，因此經學課題會受到冷待或排斥。經學史主要在述論學術思想的發展，原是歷史系的課程，不過歷史系有些人，往往認為經學屬國學，國學討論是中文系的事，而且國學是古舊的東西，現時講論史學的人，多重視近現代史，如講學術思想，不如優先講近現代的學術思想，因此歷史系一般甚少提供經學史的課題。哲學系的人，他們重闡發古今中外思想家的思想內涵，甚至偏重闡述個人的思想。他們會講以義理為主的理學，不會講經學或經學史。如果大專院校有中國文化學系的話，學系的人，大抵也不視經學和經學史，是學系課程應有的一部分，需要講授。於是，經學和經學史，往往成為大專院校文學院的棄兒。這種現象，並不理想，但卻是現代大專院校文學院文、史、哲各學系的普遍情況。

三

錢賓四（穆）先生（1895-1990）向來關注經與文、史、哲的問題，特別是經與史的問題。他是史學家，也受人推許為國學界的通儒，不算是經學家，但卻是深通經學的史學家[1]。為甚麼他不算是經學家呢？因為一般所謂經學家，大多心存門戶之見，他們講師承，講家法，而且專於一經。即使有旁及他經的人，他們也好以專家自許，以研治一經為主，旁及他經，只是為了自己所專的一經，他經不過為我所用。錢先生治學，主張破除門戶，通諸門戶為一家，尚「通」不尚「專」。這不是說，他不要「專」，而是要在博通中求「專」。因此用一般所謂經學家的標準來衡量他的學問，他當然不算是經學家。而且，他研治經學，既不主一經，又常從史的角度來研治，因此他的經學論著，大多是打通經史、跨越經史的著作，而不是就經講經。例如《兩漢經學今古文平議》，內有論文四篇，都涉及經學史問題的討論；又例如《經學大要》，主要講儒家與經學的關係，其實講的仍是經學史。

1 錢穆先生是深通經學的史學家，拙文《現代國學界的通儒錢賓四先生》有較詳細述說。參閱香港中文大學歷史系編《扎根史學五十年》，2016年7月三聯書店（香港），頁17-37。

四

關於經史的關係，錢先生有這樣的意見：講經學的人，往往有個大缺點，就是只根據經學來講經學，不懂用史學來講經學。其實講經學不能不涉及史，我們須懂得中國全部歷史，才能懂經學。反過來說，講史學的人，不通經學也不行，要是不通經學，怎能讀得懂《史記》、《漢書》呢？中文系的人，一般不理經學，認為與文學無關。但劉勰（466？-537？）寫《文心雕龍》，第一篇是《宗經》，內容就是講文學與經學的關係。又理學雖不等同經學，但理學中有經學義理的成分，如果研治宋史不懂經學，又怎懂得理學？不懂理學，又怎能真正了解宋代的歷史呢？錢先生因而強調：中國人講文、史、哲，都要通經學，而研治史學的人，更不能完全忽略經學[2]。

五

牟潤孫先生（1908-1988）也很重視經史互通，他在講課、演講和寫文章時，常常強調經學之源即史學之源。他批評章學誠（1738-1801）在《文史通義》中雖有「六經皆史」之說而不知史出於巫，即沒有明白經史同源的原始原因，因而未能說明史與巫的發展關係。牟先生更指出，在《文史通義》中，只有《易教》、《書教》、《詩教》、《禮教》諸篇而沒有《春秋之教》篇，把《春秋》視為《書》的支裔而不視為史書的鼻祖，就因為章氏不知《易》、《書》、《詩》、《禮》和史（《春秋》）同出於巫，春秋時代巫史仍然不分。由於經史同出一源，兩者關係密切，因此經史互通，是理所當然的事。所以牟先生不

---

2 參閱錢穆《經學大要》第七講、第九講及第十三講，2000年12月素書樓文化基金會、蘭臺出版社（臺北），頁113，114，118，119，172，231。

時強調：治史的人，須通經學，不通經學，有時就會不能解決史學上的一些問題。在香港的現代學者中，牟先生是一位較重視經史互通的史學家，他在「中國經學史」和其他史學課中，常會舉述論據，辨析經史互通的重要；退休在家後，他寫了不少內容兼含經史的文章，而且更常為來探訪的學生、後學，講論通經對治史的必要，講得興起，有時會隨手拿起身邊書本，揭開書頁，口講指畫，顯示了熱切鼓勵的神情[3]。

六

我多年來的撰作，範圍頗廣，其中有文有史也有經。我不敢認為自己在經方面的研治有甚麼表現，更自知不是專注研治經學的人，但我知道要研治史，不能對經無所知，而探究史的問題，有時不能不涉及經或借助經。從本書各篇論文的內容，大抵可見到我在治史的過程中，不敢完全忽略經，而在談論經的時候，也往往會引述史文或從史的角度來探究。本書的書名，應可約略顯示這方面的情況，這或可說是不敢忘記師教。不過自己如果表現不佳，那絕不是老師的責任，而只是自己力有不逮的結果。

七

本書在結集過程中，無論是打印、校訂或檢核資料，女弟王慧儀博士都有提供協助，出力甚多；而本書能順利在萬卷樓圖書公司出版，也蒙好友方滿錦教授的積極聯繫和幫助。謹在此一併道謝。時已

3 參閱拙文《牟潤孫先生與「南來」之學》，《讀史懷人存稿》，2014年8月萬卷樓圖書公司（臺北），頁302。

入秋，暑熱仍盛；嚴峻疫情，雖已過去，但仍不可不警惕。在這種情況下，只好閉門讀書及撰作，並整理已完成的舊稿。心有所主，事有所忙，可免徒耗時日於惶然之中。是為序。

李學銘

於新亞研究所（香港）

二〇二二年秋

目次

甲輯
談經

中國傳統文化中的經史關係與經學研究在香港的思考

一　緒言：由「《六經》皆史」說起

在中國傳統文化的講論中，經學和史學，是兩個重要的論題。究竟經學與史學的關係怎樣？談到經學與史學的關係，較多人舉述清代章學誠（1783-1801）在《文史通義》中的名句：「《六經》皆史也。」[1]其實在章氏之前，已有不少近似的意見。如隋代王通（584-618）《中說．王道篇》云：

> 昔聖人述史三焉：……（《書》、《詩》、《春秋》）此三者同出於史而不可雜也。……[2]

王氏指出經出於史，雖然他只舉《三經》而不是《六經》。又如徐彥（生卒年不詳）《春秋公羊傳疏》卷一云：

> 《六藝論》云：「六藝者，圖所生也。」然則《春秋》者，即是六藝也。[3]

1　語見《文史通義》卷一「內篇」《易教上》，1956年12月北京古籍出版社（北京），頁1。

2　見《中說》（亦稱《文中子中說》）卷一，2001年2月遼寧教育出版社（瀋陽），頁1。

3　見《春秋公羊傳注疏．隱公》卷一，《十三經注疏》，1960年1月藝文印書館（臺北）影印本，頁6。有說徐彥是唐貞元長慶以後人，也有說是北魏人。

「六藝」即《六經》，但並不是孔子（前551-前479）「以六藝教弟子」的六藝。《春秋》是史，也是《六經》之一。又如清代袁枚（1716-1797）《隨園隨筆》「古有史無經」條引述宋代劉恕（道原，1032-1078）之言云：

> 劉道原曰：「歷代史出《春秋》，劉歆《七略》、王儉《七志》，皆以《史》、《漢》附《春秋》而已。阮孝緒《七錄》，才將經史分類，不知古有史而無經，《尚書》、《春秋》皆史也，《詩》、《易》者，先王所傳之言，《禮》者，先王所立之法，皆史也。」[4]

劉氏認為，「古有史而無經」，經與史分，始自梁代阮孝緒（479-536）的《七錄》。又如元代郝經（1223-1275）《陵川集・經史論》云：

> 古無經史之分。孔子定《六經》，而經之名始立，未始有史之分也。《六經》自有史耳！[5]

郝氏說經之名始立於孔子，可以商榷，但他明確地提出「古無經史之分」和「《六經》自有史」的說法，意思就是：經即史，史即經，史在經中。又如明代王守仁（1472-1528）《傳習錄》上《答徐愛問》云：

> 以事言謂之史，以道言謂之經，事即道，道即事，《春秋》亦

4 見《袁枚全集》卷二十四「詩文著述類（上）」第5冊，1993年9月江蘇古籍出版社（江蘇），頁44。

5 見《全元文》卷一二八第4冊，1997年11月江蘇古籍出版社（江蘇），頁256。

經，《五經》亦史。……其事同，其道同，安有所謂異？[6]

王氏認為經史無異，「《五經》亦史」。《五經》加《春秋》為《六經》，意思同郝經和章學誠之說。章學誠《文史通義．易教上》云：

《六經》皆史也。古人不著書；古人未嘗離事而言理，《六經》皆先王之政典也。[7]

章氏「《六經》皆史也」一語，牟潤孫先生（1908-1988）認為，可轉而為「經學皆史學也」，這個說法，符合我國經學和史學的實際情況；不過章氏說「《六經》皆先王之政典也」，則有語病，因為古代的史學出於巫，經學也淵源於巫，在我國古代文獻中，這方面的記述很多[8]。關於「巫」與「史」的聯繫，魯迅（1881-1936）在《門外文談》中說：

原始社會裡，大約先前只有巫，待到漸次進化，事情繁複了，有些事情，如祭祀、狩獵、戰爭……之類，漸有記住的必要，巫就只好在他那本職的「降神」之外，一面也想法子來記事，這就是「史」的開頭。……再後來，職掌分得更清楚了，於是就有專門記事的史官。[9]

由於古代經史不分，「史」與「巫」的聯繫是這樣，「經」與「巫」的

6 見《王陽明全集》卷一，2014年1月上海古籍出版社（上海），頁11。

7 見《文史通義》卷一「內篇」《易教上》，頁1。

8 參閱牟潤孫先生《從中國的經學看史學》，《注史齋叢稿》（增訂本）下冊，2009年6月中華書局（北京），頁685。

9 《見且介亭雜文》，《魯迅全集》第6冊，1973年12月人民文學出版社（北京），頁89。

聯繫也應該是這樣。因此《六經》就不能說是「皆先王之政典」。《六經》成為「政典」，其實是較後期的事。章氏又說：「古人未嘗離事而言理。」這說明一個事實，就是我國古代的經學家，都喜好「附經以言事」，兩漢是這樣，宋明以來更是這樣。可以說，古人的經學，往往與「事」分不開，所謂「事」，包括「古事」和「今事」，所以說：「經學皆史學也。」

二　《太史公書》(《史記》) 與經學

司馬遷（前135-前87?）[10]的《史記》，魏晉以前稱《太史公書》，魏晉以後才稱《史記》。《漢書·藝文志》為甚麼會將《太史公書》(《史記》) 放入《六藝略》，而不把它視為史書？我們不妨看司馬遷的自述。《史記·太史公自序》云：

> 先人有言：「自周公卒五百歲而有孔子。孔子卒後至於今五百歲，有能紹明世，正《易傳》，繼《春秋》，本《詩》、《書》、《禮》、《樂》之際？」意在斯乎！意在斯乎！小子何敢讓焉。[11]

所謂「繼《春秋》」，就是要學孔子。但《史記》有《紀》、《傳》、《表》、《志》，與《春秋》並不相同，怎樣「繼」它？

劉知幾（661-721）在《史通》指出，《史記》的《本紀》體例，就是《春秋》編年之體；經之「注」為傳，孔安國（漢武帝時人）才

10 王國維《太史公行年考》定司馬遷生年在西元前145年。何炳棣多方考證，定司馬遷生年在西元前135年。參閱何炳棣《讀史閱世六十年》第二十章，2005年4月商務印書館（香港），頁475-476。

11 見《史記》卷一百三十，1962年5月中華書局（北京）校點本，頁3296。

注《尚書》而名為「傳」，《春秋》也有三「傳」，因此，《史記》的《列傳》，就是模仿《春秋》的「傳」；至於《史記》的《世家》，不過是《本紀》的變體，分別的是，一述天子之事，一述諸侯之事[12]。

劉氏之說，可證《史記》的體例由經學變來，但仍不能據此證明《史記》是「繼《春秋》」之書。又有人指出《史記》引述不少經書文字，如《尚書》、《春秋》、《左傳》、《論語》……，這算不算是「繼《春秋》」？其實這只是引用材料。因此，司馬遷《太史公自序》中所謂「繼《春秋》」，我們不能只用成書體例和引用材料這兩項來證明。

我們試從《史記》本身的內容來證明《史記》「繼《春秋》」。《史記》「列傳」的首篇是《伯夷列傳》，《傳》的開篇即云：

> 夫學者載籍極博，猶考信於六藝。[13]

所謂「考信於六藝」，絕非後人的考據之學。因為考據要客觀，不理「六藝」不「六藝」，而只論證據。而司馬遷則以孔子為標準，以其言為信據，《六經》有則信，沒有則不信。現代治史學的學者，不能永守一學者之說，只有宗教信徒，才會以教主之言為信據，永守其說而不變！但司馬遷以《春秋》為標準，如伯夷之前有許由、務光等隱逸之士，因孔子沒有提及，司馬遷也就不提；孔子稱譽伯夷，司馬遷即為他作傳。這明顯是經學家態度而不是史學家態度。

又在《史記・五帝本紀》之末，司馬遷說：

> 學者多稱五帝，尚矣。然《尚書》獨載堯以來；而百家言黃帝，

---

12 參閱浦起龍《史通通釋》卷一「內篇」《六家第一》及《本紀第四》，1978年4月上海古籍出版社（上海），頁8-11及37。

13 見《史記》卷六十一，頁2121。

> 其文不雅馴，薦紳先生難言之。孔子所傳《宰予問五帝德》及《帝繫姓》，儒者或不傳。予觀《春秋》、《周語》，其發明《五帝德》、《帝繫姓》章矣，顧弟弗深考，其所表見皆不虛。[14]

《尚書》雖不載黃帝之事，但《大戴記》的《五帝德》和《帝繫姓》曾提及，因此司馬遷表示，《史記．五帝本紀》所述，雖不見於《尚書》，但《春秋》、《周語》、《大戴記》都有提及，也就是「孔子所傳」，所以並不悖於孔子。

又《史記．夏本紀》之末云：「孔子正夏時。」《殷本紀》之末也引述孔子之言[15]。其實是否提及孔子或引述孔子之言，對史實的敘述並無影響，但司馬遷在篇末必舉孔子，可見司馬遷的撰述，全本儒家《詩》、《書》、《禮》、《樂》、《春秋》，也就是全本孔子之教。更清楚的，是《史記》中各「表」的內容。如《三代世表》，所發揮的，是孔子對古史年代的意見，內容全以孔子的意見為標準，凡孔子不列入世系的，《世表》亦不列入。又《十二諸侯年表》，闡述的是孔子作《春秋》、左丘明作《左傳》之意。所以《史記》的《本紀》及《世表》、《年表》，闡發的也是孔子編次年代、譜牒等意見。本乎孔子之見而沒有自己之見，這正是經學家的態度。

《史記》的《世家》以吳太伯為首，《列傳》以伯夷為首，理由是甚麼？理由是孔子曾對他們稱譽，並推許為道德的最高標準，因此司馬遷對他們的述論，根據的就是孔子的意見。有人指出，《史記》的《管晏列傳》，只敘述一兩件軼事，而沒有錄引管仲（前645-？）、晏嬰（？-前500）著述的話語，但在《孔子世家》，卻大量摘錄《論語》的語句。管、晏之書難得，《論語》則是易得之書，為甚麼司馬

---

14 見《史記》卷一，頁46。

15 參閱《史記》卷二，頁89；《史記》卷三，頁109。

遷不多引錄難得之書而多引錄易得之書？這樣質疑，是史學家的立場而不是經學家的立場。司馬遷是經學家，他認為管、晏是賢者，而孔子是聖人，賢者「治國」，聖人則以道「教化天下」。司馬遷把孔子列入《世家》，因為他認為孔子是畫時代的大人物，他刪定六藝，使後世人有經書可讀，而漢人創制立法，所據的又是儒家經典，成就和影響可說是前無古人，因此孔子應該列入《世家》。《史記・太史公自序》說：

> 周室既衰，諸侯恣行。仲尼悼禮廢樂崩，追脩經術，以達王道，匡亂世反之於正，見其文辭，為天下制儀法，垂六藝之統紀於後世。[16]

《史記》又把項羽（前232-前202）列入《本紀》，劉知幾以史學家立場，對《史記》大肆訐擊。章學誠在《文史通義》中曾有辯護之言，因為他能了解《史記》為項羽作《本紀》之意。其實我們只要讀《項羽本紀》的「太史公曰」和《太史公自序》，就會明白司馬遷的用意，在強調項羽是個秦漢之交畫時代的大人物[17]。陳涉（？-前208）之所以入《世家》，也因為「天下之端，自涉發難」[18]。不過，這樣安排，究竟與經學有甚麼關係？原來《春秋》講褒貶，每用一字一語來表示。《史記》不是《春秋》之體，不能以一字一語作褒貶，因而利用體例來表示褒貶之意。項羽對當時的諸侯能發施號令，能發施號令者為王，所以項羽入《本紀》。這是真正經學精神，而不是史學觀點。司馬遷能從體例的變化中顯示一番道理，他所重的是史之

16 見《史記》卷一百三十，頁3310。

17 參閱《史記》卷七《項羽本紀》，頁338-339；《史記》卷一百三十，頁3302。

18 語見《太史公自序》，《史記》卷一百三十，頁3311。陳涉，名勝，涉是字。

「義」，而不是史之「事」。所以談到管、晏的「事」，司馬遷只請人觀其書，而重「義」則要有標準，所以要「考信於六藝」。我們如果站在史學的角度，用考據方法來考察《史記》，會發覺其中有不少矛盾，難道司馬遷真的這樣疏略？《史記》中其實有許多未發之「義」，值得我們留意。劉咸炘（1896-1932）撰《太史公書知意》，能道出項羽入《本紀》、陳涉入《世家》的理由，但沒有道出《史記》這兩篇有褒貶之意在其中，未免所見不周[19]。

三　《漢書》與經學及其他

班固（32-92）撰《漢書》，內容上固然吸納了父親班彪（3-54）《史記後傳》的材料，宗旨上也繼承了父志。據《後漢書．班彪傳》載，班彪的撰作力求「依《五經》之法言，同聖人之是非」，宗旨所據，是《春秋》之「義」[20]，而班固在《漢書．敘傳》中也說：

> 探篹前記，綴輯所聞，以述《漢書》，起元高祖，終於孝平、王莽之誅，十有二世，二百三十年，綜其行事，旁貫《五經》，上下洽通，為《春秋》考紀、表、志、傳，凡百篇。[21]

他明確提出要「旁貫《五經》」，用《五經》之義，寫劉漢的歷史；而且在體例上，他突出劉漢的承天正統地位，所謂「纂堯之緒，實天生德」，改變了劉漢「編於百王之末，廁於秦、項之列」的位置[22]。這種

19 參閱《劉咸炘學術論集．史學編》卷二《項羽本紀》，2007年7月廣西師範大學出版社（桂林），頁39-40；《劉咸炘學術論集．史學編》卷五《陳涉世家》，頁83-84。

20 參閱《後漢書》卷四十上，1965年5月中華書局（北京）校點本，頁1325-1326。

21 見《漢書》卷一百下，1964年11月中華書局（北京）校點本，頁4235。

22 參閱同上，頁4235-4236。

想法，其實正是經學思想。班彪、班固父子譏諷司馬遷的撰述，「以為是非頗謬於聖人」[23]。司馬遷是否像他們所說那樣「是非頗謬於聖人」，歷來論者意見並不一致，但他們這樣說，正好表示他們力求是非不謬於聖人，對人對事的褒貶一以聖人之見為歸依，這該是經學家心態。班氏父子的思想和心態，主導了他們的撰述。

可以說，東漢時，史部應仍未確立，證據是《漢書・藝文志》中沒有史部，但《六藝略・春秋類》中有《太史公書》一百三十篇。《漢書・藝文志》所據既然是劉向（前77-前6）的《七略別錄》，則上述部類的觀念，可能是王莽時的觀念。這正好說明，東漢時期史書並沒有獨立分部。荀悅（148-192）撰《漢紀》，用意仍在撰作行政之典。所謂「典」，即「典式」、「範式」，是經學之物。可見《漢紀》的撰作，實未能擺脫經學的思維。甚至在東晉時，袁宏（328-376）仿荀悅《漢紀》的體例撰《後漢紀》，宗旨就是為了「通古今而篤名教」[24]。特別在「名教」方面，袁氏所表述的，是儒家綱常的要義；他評論人物，也以父子、君臣的禮義作為主要的尺度。可知袁氏在撰作史書時，仍抱有經學觀念，雖然其中滲有魏晉玄學「自然之理」的說法。

從以上所述，可見魏晉以前，史學不過是經學的附庸，《史記》、《漢書》、《漢紀》，也只是經學的附屬品。魏晉時代，史書的撰作者，仍有人不能擺脫經學思想，袁宏只是其中的一例。魏晉以後，史學不斷發展，最後才能逐漸脫離經學而獨立。劉知幾的貢獻，在能結集前賢之說，使史學脫離了經學。由於經書、史書是學人必讀之書，學人大多尊信儒學，史學本不容易脫離經學，但因地下材料的發現，

23 語見《後漢書》卷四十下《班固傳》，頁1386。

24 語見袁宏《後漢紀・序》，《兩漢紀》下冊，2002年6月中華書局（北京），頁1。

動搖了孔子的地位，使人重新審視、思考經書的記載，史學也就逐漸與經學分離了。

四　《竹書紀年》與《春秋》

晉武帝太康年間，汲縣盜發魏襄王墓，得到大批魏國史書。這些材料，現多散佚，只餘下殘闕不全的《竹書紀年》。《竹書紀年》所載起於黃帝，止於魏襄王二十年（前299，戰國中後期），是古代編年大事記。原書在宋代已亡佚，後來的流行本可能是明代偽造，清代據以整理的有十餘家。朱右曾（生卒年不詳，道光進士）始輯錄所見各書引文為《汲冢紀年存真》二卷（附《周年表》一卷），王國維（1877-1927）據以撰《古本竹書紀年輯校》一卷。王氏又撰《今本竹書紀年疏證》兩卷，找出材料來證明《今本》之偽。學者發現，《古本竹書紀年》所記，部分內容與《春秋》相同[25]，這就使人懷疑「孔子作《春秋》」的說法。

根據《孟子．滕文公下》的記述：

> 世衰道微，邪說暴行有作，臣弒其君者有之，子弒其父者有之，孔子懼，作《春秋》；《春秋》，天子之事也。是故孔子曰：「知我者其惟《春秋》乎！罪我者其惟《春秋》乎！」[26]

這清楚說明《春秋》的作者是孔子。公羊學派的今文家也相信孔子作《春秋》，使亂臣賊子懼，而《竹書紀年》的部分內容竟與《春秋》

---

25 參閱陳高華、陳智超《中國古代史史料學》第二章第二節《西周至戰國文獻史料》，1983年1月北京出版社（北京），頁53-54。

26 見朱熹《孟子集注》卷六，《四書章句集注》，2005年9月中華書局（北京），頁272。

雷同，這個發現，雖沒有貶抑《春秋》的價值，但卻降低了孔子的地位。這是何等巨大的衝擊！杜預（222-284）在《春秋左傳集解後序》中只不過提到曾見《竹書紀年》，就惹來公羊學家的厭恨，因為這會引發孔子是否有「作《春秋》」的質疑。而且，《竹書紀年》有些記述，與儒家的傳統說法迥異，例如《汲冢紀年存真》載：

> 《史記・五帝本紀》正義引《竹書》云：「昔堯德衰，為舜所囚。」又引《竹書》云：「舜囚堯，復偃塞丹朱，使不得與父相見。」《廣宏明集》十一引《汲冢竹書》云：「舜囚堯於平陽，取之帝位。」[27]

又載：

> 益干啟位，啟殺之。[28]

又載：

> （伊尹放大甲自立）伊尹即位七年，大甲潛出自桐，殺伊尹。[29]

以上這些載述，都與儒家經書的說法有別，究竟誰是誰非，不能無疑。有疑，就會用考核辨證之法來解決，一考核辨證，總會有些新發現。晉初，陳壽（233-297）的老師譙周（201-270），就用《竹書紀年》

27 見朱右曾輯錄《汲冢紀年存真》卷上，1959年12月新興書局（臺北）影印本，頁19。《汲冢紀年》，即古文《竹書紀年》。

28 見同上，頁23。

29 見同上，頁45。按：「大甲」，即「太甲」。

的材料來考辨《史記》，撰成《古史考》；司馬彪（246？-306？）撰作史書，即取證於《竹書紀年》。於是考據之學，逐漸興起，其中最有表現的，是裴松之（372-451）的《三國志注》。裴注特重史事，他所用的考據之法，即本於譙周。當時人亦因為崇信莊、老，思想得以解放，再輔以新材料的出土，因而使裴注取得較好的成績。

我們或許會同意，史學所重，是事實，材料分析要客觀，不迷信權威，因而考辨的步驟必不可省。劉知幾明白這段史學思想的演變，於是《史通》中有《疑古》、《惑經》之篇。劉氏之所以不學《春秋》，不考信於六藝，是由於傳統思想的動搖和新材料的獲得。也就是說，史學有新發展，實由魏晉開始，至劉知幾而完成。劉氏反對的對象，其實不是孔子，而是不客觀的歷史記載，即使那些是儒家經書的記載。總之，信一義，守一道，是為經學；求真相，考是非，是為史學。劉知幾得以成為史學家，有時代背景的因素，並不是突然出現的。

五　魏晉以後經史的分合

魏晉以前，史學不過是經學的附庸。魏晉時代，儒學與玄學會合，同時仿效佛家的講經儀式，側重名理談辯，於是經學與史學漸漸分離。這方面的變化和發展，牟潤孫先生在《論魏晉以來之崇尚談辯及其影響》一文中，有扼要的述論：

> 比東漢末，經師兼通者日多，家法終於不固。廣採而加以別擇，誠治學當有之舉，亦知識演進必有之結果……既而外受政治之刺激，內循學術發展之途徑，魏晉時代學人多捨實而言虛，由具體而抽象。以經學言，初明訓詁，次求大義，終於研理。自守家法師承懷思古之深情者觀之，固不勝其惋惜，自學

> 術進化觀點言之，則解脫束縛，放棄宗仰，實為極可稱許之現象。談辯之風既盛，世務學術遂無不求之於名理，流風所被，漸改舊觀者，有我國所素重之經學、史學、政治制度、法律諸門。經學既棄家法，史學亦離經而獨立，《晉中經簿》史部自成一類。元嘉之學，文史與儒玄並列，皆其證也。[30]

如果這樣發展下去，經學研究會多用名理談辯方式，走上明理求真之途。可是唐人的經學，卻是將南北朝的義疏，集合成為《五經正義》，專門為了科舉考試，捨棄了談辯，在這種情況下，明理求真之途，不免受到阻塞了。

唐中葉天寶後，趙匡（生卒年不詳，與啖助同時）、啖助（724-770）等儒者放棄《春秋》三《傳》，專講《春秋》本文，這雖是對《五經正義》的反動，但並沒有藉《春秋》講時事。到了宋代，經學家往往藉著經書來發揮個人對時事即現實社會或政治的議論，於是經學和史學就以這種形式又結合起來，成為經史合一之學。從史學來說，即所謂「明古用今」或「通史致用」之學；從經學來說，也是「明古用今」，即所謂「通經致用」之學。

我國傳統史學如何今古合一，如何明古以求致用於當世，有杜佑（753-812）《通典》、司馬光（1019-1086）《資治通鑑》及《稽古錄》、馬端臨（1254-1323）《文獻通考》等名著以及宋明以來許多史書作為證明。至於藉經學來講史學，最重要的是在經學中講時事，即講當代現實的事。經學和史學的目的同在於致用，這就是傳統研治經學和史學的主要宗旨所在。

---

30 見《注史齋叢稿》（增訂本）上冊，頁196。

六　宋明時代的「附經以言事」

牟潤孫先生在《兩宋春秋學之主流》一文中，曾提到兩部書，一是北宋孫復（992-1057）的《春秋尊王發微》（十二卷），另一是南宋胡安國（1074-1138）的《春秋傳》（三十卷）；孫書的「尊王」說和胡書的「攘夷」說，對當時和後世都有很大的影響。

孫復在《春秋尊王發微》中，對「尊王」的道理大加發揮。他認為孔子在《春秋》中，主要是「尊王」。為了支持「尊王」之說，孫氏有時甚至不顧事實，強詞奪理。這書的特別處，是撇開三《傳》而專講《春秋》的本文。孫氏所處的時代，是五代之末、北宋之初，他所看到的，是中國的分裂，人民遭受戰火劫難，流離失所，又受到官方橫徵暴斂的搜刮。孫氏認為，人民受苦，是因為當時沒有安定、鞏固的中央政府，他因而大講「尊王」之道，期望中國有強大的中央政府來統治；他是藉解說《春秋》來講現實的時事。宋人研治經學，目的多在「致用」，孫氏講「尊王」，就是為了「致用」。宋亡於外族，而沒有地方官叛亂，論者往往歸功於宋代強幹弱枝的中央集權制。中央集權，確實有本身的作用，但當時人在思想上較接受造反是「大逆不道」的看法，則不能不承認是孫復發揮《春秋》「尊王」學說的功效。在明朝，也只有平民起事而沒有地方官造反，到了民國才有軍閥割據。由宋至民國，時間不算短，而竟然沒有地方官叛變；在清代，曾國藩（1811-1872）能剿平太平天國而不敢革命，因為他認為違反君臣之分就是造反。這可見「尊王」之義對後世影響的深遠[31]。

胡安國在經學上也像孫復不講三《傳》。他特別為《春秋》撰寫

31 參閱牟潤孫先生《兩宋〈春秋〉學之主流》，《注史齋叢稿》（增訂本）上冊，頁70-75。

「傳」，目的是要給宋高宗（1107-1187）看。他借古論今，指出宋南渡後最要緊的事，是「攘夷復讎」而不是「尊王」。胡氏的《春秋傳》影響很大，岳飛（1103-1142）長期受人崇敬、秦檜（1090-1155）世代被人唾罵，就是影響的結果。在兩晉南北朝時期，當時的民族界限其實並不嚴格，五胡亂華期間，如晉人王猛（325-375）事前秦苻堅（338-385）為丞相，不僅沒有被人罵為漢奸，而且受到稱頌；崔浩（？-450）本屬北方士族大姓，卻仕於鮮卑人的北魏朝，其他士族大姓也有同樣的行為，但他們在當時都沒有得到漢奸的罵名。五代時，馮道（882-954）歷事後梁、後唐、後晉、契丹、後漢、後周，自號「長樂老」，頗為後世論史者所不齒，但在當時，似乎也沒有引起時人強烈的反感。由南北朝至五代，那時的人並沒有很強烈的民族觀念，為甚麼宋以後卻有這種觀念？牟潤孫先生認為應歸功於宋儒講《春秋》，尤其是應歸功於胡氏的《春秋傳》。此後元、清兩朝，漢人為主的中國人民不怕犧牲，力抗外族入侵，我們相信胡氏《春秋傳》這類書的影響最大。這種民族思想一直傳承下來，而普遍存在於我國經學、史學的著作中。史學著作中有民族思想，不用多說，而藉注解經書講史事、講民族大義的著作就不少。例如朱熹（1130-1200）《詩集傳》的《揚之水篇》注，就借用周平王（？-前720）不能報申侯、犬戎攻周弒幽王（？-前771）之讎而大講復讎之義。宋人在經書中甚多類似的說法，如講《詩經》的《黍離篇》，就大多會發揮收復國土的議論[32]。現代學人，當面臨異族入侵、國難逼迫時，也常會引述《黍離篇》及其他經書的語句來發議論。如果說，這就是宋代以來「附經以言事」的傳統，應該不算是過分的推論。

明代陳獻章（1428-1500）啟導明代學術由「朱學」轉向「心學」，

32 參閱同上，頁79-85。

繼之而起的王守仁集「心學」的大成，建立一套完整的「心學」體系，提出了「致良知」、「知行合一」的學說。就經學而言，王守仁從「心學」立場出發，提出了「經學即心學」和「《五經》亦史」的主張。

所謂「經學即心學」，王氏的意見是：

> 《六經》者非他，吾心之常道也。[33]

所謂「《五經》亦史」，王氏的意見是：

> 《五經》亦只是史，史以明善惡，示訓戒。善可為訓者，時存其跡以示法；惡可以為戒者，存其戒而削其事以杜奸。[34]

既然「《五經》亦只是史」，史的作用是「明善惡，示訓戒」，因此引經言事或附經言事，是很正常的事。到了明末，由於政治腐敗、民生困頓、異族侵凌，懷有憂患意識、深諳經學傳統精神的儒者，引經或附經以針砭時人、時政、時勢的情況，就更普遍了。

七　顧炎武及其他學者的通經致用之學

許多人以為，明清之際講經世致用之學的人，應以顧炎武（1613-1682）為首，其實這是誤解。宋明以來，常有人講經世之學，只是到了乾嘉時，學人才不敢講。上述誤解的產生，是因為談論經世之學的人，忽略了中國傳統文化中經學與史學的關係，不知道經史同源，而

33 見《王陽明全集》卷七，《稽山書院尊經閣記》，頁284。談論儒學的人，《六經》、《五經》常互用。

34 見《王陽明全集》卷一，《傳習錄》上《答徐愛問》，頁11。

目的都是在「致用」。宋代講理學的人瞧不起蘇軾（1037-1101），認為他是個不懂經學的文人。顧炎武倒有留意蘇軾在經學方面的表現，他在《日知錄》卷十三「宋世風俗」條中指出，蘇氏著有《易傳》，其中講「兌卦」的話，是批評王安石（1021-1086）的：

> 蘇子瞻《易傳・兌卦解》曰：「……『上六』超然於物外，不累於物，此小人之託於無求以為兌者也，故曰『引兌』，言『九五』引之而後至也，其心難知，其為害深。……難進者，君子之事也。使『上六』引而不兌，則其道光矣。」此論蓋為神宗用王安石而發。[35]

顧氏是反對王安石的，他認為蘇軾（子瞻）此論針對的對象，是宋神宗（1048-1085）和王安石。當時宋神宗徵召王安石，王安石最初力辭不就，後來卻又應召。蘇氏認為，這只不過是王氏矯情干譽，「託於無求以為兌者也」，而蘇氏對王氏的批評，是「其心難知，其為害深」。這可說明，宋人講經學，多就時事發論，即使是被人視作文人的蘇軾，也是這樣。顧氏既認同蘇軾的做法，當他在經書中看到適合的材料時，自然也會用這種方式來解說。

細察《日知錄》的內容，顧氏有許多涉及時事的意見，是在卷八以前說經書的部分裡。例如《日知錄》卷一「師出以律」條，講的是《易經》「師卦」中「師出以律」一語的含意。顧氏云：

> 以湯、武之仁義為心，以桓、文之節制為用，斯謂之律。律即卦辭之所謂「貞」也。《論語》言「子之所慎者戰」。[36]

---

35 見黃汝成《日知錄集釋》，2006年12月上海古籍出版社（上海），頁762。

36 見同上，頁15。

出師征伐，要以「仁義為心」，要「節制」，要矜慎，要有紀律。顧氏這樣說，很可能有所聞，有所感，用意在斥責清兵下江南時屠殺劫掠，毫無紀律[37]。

又例如《日知錄》卷一「武人為於大君」條，原文出於《易經》「履卦」。顧氏很清楚地表示：

> 惟武人之效力於其君也，其濟則君之靈也，不濟則以死繼之，是當勉為之而不可避耳。[38]

顧氏所說的意思，大抵是指責明臣洪承疇（1593-1665）、吳三桂（1612-1678）等人的投降滿清，而不能為國死難。臨危殉國，武將「當勉為之而不可避」，這是護衛國家者必須承擔的責任。牟潤孫先生認為，讀《日知錄》這一條，必須結合當時發生的事，才能明白顧氏的用心。這是經學，也是史學[39]。

《日知錄》中這類例子不少，我們可以再舉一些。例如《日知錄》卷一「包無魚」條，原文見於《易經》「姤卦」。「包」，即「庖」，「魚」，代表民。顧氏說：

> 國猶水也，民猶魚也。……自人君有求多於物之心，於是魚亂於下，鳥亂於上，而人情之所向，必有起而收之者矣。[40]

這是說，明末李自成（1606-1645）、張獻忠（1606-1646）之亂，是明

---

37 參閱牟潤孫先生《從中國的經學看史學》，《注史齋叢稿》（增訂本）下冊，頁688。
38 見黃汝成《日知錄集釋》，頁16-17。
39 參閱牟潤孫先生《從中國的經學看史學》，《注史齋叢稿》（增訂本）下冊，頁689。
40 見黃汝成《日知錄集釋》，頁27。

朝政府過分搜刮民脂民膏所造成，所謂「人君有求多於物之心」。

又如顧氏在《日知錄》卷一解說《易經》「艮卦」時，說：

> 「富貴不能淫，貧賤不能移，威武不能屈」，「行其庭不見其人也」。[41]

「行其庭不見其人也」，是《易經》「艮卦」的語句，在其上冠以《孟子．滕文公下》之語，表示自己身為明遺民，絕不會屈作清朝之官，所謂雖「行其庭」而「不見其人」。顧氏為故國忠貞守節之意，並不隱晦。

最明顯的一條，是《日知錄》卷一「東鄰」條，原文出於《易經》「既濟卦」：「東鄰殺牛，不知西鄰之禴祭，實受其福。」東鄰，指商紂（約前1155-前1122在位），西鄰，指周文王（商紂時為西伯）[42]。顧氏說：

> 馭得其道，則天下皆為之臣。馭失其道，則強而擅命者謂之鄰。臣哉鄰哉！鄰哉臣哉！[43]

顧氏指出，滿人自稱是明之鄰，其實是明之臣，因為滿人起於建州衛，本是明的藩屬。顧氏的話，其實與「既濟卦」的含意關係不大，他特意這樣說，當然有他的用心，只是他的用心，又豈是只懂講訓

---

41 見同上，頁30。

42 《漢書．郊祀志下》顏師古注：「商紂在東，故謂周為西也。」見《漢書》卷二十五下，頁1256。

43 見黃汝成《日知錄集釋》，頁38。

詁、讀死書的人所能了解[44]？可以說，顧氏解說經書之法，是結合經史的做法，即所謂「通經以致用」。

顧氏解說《詩經》，有時也採用解說《易經》的做法。如《日知錄》卷三「流言以對」條，顧氏就《詩經・大雅・蕩》的內容說：

> 深居禁中而好聞外事，則假流言以中傷之，若二叔之流言以間周公是也。夫不根之言，何地蔑有？……如此則寇賊生乎內，而怨詛興乎下矣。……孔氏疏《采苓》曰：「讒言之起，由君數問小事於小人也。」可不慎哉！[45]

深居禁中之君，易為流言所動，顧氏指出，因流言中傷，所以有勳臣、將領被害。他所指的，該是明思宗（崇禎，1610-1644）誤聽滿人流言而殺袁崇煥（1584-1630）的事[46]。顧氏惋惜之情，溢於言表，而君主的庸愚，就不說自明了。乾嘉學人，在政治壓力下，多不大敢用這種方式講解經書，而敢用這種方式講解的，還有錢大昕（1728-1804）。

錢大昕《潛研堂文集》卷三《履卦說》云：

> 陽健於上，陰說乎下，有將順而無匡救，孔子所謂「予無樂乎為君，唯其言而莫予違也」。若是者，雖正亦危，況未必皆正乎！……上不知其眇且跛也，而委以視履之柄，下亦忘其眇且跛也，而矜其視履之能。……不特自詒伊慼，抑且禍及國家矣……。[47]

---

44 參閱牟潤孫先生《從中國的經學看史學》，《注史齋叢稿》（增訂本）下冊，頁689-690。

45 見黃汝成《日知錄集釋》卷三，頁163-164。

46 參閱牟潤孫先生《從中國的經學看史學》，《注史齋叢稿》（增訂本）下冊，頁690。

47 見《潛研堂集》，1989年11月上海古籍出版社（上海），頁41。按：詒，同貽。

「陽」指清高宗（乾隆，1711-1799），「陰」指和珅（1750-1799），和珅對高宗「有將順而無匡救」，「唯其言而莫予違」，所以受到寵信。錢氏表面講《易》，其實是論高宗的誤用和珅。這是治經學講義理的講法，專門研究訓詁的考據家，很難懂得這個道理。牟潤孫先生在《錢大昕著述中論政微言》中強調：「即此一端，足見錢氏的經學，應是乾嘉學派中第一人。」[48]

《潛研堂文集》卷五《答問二》中，提到《尚書·洪範》有「思曰睿」、「睿作聖」之語，伏生《五行傳》「睿」作「容」，鄭玄（127-200）以為是誤字。錢氏云：

> 伏生《五行傳》云：思心之不容，是謂不聖……說者曰：「思心者，心思慮也；容，寬也。孔子曰：『居上之不寬，吾何以觀之哉！』言上不寬大包容臣下，則不能居聖位也。」董生《春秋繁露》述五行五事，亦云：「思若容，容者，言無不容。……」西京經師說《洪範》，以「容」為思之德，其義昭著如此。許叔重《說文解字》云：「思，容也。」亦用伏生義也。古之言心者，貴其能容，不貴其能察。[49]

錢氏身處雍、乾時代，當時的君主察察為明，不惜深文周納屢興文字之獄。此外，在雍正四年（1726）罰惠士奇（1671-1741）修鎮江城，在乾隆十四年（1749）折辱告老致仕的張廷玉（1672-1755）等等，都顯得君主心胸狹隘，不能容人。錢氏根據所知所聞，借了《洪範》的語句，緊扣「容」字，多方徵引，反覆說明在上者能寬大包容

---

48 參閱牟潤孫先生《注史齋叢稿》（增訂本）下冊，頁648。

49 見《潛研堂集》，頁66-67。伏生，秦博士，漢文帝時年九十餘。相傳他著有《尚書大傳》。

的可貴。他這樣做，顯然有感而發，意有所指[50]。

在《潛研堂文集》卷七《答問四》中，錢氏對「孔子成《春秋》而亂臣賊子懼」的解說，也有頗大膽的議論。

> 《左氏傳》曰：「凡弒君，稱君，君無道也；稱臣，臣之罪也。」後儒多以斯語為詬病。愚以為君誠有道，何至於弒？遇弒者，皆無道之君也。……聖人修《春秋》，述王道以戒後世，俾其君為有道之君，正心、修身、齊家、治國各得其所，又何亂臣賊子之有！[51]

「遇弒者，皆無道之君也。」這真是無視君位之尊的斥責。乾隆時有白蓮教之亂，錢氏藉解說《春秋左氏傳》，表示「有道之君」，須能「正心、修身、齊家、治國」，言下之意，是認為高宗（乾隆）不能達到這樣的要求。高宗的兒子仁宗（嘉慶，1760-1820）承認亂事之起，是「官逼民反」，罪魁是和珅，而錢氏則認為罪在不能「正心、修身、齊家、治國」的「無道之君」[52]！錢氏借古論今，正是經學也是史學的傳統精神。

最後可以一提的，是柯劭忞先生（1850-1933）。柯氏的經學、史學、文學、小學都有很高造詣。經學方面，柯氏著有《春秋穀梁傳注》，其中就有許多微言大義，可說是繼承了宋明以來講經的傳統。柯氏是丙戌（1886）進士，曾任湖南學政、湖北及貴州提學使，親身受過慈禧太后（1835-1908）的統治。《春秋穀梁傳注》中，就有一些

---

50 參閱牟潤孫先生《錢大昕著述中論政微言》，《注史齋叢稿》（增訂本）下冊，頁649。

51 見《潛研堂集》，頁85。

52 參閱牟潤孫先生《注史齋叢稿》（增訂本）下冊，頁650。

評論慈禧太后和當時政事的話語。例如《春秋穀梁傳》卷八載晉將軍狐夜姑殺大夫陽處父事，柯氏注云：

> 按狐夜姑殺陽處父之事，三《傳》不同，而襄公漏言，則《公》、《穀》義同事亦不同。《春秋》大義在垂漏言之戒。《傳》曰「造辟而言，詭辭而出」，陳義之高，非《公羊》所及也。《易》：「君不密，則失臣；臣不密，則失身。」[53]

柯氏指出，「造辟」當為「蹙膝」，「蹙膝而言者，君臣密語，不使左右聞之」[54]。這是說，君與臣的密言不能輕易洩漏，否則就很危險。注文所指，很可能是戊戌政變中袁世凱（1859-1916）漏密言出賣德宗（光緒，1871-1908）的事[55]。

《春秋穀梁傳》卷八又提到宋文公八年（前603）「宋殺其大夫司馬」。「司馬」是官名，稱官名而不稱人名，屬於所謂「無君之辭」，究竟是甚麼意思？柯氏注云：

> 非其君殺之，故以官稱而不書名。……不以君命殺之，故曰「無君」也。「無君」者，宋公之命不行於國中。……宋公命不行於國中，亦所謂無人君之德，惟由於襄夫人顓國。[56]

---

53 見《春秋穀梁傳注》，1969年8月進學書局影印本（臺北），頁250。關於「造辟」一詞，柯劭忞注云：「王引之說：辟，當為膝，隸字辟、膝之左右旁皆相似，故致譌；造，讀為蹙，蹙者，促也、近也。」又，本書的封面及扉頁，標書名為《春秋穀梁傳補注》。

54 參閱同上。

55 參閱牟潤孫先生《從中國的經學看史學》，《注史齋叢稿》（增訂本）下冊，頁690。

56 見《春秋穀梁傳注》，頁255-256。

注文的意思是，宋大夫實非由國君所殺而是由專擅國政的太后（襄夫人）所殺。牟潤孫先生認為，這些話語，所指是戊戌政變中六君子被慈禧太后殺害的事；他還特別指出，柯氏是清末藉注解經書而講當代史事的最後一人[57]。

八　經學研究在香港的思考

中國古代經史不分，經學出於巫，史學也淵源於巫。可以說，經學就是史學，史學就是經學。中國傳統文化中的經學和史學，絕不會脫離時代，如果脫離了時代，就不成其為有中國傳統精神的經學和史學，也不能達到「明古用今」或「借古論今」的目的，而走上繁瑣考據之途。

中國經學的發展，由近代至現代，可說是經學的衰落時期。直到今天，在大專院校講臺上講授中國經學史、提倡研治經學、強調經史不分，仍會被人視為不合現代學術潮流的滯後分子，如果不被人斥為「復古」、「抱殘守闕」、「冬烘固執」，已是值得慶幸的事了。不過，在衰落的情況下，往往會蘊藏振興的契機，我們要掌握契機，尋求振興之路，應當要問：經學為甚麼衰落？怎樣衰落？如果經史同源，經史關係非常密切，史學研究，會不會有助於經學的振興？……現試就香港的社會、文化環境，提出一些有關經學研究的問題，供有意振興經學的有心人士參考。

思考之一：經學與史學

經史同源，兩者關係密切，研究史學，不可不懂經學，否則就不

57 參閱牟潤孫先生《從中國的經學看史學》，《注史齋叢稿》（增訂本）下冊，頁690。

能解決史學上的一些問題，這已是史學研究者的共識之一；同樣的理由，研究經學，也不可不懂史學，因為不少經學問題，其實就是史學問題。所以牟潤孫先生說：「經學皆史學也。」[58]他這樣說，並不表示有史學而無經學，而是指出古代經學性質的另一面，史學研究者須兼通經學，也就不言而喻了。我們如果對經學缺乏認識，就不會知道《史記》、《漢書》和一些史書的體例、內容有經學思想；我們如果只知經學而不留意經史的密切關係，就或許不明白顧炎武、錢大昕、柯劭忞等史學名家在談論經書的內容或語句時，為甚麼會有涉及時事的微言大義，他們在論經時，其實也在論史。他們的做法，既在彰顯「通經致用」的精神，也在彰顯「通史致用」的精神。本港的經學研究，何妨走出專注某一經書或純經學的範圍，發展而為通於經史的研究？

思考之二：經學與史料

民國初年以來，有不少著名學者根據章學誠的「《六經》皆史」一語，發展為「《六經》皆史料」的說法。持這種說法的人，把經書視為研究古代歷史文化的文獻資料或一大堆僅供選擇的研究原料，這可擴大研究取證的範圍，有它本身的作用。例如有人利用《尚書》作為研究古代社會、思想的史料，有人利用《詩經》作為研究古代社會、文學的史料，等等，都有研究成果的表現。不過，我們如果同意「史」是透過史家意識而記述下來的人類社會記錄，為甚麼不接受「經」和經書的解說，也是透過古代經師或智高學博之士的意識而保存下來的人類社會、思想、文化記錄呢？研究歷史時，我們把經書的內容視為古代社會形態的史料，固未嘗不可，但純粹視為史料，經學的地位就會大為降低，甚至沒有獨立研究的價值而只有史料的價值，

---

58 語見同上，頁685。

而經書中的教化提示、微言大義、訓釋者的詮釋，以至其中深層的文化意義、時代思想、致用精神等等，都丟失了。近世經學之所以衰落，這是原因之一。本港的經學研究，大抵不會把經書貶為研究古代歷史、社會的原始材料罷？

思考之三：經學與經學史

研究經學，不可不知道儒學與經學的分別，不可不了解經學的起源和發展，也就是說，不可沒有「史」的觀念。專守一經，探賾索隱，博覽一經的訓釋和種種緊密相關的資料而不知其他，就會成為不知源委、無根無本、缺乏通達識見之學。對於初學者，我們不必要求他們對經學史有詳盡的了解，但對經學不同時期的發展有一概略認識，對經學史上的大問題有些常識，就不會畫地自限，自足於專門之見，也不容易為陋儒、俗儒之說所左右。本港大專院校的文史學系，能為學生開設經書導讀課程，值得稱許，部分院校和學術團體，為大眾提供有關經學特別是經書的講授課程、公開演講或研討座談，也值得肯定。不過，為了增強學生對經學有「史」的觀念和對經學發展有較多認識，本港大專院校是否可考慮開設經學史或相類性質的課程？這對本港經學研究的未來，應有積極的推動作用。

思考之四：經學與通識

經學是中國傳統文化的一部分，而且是重要的一部分。對經學無所知，就不能對中國傳統文化有了解；而缺乏經學常識的人，對自己國族歷史的了解也會有偏差。香港不少重視通識教育的人，都把文化認識視為現代通識教育的一部分，只是他們較看重的，是現代社會生活中的文化而不是傳統文化，同時他們更會強調：通識教育，主要在培養學生關心社會，提升個人的分析、理解、判斷能力；因此，通識教育會特別關心現實社會的議題。對通識教育有這樣的看法，並沒有不對，與提倡經學研究，也不矛盾，因為真正講論經學的人，不會忽視當前的處境，如有需要，也會結合現實社會的情況，引經或附經以言事，這其實是傳統文化中的經學精神和史學精神。經學研究不會追新逐異，但也絕不會自閉於書齋，自外於新思潮、新事物。我認為，把經學的基本認識適量地納入大專院校通識教育課程之內，或可引發年輕人對經學產生興趣，這無疑有助經學研究在香港的發展和推廣。至於課程內容是甚麼，比重如何，怎樣講授，就需要作進一步的思考和商討。此外，在通識教育課程中安排一些有關經學的演講、座談，或配合演講、座談展陳相關的參考圖書，對本港研讀經書或研究經學的風氣，也可能有些幫助。

思考之五：經學與訓釋

研究經學的基本要求，是要理解經書原文，這就不能忽視經書文字、名物的訓釋和內容要義的了解。為了要達到這個目的，有人建議須留意經書文字、名物訓釋功夫的培養，並須借助《說文解字》、《爾雅》、《說文通訓定聲》、《經籍籑詁》、《經傳釋詞》、《古書疑義舉例》等等這類參考物[59]。這個建議，當然有理，但在本港社會環境、學習條件和學術風氣裡，不免陳義過高，或許會嚇怕一些剛有意涉足經學的年輕人，倒不如各大專院校考慮開設一些專書導讀課程，先通過篇章的選講、指導，讓學生不抗拒接觸與經學相關的課題。有了這個基礎，才進一步直接去研讀經書。如果條件許可，本港大專院校或學術機構的圖書館，可考慮為經學開設專室，有計畫、有系統地網羅經學參考圖書，編製目錄，分類儲備，其中須包括各種經書的新舊注釋本

59 參閱周予同《中國經學史講義》，1999年1月上海文藝出版社（上海），頁128。

及最新出版的相關學術刊物，以便學生閱覽、參考。坊間有些為經書原文逐句語譯而沒有詳細附注或提供補充閱讀資料的出版物，對經書理解的幫助可能不大。有人認為，提供融合古今訓釋、文字淺易而含有現代學術意見的經書新注本，仍是有待有心人積極開展編寫和出版的工作。

思考之六：經學與評審

世界各地在大專院校任職的學人，大多會關注學術研究成果的評審問題，因為這或會涉及資源分配、續約或升職等方面的考慮，本港的學人也不例外。據本港政府大學教育資助委員會最近發表的《八大院校研究項目評級報告》，「不予評級」的項目達七百四十五項，其中較多涉及課程與教學、酒店管理及旅遊、社會科學、翻譯、文學、人文學等類別。而獲最高評級（四星）最多的項目，則有化學、電腦、財務學、物理學、天文學、數學、統計學[60]。私立大專院校及研究機構不在政府資助之列，所以不必呈報研究成果，自然也不會受到評級。讀到這份報告，我不禁猜想：評級中有沒有屬於人文學的經學研究項目呢？如果據教資會主席及評審小組所強調，研究項目既要重視國際評審標準，又要重視本土以外的地區聯繫，特別是國際聯繫[61]。大多用中文撰作並以文獻引述為主的經學研究項目，大抵不會獲得教資會轄下評審小組諸君的青睞，在這種情勢下，最後可能得到「不予評級」即最低級別的評審結果。我認為私立大專院校及研究機構，可

60 參閱香港《星島日報》「要聞版」（2015年1月28日）。本港八大院校，指香港大學、香港中文大學、香港科技大學、香港城市大學、香港理工大學、香港浸會大學、香港教育學院、嶺南大學。據說這是大學教育資助委員會首次引用「星級」的評級機制，以「四星」評級為最高，「不予評級」為最低。教資會轄下設十三個評審工作小組，負責具體的評審工作。

61 參閱同上。

不受政府教資會評審和資源分配的左右，反而可較少顧慮、較大自由用力於經學以至其他受冷待的學術項目研究，這未嘗不是好事。我國古代官學的學術研究，因受到這樣或那樣的規範或掣肘時，難免有不足或偏向的表現，而私學的表現，則往往較為出色和蓬勃，例如東漢的古文經學，就是如此。在經學研究方面，我對本港私立大專院校及研究機構有這樣的期望。

九　餘論

中國傳統文化中的經學和史學，不會脫離時代，如果脫離了時代，就會喪失了傳統的經學精神和史學精神。談到「傳統」，有人把它視為貶義詞，其實它從來不是貶義詞，把「傳統」等同「保守」，把研究經學視為宣揚「封建思想」，是很大的誤解。

重視儒學的人，一般都會重視經學，但他們不一定都作經學的研究。有人強調經書裡的宗教元素，刻意為成立儒教、宣揚教義而努力；有人崇尚專家之學，矢志集中精力，專研一經，不問其他。這對經學研究的發展，都有幫助，我們不必排拒。不過，要把傳統文化中的經學納入現代學術的範疇，則必須能發掘其中亙古常新的性質，又能化舊為新，更必須有「容納異己」的胸襟和「認識異己之美」的識見，也不宜懷有過分崇拜信仰的存心，減弱了敢於質疑的成分。

此外，經學研究，我們不必自足於小圈子或少數人的講論和溝通，而應該通過各種交流的渠道，與本港同道以至外地研究經學的學者，加強學術交流，彼此啟發，各取所長，互補不足。同時，也可容許發展帶有地區特色的經學研究。任何地區的學術研究，正如個別學者的研究一樣，都會有個別地區或個人研究的特色和風格。香港目前是個學術、言論較自由的社會，資訊甚為發達，各地所出版的參考圖書都有機會看到，而且不會有甚麼學術禁區或顧忌，在這種條件下，我們的經學研究，應可無拘無束地發展，不必自定規限，不必自我審查，更不必刻意迎合。我期望本港的經學研究，在將來有長足的發展。

——「香港經學研究的回顧與前瞻國際研討會」發言稿（2015年5月6日）

經典閱讀與教學的實踐與思考

一 引言

「經典閱讀與教學」，即所謂「讀經教育」。「讀經教育」所重看似在「讀」，但不能沒有「教」，否則就談不上「教育」。「讀經教育」的「經」，與許多人心目中的「中華經典」，有沒有分別？談到「經典」，有人會採取較廣義的說法，如朱自清（1898-1948）在《經典常談・序》中說：

> 本書所謂經典是廣義的用法，包括群經、先秦諸子、幾種史書、一些集部；要讀懂這些書，特別是經、子，得懂「小學」，就是文字學，所以《說文解字》等書也是經典的一部分。[1]

也有人會採用較狹義的解說，認為「經典」指的是經學典籍，即儒學群經，最多可擴大到一些與儒學群經密切相關的一些先秦子書和一些儒學思想元素較多的傳統蒙書等等。今屆研討會以「讀經教育國際論壇」的名義舉行，而且已是「第七屆」，可見「論壇」長久以來所倡導的，大抵是較狹義的「經典」解說，即主要研討經學典籍內涵的傳承和創新，其中當然會涉及「讀經教育」的理論和實踐。我相信今年

---

1 見朱自清《經典常談》，《朱自清古典文學論文集》下冊，1981年7月上海古籍出版社（上海），頁595。

「論壇」的研討主題和範圍，仍然應該是經學典籍的閱讀和教學問題，也就是在現代社會中的讀經問題和在現代教學中指導學生如何學習群經內容及相關書籍內容的問題。

談「經學典籍」，我們會想到《四書》、《五經》以至《十三經》[2]。除了《五經》、《十三經》，經學史上又有所謂《六經》、《七經》、《九經》、《十二經》、《十四經》、《二十一經》。從教育的現實出發，現時中學生只能選讀《四書》中的一些章節及經書中一些較易理解、較有趣味的段落，但已有頗大難度。大學程度的學生，除了《四書》，再從《五經》中選讀一些篇章，大抵也足夠了，在大學中文系或文史系中，開設一些經學專題課或專書導讀課，供學生選修，也未嘗不可，但不宜要求太高。至於經學專題或經學專書方面的研究，那應該是研究生課程的事了。

二　為甚麼要閱讀經典

「讀經」或「閱讀經典」這個論題，向來頗富爭論。尤其是在晚清及民初，知識分子受到西風東漸的影響，不免特別仰慕西方文明，再加上當時有新文化和新文學運動，因此主張讀經的人，往往會被視為封建殘餘的代表。

其實，儒學典籍是中國文化遺產的一部分，而且其中不少內容，仍然有很強的生命力。世界各國，都有她們的經典，沒有哪一個國家的國民，會反對通過經典的閱讀，去了解自己國族的文化遺產，去從中汲取古代智慧和知識，並得到進德修業的啟發。

2　《十三經》之稱，始於宋代，包括：《周易》、《尚書》、《詩經》、《周禮》、《儀禮》、《禮記》、《左傳》、《公羊傳》、《穀梁傳》、《論語》、《孝經》、《爾雅》、《孟子》。

不過，近現代的中國國民，總有人在不同年代，反對讀經。遠的不說，在六、七十年代，香港就有人反對讀經，甚至在電視上展開辯論。當時的印象是，主張讀經的人，在辯論中似乎處於劣勢，因為發言者的發言內容並無新意，談吐也不動人，而且在辯論中常背誦經書的語句作為論據，但在背誦時卻採取了不討好的方式——搖旋腦袋，曼聲哦吟。這種表達方式，的確讓人有守舊、落伍、冬烘的印象，至少當時不少人的印象是這樣。至於熱衷提倡讀經的團體或組織，不時在公開場合（如香港大會堂、公立圖書館）提供經學講授課程，形式一般是由對國學有較深厚認識的人，一字一句講解經書篇章。講課者大多是深研經學有得之士，因此講解時往往詳徵博引，給人的印象是「博聞強記」，這的確吸引一些愛好國學的人，願意追隨、仿效，甚至產生敬仰或崇拜的心意，可惜普及的程度頗為有限。

毫無疑問，中國國族的歷史悠久，文化積澱深厚，廣義經典（包括儒學群經）的數目何止汗牛充棟，但對我們卻形成巨大的壓力，因此提出為甚麼要閱讀經典的質疑，就不時會出現。加上自晚清以來，中國國勢日弱，許多國民缺乏自信，崇洋之士又大肆貶抑打擊，於是有人提倡不要經典（當然也不要儒學群經），更主張把線裝書（經典的載體）都扔入毛廁裏！

說到底，儒學群經是廣義經典的主要部分，也是中國文化遺產的重要部分，其中所包含的古代智慧、知識，只要有現世的價值和意義，或通過轉化，使經書的內容有現世的價值和意義，我們沒有理由反對閱讀，也不必以自卑、自損的心態，對中國傳統的一切，全盤自我否定。也就是說，是否讀經，本來不是問題，教導學生怎樣讀，才是問題。而不理時代、脫離現實的讀，則不管讀甚麼，都不符合現代教育的精神，都會被不少現代人所冷待或排斥。

三　經典教學的實踐

談教學實踐，不可忽略教學對象，這是大家應有的共識，經典教學即所謂儒學典籍的教學，當然也不能例外。我較長時間的教學經驗，是在大專院校，因此在談到教學實踐時，不免偏重大專院校的教學，討論所及，有時也會涉及中、小學。下面是一些實踐的建議：

（一）編製適用教材

推行經典教學，最為人詬病的，是缺乏因應教學對象而編製的適用教材。例如為配合經書講授而提供的教材和參考資料，不是取自《四書集注》，就是取自《十三經注疏》；要不，就是專家學者的箋注本或集解本。對現時的大專院校學生來說，上述教材和參考資料大抵消化不了多少，何況是低於大專院校程度的學生？為了要讓經典教育切實推廣，得由教育當局、學術團體或出版機構，趕緊組織學有所得的專家學者和富有經驗的資深教師，因應不同程度，編選不同篇章作為分級教材，並以暢達而不繁瑣的文字，為這些篇章作淺白易懂的注釋。同時，最好為教師提供教學手冊，其中應多附詳細的參考資料及教學方式建議，讓教師可因應自己學生的程度，而增減教學內容及採用不同教學方式。如有可能，教材應多附彩色插圖，特別是文物圖片，以增加學習的趣味。

此外，也要鼓勵出版商出版一些有趣的輔佐讀物，包括經書故事選編、連環圖書、漫畫書、電子書等等，供學生在課餘自行選讀。至於傳統的蒙書，也有涉及經書內容的，因此可考慮重新編印、包裝，加注釋、說明、插圖，使成為教材或補充讀物的一部分。把經書故事和蒙書內容製作為動畫，作為教材，也是可行的做法之一。

編製適用教材，說來容易，要切實做到，其實困難不小。集思廣益，謀求共識，用心設計、編製，再用教學實驗來檢視效果，最後更要根據實驗結果來調整、修訂原先的設計和內容。有這樣的安排，才可能發展出一系列有實效、受歡迎的適用教材。

（二）發掘文化義蘊

經典教育，其實就是文化教育，因為儒學典籍中，就內藏深厚文化義蘊。不過這些文化義蘊，有些在表層，我們很容易就看到；有些在較深層，讀者必須通過各種注釋或解說，再要仔細研讀，才可了解其中義蘊；更有些文化義蘊，在典籍中的最深層，讀者必須深入挖掘，又透過古今學者的研究成果，反覆探研，才可從中發掘出較多和較深刻的文化義蘊。此外，經書中有些精彩、深刻的文化義蘊，往往隱藏在字裏行間或文字的背後，讀者必須憑學養和識力，才可從中有所領會，或因得到啟發、導引而懂得其中道理，最後更需通過適當的轉化，才可使其中的文化義蘊，汩汩流出，構成圓融的道理，使人神智清明，識見提升。

試以《論語》、《孟子》為例：掃除文字障礙，使人懂得文字所表達的意義，是義蘊的第一層；再進一步，去了解其中超出文字表面意義的道理，而又不違悖孔、孟一貫之說，這是義蘊的第二層；如果有人能再進一層，通過古今學者的研究成果，加上自己的認識和領悟，發掘出其中的義理，並以此教導學生，這是難能可貴的第三層；更深一層，是能領會《論》、《孟》言外之意的啟發，並把這些啟發結合為有系統、有體例之說，並與儒學的主要精神融通合一，成一家之言，那該是義蘊的最深層。不同氣質、不同性格、不同學養、不同才識的人，從最深層所得的文化義蘊又會有不同的面貌。不過，從教育的角度來說，我們對教學對象的幫助，能達到第一層、第二層或第三層，就差不多了，進到第四層，那已是思想家或國學通儒的境界，即使是大專院校及研究機構的資深學者或導師，也不是人人可以臻達。

儒學典籍的文化義蘊，內涵深厚、複雜，有待不同時代的人不斷發掘、探討，但有兩種義蘊是不可忽略的，其一是國家民族的精神，另一是具恆久性的固有道德。前者是中國傳統文化內在的真精神，後者是可以振發我們國族精神的重要元素。有了上述考慮，文化義蘊發掘的走向，才不會有較大的偏差。

（三）理解字詞意義

閱讀經典，即所謂讀經，要面對字詞的理解，這涉及經籍訓詁的問題。在現代讀經的指導中，雖不必把傳統經籍訓詁那一套用來指導學生，但經籍字詞的多義性，仍然要作適當的處理。關於字詞意義的不同類別，目前還沒有統一的畫分法，比較常見的有：本義和引伸義、詞源（或字源）意義和現行意義、直接意義和轉移意義、具體意義和抽象意義、中心意義和邊緣意義[3]。

凡是歷史長久、使用頻繁、經常出現在不同上下文的字詞，它們的意義就特別多，不過，字詞儘管多義，但在相關的語言環境中，如上下文或當時的語境，就會排除字詞多義性的干擾，而且給它一個較確切的含義，其餘的含義就會處於潛藏或被抑制的狀態下[4]。還是舉經書的一些字詞語句為例罷：

如《周易・師卦・彖》:「以此毒天下，而民從之。」[5]《說文・屮部》:「毒，厚也。害人之艸往往而生。」段注:「字義訓厚矣……

---

3 參閱張永言《詞匯學簡編》第三章《詞的意義》，1982年9月華中工業學院出版社（武昌），頁50。

4 參閱同上，頁47。

5 見《十三經注疏》，1960年1月藝文印書館（臺北）影印本，頁35。又《疏》云：「毒猶役也。」可見經書字詞多義的一斑。

因害人之艸……其生蕃多則其用尤厚……。」[6]可見《周易》這個「毒」字，本義是「厚」，與我們現在常用的「毒藥」、「毒害」、「病毒」的「毒」字，意義並不相同。

又如《詩・小雅・鴛鴦》:「鴛鴦于飛，畢之羅之。」[7]《說文》:「畢，田網也。……象形。」段注:「謂田獵之網也。」[8]這是說，「畢」指的是用來捕捉禽鳥和小動物的網，象形，大抵是小而長柄的網。後來我們常用的「畢生」、「畢業」中的「畢」，已不是本義了。

又如《詩・豳風・狼跋》:「狼跋其胡，載疐其尾。」[9]《說文》:「跋，蹎也。」段注:「《大雅》、《論語》顛沛皆即蹎跋也……馬融《論語》注曰：顛沛，僵仆也。」[10]「跋」的本義是跌倒，但在這裏，則有踐踏之意。《詩・鄘風・載馳》:「大夫跋涉，我心則憂。」[11]這裏「跋」指草行，「涉」指水行[12]。同是《詩》的語句，意義也有分別，跟我們現時常用的「題跋」、「跋語」，意義大不相同。

又如《論語・學而》:「學而時習之，不亦說乎？」[13]「說」同「悅」;「習」的本義，據《說文》是鳥「數飛也」[14]，有學之不已的實踐意義。孔子以禮、樂、射、御、書、數教弟子，都是行為實踐的科目，因此「學而時習之」的「習」，跟我們現今理解的「溫書」或「溫習功課」，主要以紙本書為對象，意義並不相同。

---

6 參閱段玉裁《說文解字注》第一篇下，1964年11月藝文印書館（臺北），頁22。

7 見朱熹《詩集傳》卷十四，1958年7月中華書局（上海），頁160。

8 參閱段玉裁《說文解字注》第四篇下，頁160。

9 見朱熹《詩集傳》卷八，頁97。

10 參閱段玉裁《說文解字注》第二篇下，頁84。

11 見朱熹《詩集傳》卷三，頁33。

12 參閱同上。

13 見朱熹《論語集注》卷一，《四書章句集注》，2005年9月中華書局（北京），頁47。

14 參閱段玉裁《說文解字注》第四篇上，頁139。

又如《論語・八佾》:「與其媚於奧,寧媚於竈。」[15]《說文》:「奧,宛也,室之西南隅,宛然深藏,室之尊處也。」[16]因此,《論語》中的「奧」,指的是屋裏西南角位置的神。現在我們所用「奧妙」、「奧秘」的「奧」,已不是本義了。

又如《孟子・梁惠王上》:「頒白者不負戴於道路矣。」[17]《說文》:「頒,大頭也。」段注:「《孟子》:『頒白者不負戴於道路。』此假頒為顭也。」[18]「頒」的本義,原來是大頭,與《孟子》的意思並不相應。不過,「頒」可假借為「顭」。《說文》:「顭,須(鬚)髮半白也。」[19]「頒」,其實與「斑」同,「頒白」,應指頭髮斑白上了年紀的人,但《說文》沒有「斑」字,只有「班」字,因此借「頒」為「班」,有「班白」之詞。現在「頒」、「班」、「斑」各有義項,並不通用,而「班」的分發義,就由「頒」來表示。

又如《孟子・公孫丑上》:「自反而縮,雖千萬人,吾往矣。」[20]「縮」,本有斂、退義,但在這裏則解作「直也」[21],指理直,剛好與「縮」的字面意義相反。這類例子,在古書中有不少,稍一疏忽,就不知前人所指之意,勉強曲解,或穿鑿附會,那就會製造謬說,不免貽誤他人。

對待經書中的字詞,我們固然要通過前人的釋說去理解,同時也該利用現代詞匯學的知識,引導學生去掌握經書中的字詞意義。在講課或編寫教材時,大量舉述前人訓詁之說,詳徵博引,對現今學生的

15 見朱熹《論語集注》卷二,《四書章句集注》,頁65。
16 參閱段玉裁《說文解字注》第七篇下,頁341-342。
17 見朱熹《孟子集注》卷一,《四書章句集注》,頁204。
18 參閱段玉裁《說文解字注》第九篇上,頁422。
19 參閱同上,頁428。
20 見朱熹《孟子集注》卷三,《四書章句集注》,頁230。
21 參閱同上。

理解，無論是中學或大學的學生，都是徒增煩擾，幫助不大。隨便望文生義，以今義釋古義，而忽略了上下文語境所呈現的原來意義、用法特點、感情色彩、風格姿采，就會走錯了理解的方向，連經書表層的意思也掌握不了，更不要說深層的意義了。

（四）結合語文應用

不少人反對在現代教育中保有儒學群經的「讀」和「教」，所持的理由主要是：經書的思想、內容古舊，與時代、現實脫節，尤其是經書裏面有很多艱深難懂的東西和難以實行的提示，往往會造成教育上的干擾。其實我們只要開放心懷，就知道經書裏有許多可供現代人採用的實用元素，只要好好發掘、闡釋，或稍作轉化，未嘗沒有現實的意義和價值。試專從語文應用的角度說說。

例如《詩》在春秋時代，除了政府可用來觀風問俗外，國與國間、貴族與貴族間的交涉、酬酢，經常也要通過誦詩來傳達訊息。所以孔子（前551-前479）才會說：「不學詩，無以言。」又說：「詩，可以興，可以觀，可以群，可以怨。邇之事父，遠之事君；多識於鳥獸草木之名。」[22]直到今天，《詩》中的疊字、雙聲字、疊韻字、篇章組織、起興手法、比喻方式、陳述技巧，有不少仍有鮮活的生命力，可以在現代寫作中效法、應用。至於其中一些詞彙、語句，甚至已成為現代語文中常用的詞語或成語，在口頭語和書面語中不斷應用，而沒有造成溝通的障礙。姑以常用的成語為例：「窈窕淑女」（《周南・關雎》）、「一日三秋」（《王風・采葛》）、「勞人草草」（《小雅・巷伯》）、「不可救藥」（《大雅・板》）、「高高在上」（《周頌・敬之》）等等，都是我們在日常生活中會應用的。

22 見朱熹《論語集注》卷八，《四書章句集注》，頁173及178。

又如《論語》和《孟子》，受過中等教育的人都頗為熟悉，因為部分篇章，曾經是或現在仍是中學、大學的語文教材。陳垣先生（1880-1971）曾說過這樣的話：

> 在中國語文裏有許多詞彙是出自古代經書，成為我國語文的主要傳統，尤以《論》、《孟》為最重要，所以我要選些給學生讀。[23]

根據陳先生的意見，《論》、《孟》中的詞彙在現代語文應用中是常用的。而古代經書的詞彙，更成為我國語文的主要傳統，所以現代的學生也要學習。陳先生之說，主要是有關古代經書包括《論》、《孟》的詞彙，不過我們也知道，經書中的記述技巧、論辯藝術、借喻方式等等，現代社會中仍然有助於口頭語和書面語的表達，並可供我們揣摩、仿效，而其中有些不合時宜的部分，也可通過轉化後應用。

簡單地說，經常閱讀經書，既可得到思想、品德的應有提示和啟發，同時也可逐步增強一個人的理解、表達能力，在現實生活中，仍然大有助於人與人之間的溝通。至於從中可獲得一些富啟發的提示，令人可終生受用，那更是不能否認的實用價值，為前人及現代不少人所認同的。

四　經典閱讀與教學的現代思考

經典教育，即儒學典籍的閱讀與教學，應如何配合社會發展和時

---

23 見牟潤孫先生《敬悼先師陳援庵先生》一文的引述，《海遺叢稿》（二編），2009年3月中華書局（北京），頁82。

代步伐，是個值得思考和討論的課題。本文以經典教育為中心，分從幾方面思考問題，這些問題包括：

(一) 經典教育範圍的問題

今年是「第七屆讀經教育國際論壇」，設立論壇的目的，應該是「倡導研究傳統經典的傳承和創新」[24]。「傳統經典」，究竟指的是甚麼？如果按照朱自清對「經典」的廣義解說，範圍應該包括經（儒學群經）、子（先秦諸子）、史（幾種史書）、集（一些集部）及文字學（《說文解字》）[25]。有人更建議，為了適應時代的需要而讀經，就不能只讓學生去讀《五經》或《十三經》，而應該重新擬定一個「新經」的目錄。這個目錄，一定要對歷代的學派能兼容並包，一定要揀選學生易於了解和教師易於講授的古書。「經」的範圍，可以無限制地擴大。不過這個建議，已不是讀「經」，而是讀「中國書」了[26]。從「論壇」所標示的「讀經教育」一語，則「論壇」設立的初衷，可能因長久以來多有爭議的「讀經問題」而起，即「經典」指的是儒學群經，或稍作延伸，最多包括一些與儒學有密切關係的書籍，這是較狹義的解說。從中國語文學習的角度，把「國學」範圍內流傳有緒的典籍都包含「經典」內，當然可以，一般中學中文科和大學文史哲的課程，大抵已作這樣的考慮，但兼顧太多，有時難以用力，效果也不易顯著。集中目標，以狹義解說為範圍，當然較易用力，但可能會受到保守、落伍、狹隘的批評，容易又惹起「讀經問題」的爭議，甚至會在大、中學裏出現阻力。無論怎樣，「論壇」的主事者是否貫徹初

24 參閱「第七屆讀經教育國際論壇」第一號通知（2016年12月30日）。

25 參閱朱自清《經典常談》，《朱自清古典文學論文集》下冊，頁595。

26 參閱杜呈祥《從歷史和教育的觀點談讀經問題》，黃力生編《讀經問題》，1953年3月中國政治書刊出版合作社（臺北），頁55。

衷，還是要擴大「經典」的範圍，兩者有甚麼得失，不是不該思考的問題。範圍清晰，目標明確，應有助於「論壇」今後的走向和發展。

（二）復古、保守形象的問題

在現代社會，提倡閱讀儒學典籍的人，總給人批評為復古。復古，好像就有保守、落伍的形象。其實復古不是罪過，只要有益於當世，尚友古人，以古為師，不為古人所囿，又何必大驚小怪[27]？不過，現代人談論儒學群經的義蘊，引述經書的段落或語句，倒不宜老氣橫秋，曼聲哦吟，而應該用現代人慣常表現的態度、話語，懇切、清晰地申述意見。如果有人濫用潮語，以現代人的思維方式和價值觀，以誇張浮滑的語調，去隨意穿鑿附會，譁眾取寵，結果雖然可取悅於一時，相關出版物也可能大賣特賣，但卻發揮不到「讀經教育」的真正效用，可謂得不償失。電視或電臺以「脫口騷」形式講論儒學的人，不少就犯上這樣的毛病。談論國學或古代文學的人，不必示人以保守、落伍的形象；提倡讀經教育的人，似乎不可不留意形象的問題。

（三）發掘、轉化義蘊的問題

儒學群經有很多艱深難懂的字詞、語句和不少在現實社會難以實行的提示，這是事實。艱深難懂的字詞、語句可留待專家學者和教育工作者作深入淺出的研究和處理。而不合時代精神的地方，則有待教者通過自己的探研、思考，了解其中的義蘊，再結合現代精神、生活，去指導學生，達到「明古知今」、「以古證今」的致用目的[28]。這裏頭的關鍵，是先消化，再去轉化，而在轉化過程中，不要徒逞臆說，作

---

27 參閱王大任《讀經問題的新評價》，黃力生編《讀經問題》，頁28。

28 參閱同上，頁28-29。

無根的穿鑿、延展、發揮。孟子（前372-前289）雖然說過：「盡信書，則不如無書。」這是說，「苟執於辭，則時或有害於義」[29]，因此不要盡信書，但並非表示不要書。經典教育，要以經典為據，要有書，只要不是盲目信從，只要不是完全不要自己的思考，以書為據，從中採取有用的東西，尤其是合於今用的東西，才是經典教育的要義。

（四）引發學生興趣的問題

儒學群經，無論是文字或內容，對較多青少年來說，都有理解的難度，而思想方面，更有很大的時代差距，因此青少年抗拒閱讀，是無可厚非的。如何引發學生閱讀經書的興趣，的確是一大難題。即使支持讀經的人，也這樣認為：儒學群經，只有《論》、《孟》，似乎適合高中、師範的程度，而且要有選擇的讀；《五經》及《學》、《庸》只能在大學一些學系中研究；社會上一般成年人，則可讀《四書》，但應該通過倡導而不是明令規定；考訂訓詁之學及深入研究，則應當由專家去做[30]。其實只要訂定教學目標、進度，中學及大學選一些經書篇章施教，也未嘗不可，只要仔細選擇教材，作單元的組合，同時設計一些施教方式，多附插圖及分析表，多提供有趣的教具，才可引發學生的學習興趣，才能使教學得以順利進行。怎樣選擇？怎樣組合？怎樣設計？怎樣施教？……就有待進一步討論落實了。

（五）善用電子科技的問題

多年前我曾在一所大學，主持電子互動語文學習軟件的設計和開發，目的在提高學生的語文能力和增益語文知識。到了今天，電腦科

29 參閱朱熹《孟子集注》卷十四「盡心章句下」，《四書章句集注》，頁364。

30 參閱王大任《讀經問題的新評價》，黃力生編《讀經問題》，頁34。

技的發展一日千里，許多電子教材、電子書紛紛出版，但其中缺乏的，是為儒學典籍設計的教材和教具。坊間目前有一些漫畫書，是為理解一些經書內容而繪製的，但並不是電子書。為了引發青少年對經書產生閱讀的興趣，這樣做，也是可行方法之一，只是限於形式，內容一般較為浮淺，部分內容也可能有偏差，不過能引起學生學習經書的興趣，也是可以肯定的。通過電腦，我們是否可製作一些圖文並茂與經書有關的電子書、紀錄片？同時也可考慮設計一些篇章理解互動軟件，讓學生可通過一些遊戲或有趣方式，去理解篇章內容的大略和解決一些字詞的疑難。關於善用電腦去輔助經書的讀和教去增加學生學習的興趣，我認為應由精熟電腦科技的人去設計和開發，而內容的編寫和審訂等工作，則可由對經學有研究的學者和教育工作者提供建議或直接參與。

（六）教育工作者進修的問題

這裏所謂「教育工作者」，指的是在中學和大學任教的教師。目前在中學和大學任教中文科的人，對廣義的「經典」應該都有認識，因為中文科的教材，大多在「國學」範圍內，即頗多含有「經典」的成分。但落實到經書的教學，除了個別教師，一般來說，他們恐怕不能有深入的認識，而且怎樣施教，在過往中文教師的培訓課程中，也沒有具體的安排。再說，在大學任教的人，有許多是學有專精的博士，但專精的博士，其實往往是專精一門或專攻某一專題的「專士」，要他們以博通的認識、靈活的教學方法去講授有關經書的課題，去指導學生讀經，恐怕不是人人都能勝任。因此，「論壇」的討論，如何建議「經典教育」落實到中學、大學的課程中，已是一個值得思考的問題；如何安排復修課程及設計課程內容，讓任教經學典籍課程的教師作有效的進修，也是一個值得思考的問題。缺乏切實的思考和建議，每屆「論壇」的研討，就可能徒託空言，無補於今後經典教育的實踐。

五　餘話

本文主要討論「經典教育」的實踐，而對「經典」一詞，則選擇了較狹義的解說，即認為「經典」指的是經學典籍，最多可擴大到與儒學群經密切相關的一些書籍。我以為，這或許是「讀經教育國際論壇」設立的初衷，但這個初衷是否已有調整或修訂，就有待與會者考察歷屆「論壇」的會議宗旨、討論範圍和會後總結。大家都知道，擴大討論範圍有擴大的好處和缺點，聚焦討論目標有聚焦的優點和局限。「經典教育」今後何去何從，我認為值得大家作進一步的思考和討論。

談教育實踐，不能不面對現實，不能不配合客觀條件，也就是不能不考慮時代、社會的需求。如何消解抗拒、減少障礙，使「經典教育」可融入現代教育機制和學校課程之中，為教育界和社會人士所接受，是我們不可不切實思考、討論的。本文嘗試提出一些看法，自知並不周全，也不可能周全，用意只在引發大家提出更多、更好而又可行的建議。

——原載《國際中文教育學報》第二期，哥倫比亞大學、中華書局、香港教育大學（2017年12月）

《論語》與公民教育

一　引言

儒家思想，是中國傳統思想的主流。但儒家思想，成分非常複雜，並不就是孔子（前551-前479）個人的學說。先秦孟荀的學說，與孔子個人的學說已有距離，漢代儒學，不免滲入了陰陽五行的成分，而宋明理學，又混雜了佛道思想；甚至《春秋》、《易傳》、《大學》，《中庸》、《孝經》等儒家典籍，究竟哪些是孔子個人的學說，哪些不是孔子個人的學說，一時也說不清楚。《論語》成書甚早，內容可靠，但也不能說可以百分之一百代表孔子個人的學說，因為《論語》到底不是孔子的親手著述，而只是他的弟子或再傳弟子的筆錄。我們試考查自己學生的聽課筆記，總看到一些與原意有出入的地方，就知道親見親聞的筆錄，有時也未可盡信。只是大家都會承認，《論語》的內容，應該最能顯示孔子個人的思想，而孔子個人的思想，又應該是儒家思想最重要的部分。因此，當我不自量力，嘗試要討論儒家思想與公民教育的關係時，很自然就把題目定為《〈論語〉與公民教育》。為了討論的需要，我先由《學校公民教育指引》（以下簡稱《指引》）的提示說起。

二　《學校公民教育指引》的指示

談「公民教育」，往往會出現概念不一、詮釋分歧的現象。要減少這方面的困擾，我們必須留意《指引》的提示。

根據《指引》的說法，「公民」有廣、狹兩義：從狹義說，「公民」是指個人對政府的關係；從廣義說，「公民」是指個人對整個社會的關係。所以，「公民教育」可說是一種既將個人培育成有高尚品德，而又促進個人與政府和社會關係的教育[1]。

《指引》的解說並不僅僅以此為限，它更進一步把「公民教育」與教育界人士一向戒懼的「政治」聯繫起來。它這樣說：

> 不同時代不同的人對政治一詞有不同解釋。孫中山先生說：「政就是眾人的事，治就是管理，管理眾人的事便是政治。」本港很多人都早已熟悉這句話。如果我們同意這個說法，則公民教育實質上便是政治教育，故毋須將公民教育與政治教育加以區分。[2]

孫中山先生（1866-1925）解說「政治」的意見，本港熟悉的人大抵不多，而本港人士對「政治」一詞的理解，也大多與孫先生的解說不盡相同，難怪《指引》公布以後，關注學校公民教育的社會人士和教育人士，都發表了不少批評的意見。

三　批評與辨析

「公民教育實質上便是政治教育，故毋須將公民教育與政治教育加以區分」這句毫不委婉、絕無迴旋的判斷語，無疑引起了不少人的

1 參閱香港教育署課程發展委員會《學校公民教育指引》，1985年8月香港政府印務局（香港），頁3。

2 見同上。

疑慮與不安。據一九八六年報章的報道，當時公民教育委員會主席在接受記者訪問時，就曾公開表示了批評的意見。她的意見是這樣的：

> 公民教育的其中一個目的，是使市民認識到身為公民的權利和義務。這是關乎公德心的培養，卻未必與政治有關。公民教育的範圍很廣泛，實不應將之局限於政治教育方面。[3]

這位主席認為「公德心的培養」「未必與政治有關」，又認為「公民教育的範圍」，不應「局限於政治教育方面」，可見她對「政治」一詞的理解，與孫中山先生所說的「政治」並不相同。換句話說，她心目中的政治教育，範圍是較為狹窄的，因此她並不同意「公民教育實質上便是政治教育」。

根據孫中山先生的意見，所謂「政治教育」，其實是教育國民認識管理眾人的事和認識眾人被管理的事。我們每一個人，在社會群體裏，都經常會出現管理與被管理的關係。無論是管理與被管理的討論，都是使國民認識身為公民的權利與義務。說到權利與義務，自然要牽涉到人與人之間的關係，即與人相處之道。要維持人與人之間的良好關係，與人相處得好，就要推己及人，多為他人著想，因此，公德心是不可忽略的。談公德心，又牽涉到個人品德的修養，於是個人品德的修養，也應該是「政治教育」的一部分。可見「政治教育」即「公民教育」。至於上面提到的「國民」，就香港社會來說，指的是市民，就學校方面來說，指的是學生。我們能夠對「政治教育」作這樣的理解，就知道《指引》所謂「公民教育實質上便是政治教育」，確實有所據而云然，而公民教育委員會主席的批評，是把「政治教育」狹義化了。

---

3 見1986年8月4日《明報》「港聞版」。

不過，《指引》的文字，顯然有交代不足的地方。例如它在談及「政治教育」時，又提到教學時要避免「政治灌輸」[4]。究竟「政治教育」的「政治」和「政治灌輸」的「政治」，在概念上有沒有分別？《指引》並沒有說明；又例如品德教育與「政治教育」之間的關聯，《指引》的說明也不足夠；難怪身為公民教育委員會的主席也有誤解，而許多市民、學生以至不少教育工作者，他們並不熟悉孫中山先生的話，更不會從孫中山先生的觀點來理解「政治教育」的意義，因此，他們不同意「公民教育實質上便是政治教育」的說法，也就不足為奇了。在《教育學院公民教育研討會報告書》中，就有這樣的言論：

> 公民教育是配合社會的發展而來的，按照目前的趨勢看，將來不難演變成政治教育。作為一個中文教師，面對著上列中文科教學重點的轉移，實在感到無所適從。[5]

《報告書》提到「政治教育」，概念上顯然與《指引》並不相同，所以才會有公民教育「將來不難演變成政治教育」的憂慮，而且產生「無所適從」的困惑。根據《指引》的意見，「公民教育」就是「政治教育」，絕不是「將來」的「演變」趨勢，面對這樣的提示，中文教師實在不必，也不應「無所適從」。為了避免不必要的爭論，又為了讓中文教師知道何去何從，《指引》對「政治教育」的解說，是不是應較為詳細、清楚？

---

4 參閱香港教育署課程發展委員會《學校公民教育指引》，頁3。

5 見《教育學院公民教育研討會報告書》，1986年政府印務局（香港），頁26；《報告書》的原名是：Civic Education in Colleges of Education, *Seminar Report*, 1986。

四　公民教育的內容和施行方式

根據《指引》的提示，再綜合上面的說明，我以為學校公民教育的內容，主要是教育學生認識管理眾人的事，即認識與人相處之道，其中包括：

一、個人品德與公德心的培養；
二、認識個人在社會中的權利與義務；
三、只要不作狹義的政治灌輸，甚至某些主義、政治見解或政治信仰也可討論。

至於公民教育施行方式，主要包括：

一、滲入各科正規課程；
二、結合生活，注重實踐；
三、啟發思考，各陳己見。

《指引》提示是這樣的：

> 公民教育，人人有責，學校毋須另設以一科，而將公民教育的責任完全推在一位或多位教師身上。公民教育應該遍及全校，並應該透過正規課程、非正規課程、校風或隱蔽課程，全面推行。[6]

6　見香港教育署課程發展委員會《學校公民教育指引》，頁2。

所謂透過非正規課程、校風或隱蔽課程，主要是指公民教育要結合學生的生活，讓他們積極介入活動，為他們提供實踐的機會[7]。此外，《指引》又提示：

> 在施行公民教育的時候，教師如果不想被誤以為從事政治灌輸，則應鼓勵學生根據資料自由討論，讓他們有機會客觀地批評各種論據或觀點，從而作出判斷，而不是將個人的結論強加諸學生令其接受。[8]

這裏的「公民教育」，其實即「政治教育」，跟著提及的「政治灌輸」，指的是介紹一種思想、一種主義或灌輸某種政治信仰；前者的「政治」屬廣義，後者的「政治」屬狹義。《指引》的立場是：贊同政治教育，反對政治灌輸。讓學生根據資料自由討論，各陳己見，才是「政治教育」，也就是「公民教育」的適當施行方式。

五　從《論語》看公民教育

我在上面引述了《指引》的文字，並大費唇舌討論「公民教育」的概念，恐怕不免為公民教育委員會委員、《指引》的編撰者和推行公民教育執事諸君所嗤笑。不過我們如果不弄清楚公民教育的概念，就不能清楚了解公民教育的內容，要進一步從《論語》看公民教育，就不知從何說起。為免枝蔓旁生，下面的討論，主要根據《論語》的原文，而討論的範圍，也只限公民教育的內容和施行兩方面。

7　參閱同上第四章、第五章的說明，頁31至35。

8　見同上，頁3。

《論語》二十篇，何晏（190-249）《集解》分為四百九十二章，朱熹（1130-1200）分為四百八十二章，其中既有人倫道德、治國原則、教育思想、施教方式的討論，也有人物評論、孔子生活、弟子門人言行的載述，全書內容豐富、複雜，體例卻並不嚴密。不過我們通觀全書，會看到一個字，是孔子常常津津樂道的，這個字就是「仁」字。據學者的統計，《論語》二十篇中，除了《為政》、《鄉黨》、《先進》、《季氏》四篇。其他十六篇都有論仁的記述，《里仁》一篇，更出現十八次之多。大多數學者都認為，「仁」是《論語》的中心概念，也是孔子學說的中心概念。陳大齊先生在《孔子學說》一書中，則認為孔子學說的中心概念有五個，就是道，德、仁、義、禮[9]。他的論據，主要是《論語》的原文，可見他的孔子學說中心概念，也就是《論語》中心概念。陳氏是孔學的權威，他言而有據，意見精粹深入，那是不必置疑的。只是他也同意，孔子「中心概念的道，似宜稱為仁道」[10]；「中心概念的德，可稱為仁德」[11]；「義以宜為本質，為標準，引導諸德悉數入於宜的一途，故有成德的功能」[12]，而所成德，也就是成仁；「禮中有可變動的部分，亦有不可變動的部分」，「禮中不可變動的部分，應當是仁」[13]。可見仁可以統攝道、德、仁、義、禮的內涵。其實仁不但可統攝道、德、仁、義、禮，而且可以統攝眾德，證據可從《論語》得見。

在《論語》裏，孔子對仁的解說，往往沒有固定答案，正可證明仁所統攝的範圍，是非常寬廣的。例如：

9 參閱陳大齊《孔子學說》，1969年3月正中書局（臺北），頁93至152。

10 參閱同上，頁109。

11 參閱同上，頁113。

12 參閱同上，頁137。

13 參閱同上，頁152。

（樊遲）問仁。曰：「仁者先難而後獲；可謂仁矣。」[14]

樊遲問仁。子曰：「愛人。」[15]

樊遲問仁。子曰：「居處恭，執事敬，與人忠。雖之夷狄，不可棄也。」[16]

子貢曰：「如有博施於民，而能濟眾，如何？可謂仁乎？」子曰：「……夫仁者，己欲立而立人，己欲達而達人。」[17]

顏淵問仁。子曰：「克己復禮為仁。一日克己復禮，天下歸仁焉。為仁由己，而由人乎哉？」顏淵曰：「請問其目？」子曰：「非禮勿視，非禮勿聽，非禮勿言，非禮勿動。」[18]

仲弓問仁。子曰：「出門如見大賓，使民如承大祭；己所不欲，勿施於人：在邦無怨，在家無怨。」[19]

司馬牛問仁。子曰：「仁者其言也訒。」[20]

子張問仁於孔子。孔子曰：「能行五者於天下，為仁矣。」「請問之？」曰「恭、寬、信、敏、惠。」[21]

孔子對同一問仁的問題而有不同答案，固然可顯示他「因材施教」的靈活性，但也足見仁可以統攝眾德，仁是眾德的集合體。因此，仁與眾德的關係，「不是大類與小類間的關係，而是總體與成分間的關

---

14 見《論語・雍也》，朱熹《四書集注》，1959年9月藝文印書館（臺北）影印本，頁57。

15 見《論語・顏淵》，同上，頁86。

16 見《論語・子路》，同上，頁89。

17 見《論語・雍也》，同上，頁58。

18 見《論語・顏淵》，同上，頁81至82。

19 見同上，頁82。

20 見同上。

21 見《論語・陽貨》，同上，頁108。

係」[22]。上面引文所出現的無怨、恭、敬、忠、寬、信、敏、惠、訒、愛人以至《論語》裏所出現的孝、弟、恕、智、勇、毅、木、訥等等眾德，與仁的關係不是並列，而是仁裏的種種成分；仁的全貌，必須具備各種成分。孔子對不同學生提供不同答案，只因為他要因人、因時、因地的不同，而強調某一種或某幾種德的成分，但他心目中的中心概念，仍然是仁。所以我們把《論語》的中心概念定為一個而不是五個，與陳大齊先生的說法並不衝突，但應該更能顯示孔子「一以貫之」的精神。

仁，除了是眾德的集合體外，還有它本身的核心意義。核心意義的最重要條件，是必須能夠通貫於眾德，也即是能通貫於孔子對仁的各種解說。細察《論語》的記述，孔子很常直接用「愛人」或等同「愛人」的意思來解說仁的意義或訓誨弟子。例如樊遲問仁，孔子即直截了當答覆為「愛人」[23]。又例如：

> 子曰：「弟子入則孝，出則弟，謹而信，汎愛眾，而親仁；行有餘力，則以學文。」[24]
>
> （子游）曰：「昔者偃也聞諸夫子曰：『君子學道則愛人，小人學道則易使也。』」[25]

這是說，修身要愛眾，學道要愛人；換句話說，要成為仁者或具有仁德修養的君子要愛人，因為愛人的人也能自愛。談到治國時，孔子也強調愛人：

---

22 參閱陳大齊《孔子學說》，頁117。

23 參閱《論語．顏淵》，朱熹《四書集注》，頁86。

24 見《論語．學而》，同上，頁34。

25 見《論語．陽貨》，同上，頁107。

> 子曰：「道千乘之國，敬事而信，節用而愛人，使民以時。」[26]

為甚麼要「敬事而信」？為甚麼要「節用」？為甚麼要「使民以時」？還不是為了要愛人！宰我對三年之喪表示質疑，孔子斥為不仁：

> 子曰：「予之不仁也！子生三年，然後免於父母之懷。夫三年之喪，天下之通喪也。予也有三年之愛於其父母乎！」[27]

可見孔子認為不愛就是不仁，反過來說，有愛於父母就是仁。其他如「己所不欲，勿施於人」[28]，「己欲立而立人，己欲達而達人」[29]，這種由己而推及他人的心意，也無不因為存有「愛人」之心。更可注意的是，「勿施於人」和「立人」、「達人」，當然是愛人，但「不欲」是一種自愛的省察，「己欲立」、「己欲達」則明顯是自愛，而孔子答顏淵問仁，更強調「克己復禮」和「為仁由己」[30]，因此仁的核心意義，實兼涵自愛和愛人[31]；概括地說，就是「愛」。所以陳大齊先生在《孔子學說》一書中總結說：

---

26 見《論語・學而》，同上，頁34。

27 見《論語・陽貨》，同上，頁110。

28 見《論語・顏淵》，同上，頁82。

29 見《論語・雍也》，同上，頁58。

30 參閱《論語・顏淵》，同上，頁81。

31 許慎《說文解字》「人部」解釋「仁」字的意義，說：「仁，親也，从人二。」段玉裁認為「仁」是會意字，並引述《中庸》的「仁者，人也」和鄭玄注的「相人偶」來說明。所謂「从人二」，段氏的解釋是：「獨則無耦，耦則相親，故其字从人二。」參閱段玉裁《說文解字》第十五卷第八篇上，1964年11月藝文印書館（臺北）影印本，頁369。可見「从人二」指的就是兩個或多個人之間的相處。這樣解釋，無疑較偏重於「愛人」的意義，但真正能夠「愛人」的人，也應該是「自愛」的人。

> 愛，好像一個光源，放射到自己的身上，則為克己修己，放射到他人身上，則為愛人或愛眾，放射到父母身上，則為孝，放射到長者身上，則為悌，放射到個人職責上，則為忠，放射到言行關係上，則為信。愛，照徹上下四方，以構成道德網。原來只是一個愛，因為施及的對象不同，乃有不同的德名，以示分別，而仁之得為眾德的集合體，亦正因其以愛為核心意義。[32]

我引述陳氏的意見，不免有「賣花擔上看桃李」[33]的意味，但他講得實在周至深刻，雖然是「擔上」的「桃李」，到底有自家風姿。我們如果同意仁是《論語》的中心概念，又認同陳氏的意見，把「愛」視為仁的核心意義，於是就會發覺，《論語》裏頭所講的種種，可說無一不與公民教育的內容相契合。

試以「個人品德與公德心的培養」為例，我相信大家都會同意這是公民教育的重要內容。談個人品德，是自愛問題；談公德心，是愛人問題。世上沒有自愛的人，是不重視個人品德修養的；世上也沒有愛人的人，是缺乏公德心的。所以所謂「個人品德與公德心的培養」，其實就是教育學生自愛和愛人。自愛的人，當要求權利時，就會留意分際的所在，懂得自律，不會有過分的要求；愛人的人，就不會逃避履行的義務，而且在履行義務時，更會盡其在我，推己及人。又在公民教育中，有時不免會討論到某些主義、政治見解或政治信仰，自愛而又愛人的教師，在討論時自然會容納異己，兼容並包，而

---

32 見陳大齊《孔子學說》，1969年3月正中書局，頁124。

33 語見羅大經《鶴林玉露》丙編卷六「文章性理」條，1983年8月中華書局（北京），頁333。關於「仁」字的古義，趙紀彬《人仁古義辨證》一文引證頗詳，可以參考。至於他的論點，則難免有個人的取向。參閱《論語新探》，1976年3月人民出版社（北京），頁28至61。

不會把個人的私見，強加於學生，作狹義的政治灌輸。其實上述種種公民教育的內容，都離不開管理與被管理的情況，無論是管理或被管理，如果大家都能存有愛人之心，於是人與人之間的相處，就會減少紛爭，甚至可融洽無間。而公民教育的最高目的，就是為了要使個體和群體之間的關係，臻達和諧的境地。可見我們如果把仁的核心意義視為學校公民教育的中心，實在是很高明的選擇。

《指引》提到公民教室的施行方式，從《論語》也可以找到對應的材料。例如：

> 子曰：「君子食無求飽，居無求安，敏於事而慎於言。」[34]
> 子貢問君子。子曰：「先行其言，而後從之。」[35]
> 子曰：「古者言之不出，恥躬之不逮也。」[36]
> 子曰：「君子欲訥於言而敏於行。」[37]
> 子曰：「君子恥其言而過其行。」[38]

孔子很注重言行的關係，原則上，孔子是主張言行一致的，但實際上，人的言行，往往有不一致的情形。因此，《論語》也載錄了孔子承認這方面的事實：

> 子曰：「始吾於人也，聽其言而信其行，今吾於人也，聽其言而觀其行。」[39]

---

34 見《論語‧學而》，朱熹《四書集注》，頁35。
35 見《論語‧為政》，同上，頁38。
36 見《論語‧里仁》，同上，頁48。
37 見同上。
38 見《論語‧憲問》，同上，頁95。
39 見《論語‧公冶長》，同上，頁50。

子曰：「有德者必有言，有言者不必有德。」[40]

不過在言行不能兼顧時，孔子所注重的，則是行，行即實踐。在《論語》裏，孔子經常用直接或間接方式，強調實踐的重要。例如：

子曰：「人而不仁，如禮何！人而不仁，如樂何！」[41]
子曰：「知之者不如好之者，好之者不如樂之者。」[42]
子曰：「禮云禮云，玉帛云乎哉！樂云樂云，鐘鼓云乎哉！」[43]

徒有形式而缺乏仁的禮樂，孔子是不接受的。「好之」、「樂之」的結果是行，是實踐，所以較「知之」為優勝。因為知而不行，實無補於一個人的品德、行為修養；為了強調實踐重要，孔子甚至向學生發出感性的言論：

子曰：「天何言哉！四時行焉，百物生焉。天何言哉！」[44]

談到實踐，當然要在日常生活中有所表現，所以孔子為學生所安排的學習課程和教材，如禮、樂、射、御、書、數或《詩》、《書》、《禮》、《樂》、《春秋》，都與現實生活結合，並不是徒託空言的專課講論。這一點，與公民教育的施行方式，可說若合符節。

公民教育又著重思考啟發，容許學生各陳己見。《論語》有也這方面的載述：

---

40 見《論語・憲問》，同上，頁91。
41 見《論語・八佾》，同上，頁41。
42 見《論語・雍也》，同上，頁56。
43 見《論語・陽貨》，同上，頁109。
44 見同上，頁109至110。

> 子曰：「不憤不啟，不悱不發。」[45]
>
> 子曰：「不曰如之何如之何者，吾未如之何也已矣。」[46]

在這裏，孔子為我們闡釋了啟發的要義。啟發不是由教師把學生所不知道的東西或道理直接告訴他們，而是學生自己先有「憤」和「悱」，教師才因勢利導，幫助他們尋求答案。所謂「不憤」、「不悱」，是指那些不肯發掘問題的學生，這種學生，不思考，倚賴心特強，正是孔子所謂「不曰如之何如之何者」的類型。啟發，就是要學生經常考慮，「如之何如之何」的問題。在《論語》裏，記載了一些教學過程，在過程中，孔子所採用的施教方式，我以為是符合公民教育精神的。下面試舉兩個例子：

> 子之武城，聞弦歌之聲。夫子莞爾而笑曰：「割雞焉用牛刀！」子游對曰：「昔者偃也聞諸夫子曰：『君子學道則愛人，小人學道則易使也。』」子曰：「二三子！偃之言是也，前言戲之耳。」[47]

孔子說「割雞焉用牛刀」，有人說是一種誘導學生發言的手法，有人說是失言。可以留意的是，子游肯思考而不盲從，立刻提出質疑的意見，而孔子也即時在其他學生面前，正面肯定子游的話，無論是誘導手法或失言，孔子最後充分肯定學生的正確答案，態度是適當的，也值得從事公民教育的教師效法。下面所述，更是一個啟導學生各抒己見的生動情景：

---

45 見《論語・述而》，同上，頁59。

46 見《論語・衛靈公》，同上，頁101。

47 見《論語・陽貨》，同上，頁107。

> 子路、曾皙、冉有、公西華侍坐，子曰：「以吾一日長乎爾，毋吾以也。居則曰：不吾知也！如或知爾，則何以哉？」子路率爾而對曰：「……。」夫子哂之。「求，爾何如？」對曰：「……。」「赤，爾何如？」對曰：「……。」「點，爾何如？」鼓瑟希，鏗爾，舍瑟而作，對曰：「異乎三子者之撰。」子曰：「何傷乎！亦各言其志也。」曰：「……。」夫子喟然嘆曰：「吾與點也！」[48]

孔子誘導學生發言的措詞，是親切而自然的。他儘量鼓勵每一學生發表意見，而且容許他們有不同意見。因為子路「其言不讓」[49]，所以孔子才會溫和地用「哂之」來略作提示，因為曾皙（點）的意見較合自己的志向，所以孔子也毫不掩飾，公開表示認同，但這並不表示他就否定了子路、冉有（求）、公西華（赤）等人的意見。公民教育施教方式，無疑要由教師多方啟發學生各抒己見，而各抒己見結果，往往會意見分歧。容許分歧、容許異己意見的出現，是公民教育的精神，但在適當時機，主持討論的教師，也可略作提示或約制，甚至可表示認同某種或某一方面的意見，藉供學生參考。在公民教育課中壓制學生發表不同意見的教師，當然不是好教師；在公民教育紛紜討論中毫無主見的教師，也不會是稱職的教師。怎樣才是恰如其分的做法，我以為《論語》所載孔子的教學情況，或可給我們一些啟發。

六　結語

拙文初擬定名為《儒家思想與公民教育》，但執筆起來，心裏總

48 見《論語‧先進》，同上，頁80至81。

49 語見同上，頁81。

盤旋著先秦孟荀、漢代儒學、宋明理學等等複雜情況，不禁有點躊躇。手邊剛巧有宋人羅大經（約1195-？）的《鶴林玉露》，隨手翻翻，跳入眼簾的是這一段文字，心裏更感惶恐。這段文字是這樣的：

> 魏鶴山答友人書云：「須從諸經字字看過，思所以自得，不可只從前賢言語上作工夫。」又云：「要作窮理格物工夫，須將三代以前規模在胸次，若只在漢晉諸儒腳跡下盤旋，終不濟事。」又云：「向來多看先儒解說，近思之，不如一一自聖經看來，蓋不到地頭親自涉歷一番，終是見不得真。又非一一精體實踐，則徒為談辨文采之資耳。來書乃謂只須祖述朱文公諸書，文公諸書，讀之久矣，政緣不欲於賣花擔上看桃李，須樹頭枝底方見活精神也。」鶴山此論，學者不可不佩服。[50]

羅大經摘引魏了翁（號鶴山，1178-1237）之說來強調閱讀儒家經籍原書的重要，對我無疑是個有用的提示。為了避免「賣花擔上看桃李」，又為了減少複雜的辨析，我已在可能範圍內，儘量引用《論語》的原文來談公民教育。不過有時為了討論的需要，不得不參考或轉述一些後來學者的意見，雖然這些意見確實言之成理，但根據這些意見來看孔子個人的學說，仍不免是「賣花擔上看桃李」。我只希望這些「擔上」的「桃李」，仍有鮮活的風姿。而有關公民教育的概念與內容，自從《指引》公布以後，也不是毫無爭論，因此，我也摘錄了《指引》的一些說明，略加辨析，希望可以提供一個較多人願意認同的意見。

——原載《學校公民教育資訊》第四期，香港政府印務局（1991），
後收入李學銘《未敢廢書》，青森文化出版（2009年7月）

50 見羅大經《鶴林玉露》丙編卷六「文章性理」條，頁333。

《論語》與修身

——由修身說到做人

一　前言：修身與做人

《論語》一書，內容豐盛，涉及面廣，啟發性大，導引性強，解讀可深可淺。只要肯讀，只要不存心抗拒，任何人都可從中得益。

錢賓四（穆）先生（1980-1990）說過：

> 《論語》應該是一部中國人人必讀的書。不僅中國，將來此書，應成為一部世界人類的人人必讀書。[1]

他又說：

> 諸位莫問自己所研究者為何？皆應一讀《論語》，懂得「吃緊為人」。即是要在做人一事上扣緊。……孔子所開示者，乃屬一種通義，不受時限，通於古今，而義無不然。[2]

錢先生當時講話的對象，是新亞研究所的研究生，所以說「莫問自己

1　見錢穆《孔子誕辰勸人讀論語並及論語之讀法》，《勸讀論語和論語讀法》，2014年12月商務印書館（北京），頁1。

2　見錢穆《再勸讀論語並論讀法》，《勸讀論語和論語讀法》，頁21及24。這是1963年6月錢先生在新亞研究所的演講。

所研究者為何」，要是擴而大之，其實他的建議是：人人須讀《論語》。所謂讀《論語》懂得「吃緊為人」，就因為「一本《論語》，無非是教導我們如何做人罷了」[3]。

談到「做人」，大家或許都有這樣的共識：「做人」應包括兩方面，一是「修身」，二是「待人」。「修身」是內在品德修養，「待人」是外在與人相處。一個有品德修養的人，絕不會忽略「待人之道」；一個留意與人怎樣相處的人，也不會不講求「修身」之道。我以為，真能兩者兼顧，才是懂得「如何做人」。因此，我們以「《論語》與修身」為討論話題時，常常提及「做人」，就很自然了。至於體驗《論語》內容和領悟「做人」道理的深淺，也會因人的年齡、學識、閱歷而異，我相信這是大家所同意的。

為了研讀的方便，有人往往把《論語》各篇的章句分類編排。如有人把它分為《勸學篇》、《修身篇》、《處世篇》、《孝悌篇》、《交友篇》、《至道篇》、《達德篇》、《信義篇》、《禮樂篇》等等二十類[4]；有人則把它分為《天地人之道》、《心靈之道》、《處世之道》、《君子之道》、《交友之道》、《理想之道》、《人生之道》七類[5]；也有人把它分為三大類：《禮樂治國——孔子的政治思想》、《中庸之道——孔子的生活理念》、《教學相長——孔子的教育事業》，每類各有單元，合共為十二單元[6]；更有人會用現代思維，從「政治哲學」、「人生哲學」、

3 語見作家章詒和《學論語，說孔子》，參閱章詒和、賀衛方《四手聯彈》，2010年4月廣西師範大學出版社（桂林），頁186。錢、章是不同時代的學者和作家，學識深淺各有不同，但都有同樣的共識。章詒和，章伯鈞之女，1942年，安徽桐城（樅陽）人，中國藝術研究院戲曲研究所研究員，也是作家。

4 參閱李一之編註《論語類編》的目錄，1954年6月華國出版社（臺灣），頁1-2。

5 參閱于丹《于丹〈論語〉心得》的目錄，2007年1月中華書局（北京），正文前。第1版為2006年11月。

6 參閱施仲謀、李敬邦編著《論語與現代社會》的目錄，2017年4月中華書局（香港），頁9-12。

「宇宙論」、「經濟思想」、「社會主張」等等分類去讀《論語》。其他分類編排的做法還很多，也不用詳舉了。

分類編排，的確方便研讀，易於理解，有利初學。但這樣研讀，缺點正如錢賓四先生所說：

> 勢必把一部《論語》零散分割，亦遂不致有程子所謂「有讀了後其中得一兩句喜者，有讀了後知好之者，有讀了後直有不知手之舞之、足之蹈之者」之語[7]。

我們要避免把《論語》「零散分割」，得要好好掌握《論語》的中心概念，留意「修身」和「待人」，即講求「做人」之道，那就不管分類讀，或逐篇逐章逐句讀，仍能「一以貫之」，不致零散而無所歸。

二　《論語》的中心概念

《論語》的中心概念是甚麼？《論語》的中心概念與「做人」（即「修身」和「待人」）有甚麼關係？不妨說說。

我們通讀《論語》全書，常會接觸到「仁」這個字。據學者的統計，《論語》二十篇中，除了《為政》、《鄉黨》、《先進》、《季氏》四篇，其他十六篇都有論「仁」的記述；《里仁》一篇，更出現十八次之多。因此，大多數學者都認為，「仁」是《論語》一書的中心概念，也是孔子（前551-前479）學說的中心概念。陳大齊在《孔子學說》一書中，則認為孔子學說的中心概念有五個，就是：道、德、仁、義、禮。只是他也同意，孔子「中心概念的道，似宜稱為仁

7　見錢穆《再勸讀論語並論讀法》，《勸讀論語和論語讀法》，頁20。錢先生引述程子語，原見朱熹《論語序說》，《四書章句集注》，2005年9月中華書局（北京），頁43。

道」;「中心概念的德,可稱為仁德」;「義以宜為本質,為標準,引導諸德悉數入於宜的一途,故有成德的功能」,而所成的德,也就是仁;「禮中有可變動的部分,亦有不可變動的部分」,「禮中不可變動的部分,應當是仁」[8]。可見仁可以統攝道、德、義、禮的內涵。其實仁不但可統攝道、德、義、禮,而且可統攝眾德,是眾德的綜合體。在《論語》裏,孔子對仁的解說,往往沒有固定答案,正可證明仁所統攝的範圍,是非常寬廣的[9]。雖然,錢賓四先生主張讀《論語》不能專注意一個或一些字眼,因為「《論語》中凡牽涉到具體人和事,都有義理寓乎其間,都是孔子思想之著精神處」,因此要懂得平鋪用心去讀《論語》的全部,任何一字一句一章都不能輕易放過,才可以掌握到孔子思想的線索、條理、系統、組織[10]。錢先生說得很對。但「仁」既可統攝眾德,掌握這個統攝眾德的中心概念去讀《論語》,那就無論逐章逐句逐字還是分類去讀,都不算是專注意一個或一些字眼。正如錢先生所說,「仁」的真義,應該從人的許多行事去體會[11],因此,我們只要從人生的實際行事來講「仁」,來領會孔子的本意,就不會與錢先生的主張相違悖了。

我們細察《論語》各篇,「仁」除了是眾德的集合體外,還有它本身的核心意義。核心意義的最重要條件,是必須能夠通貫於眾德,也即是能通貫於孔子對「仁」的各種解說。

在《論語》中,孔子很常直接用「愛人」或等同「愛人」的意思來解說「仁」的意義或訓誨弟子。例如樊遲問「仁」,孔子即直截了

---

8 參閱陳大齊《孔子學說》,1969年3月正中書局(臺北),頁109、113、137、152。

9 參閱李學銘《〈論語〉與公民教育》,《未敢廢書》,2009年7月青森文化出版社(香港),頁159。

10 參閱錢穆《漫談論語新解》,《勸讀論語和論語讀法》,頁54。

11 參閱同上。

當答覆為「愛人」[12]。又例如：

> 子曰：「弟子入則孝，出則弟，謹而信，汎愛眾，而親仁；行有餘力，則以學文。」[13]

又子游曾覆述老師之言：

> 昔者偃也聞諸夫子曰：「君子學道則愛人，小人學道則易使也。」[14]

這是說，修身要愛眾，學道要愛人；換句話說，要成為仁者或具有仁德修養的君子要愛人，因為愛人的人也能自愛，即能「修身」，能「修身」的人，也就知道怎樣「待人」的重要。又宰我對三年之喪表示質疑，孔子斥為不仁：

> 子曰：「予之不仁也！子生三年，然後免於父母之懷。夫三年之喪，天下之通喪也。予也有三年之愛於其父母乎！」[15]

可見孔子認為不愛就是不仁，反過來說，有愛於父母就是仁。其他如「己所不欲，勿施於人」[16]；「己欲立而立人，己欲達而達人」[17]；這幾種由自己而推及他人的心意，也無不存有「愛人」之心。更可注意

---

12 見《論語・顏淵第十二》，朱熹《論語集注》卷六，《四書章句集注》，頁139。
13 見《論語・學而第一》，朱熹《論語集注》卷一，《四書章句集注》，頁49。
14 見《論語・陽貨第十七》，朱熹《論語集注》卷九，《四書章句集注》，頁176。
15 見同上，頁181。
16 語見《論語・顏淵第十二》，朱熹《論語集注》卷六，《四書章句集注》，頁132。
17 語見《論語・雍也第六》，朱熹《論語集注》卷三，《四書章句集注》，頁92。

的是，「勿施於人」和「立人」、「達人」，當然是愛人，但「不欲」是一種自愛省察，「己欲立」、「己欲達」則明顯是自愛，而孔子答顏淵問仁，更強調「克己復禮」和「為人由己」[18]。因此，仁的核心意義，實兼涵自愛和愛人；概括地說，就是「愛」。自愛是內在的「修身」功夫，愛人是外在的「待人」功夫；兩者關係密切，應融通相結為用。

我們如果同意「仁」是《論語》的中心概念，又把「愛」（包括自愛和愛人）視為「仁」的核心意義，於是就會發覺，《論語》裏頭所講的種種，可說無一不與「做人」（即「修身」和「待人」）有關。

三　《論語》中顯豁直白的話語

根據以上的說法：「《論語》裏頭所講的種種，可說無一不與「做人」（即「修身」和「待人」）有關。豈不是說，我們隨意摘取《論語》的話語，都可聯繫到「修身」和「待人」方面去？的確，《論語》不少話語，意思都很顯豁直白，都可與「修身」和「待人」相聯繫。例如以下所舉：

> 弟子入則孝，出則弟，謹而信，汎愛眾，而親仁。[19]
> 己所不欲，勿施於人。[20]
> 己欲立而立人，己欲達而達人。[21]

又例如：

---

18 語見《論語・顏淵第十二》，朱熹《論語集注》卷六，《四書章句集注》，頁131。

19 見《論語・學而第一》，朱熹《論語集注》卷一，《四書章句集注》，頁49。

20 見《論語・顏淵第十二》，朱熹《論語集注》卷六，《四書章句集注》，頁132。

21 見《論語・雍也第六》，朱熹《論語集注》卷三，《四書章句集注》，頁92。

君子食無求飽，居無求安，敏於事而慎於言。[22]
先行其言，而後從之。[23]
古者言之不出，恥躬之不逮也。[24]
君子恥其言而過其行。[25]

以上各章，都與慎言、敏行有關。又例如：

見賢思齊焉，見不賢而內自省也。[26]
德之不修，學之不講，聞義不能徙，不善不能改，是吾憂也。[27]
過而不改，是謂過矣。[28]

以上各章，都與自省、改過有關。其他如：

非禮勿視，非禮勿聽，非禮勿言，勿禮勿動。[29]
古之學者為己，今之學者為人。[30]

視、聽、言、動要合禮，顯然是「修身」也是「待人」的要求。而為己之學，就是用心於有得於己的「修身」之學。這些話語，如不深求，都不難理解。

---

22 見《論語·學而第一》，朱熹《論語集注》卷一，《四書章句集注》，頁52。
23 見《論語·為政第二》，朱熹《論語集注》卷一，《四書章句集注》，頁57。
24 見《論語·里仁第四》，朱熹《論語集注》卷二，《四書章句集注》，頁74。
25 見《論語·憲問第十四》，朱熹《論語集注》卷七，《四書章句集注》，頁156。
26 見《論語·里仁第四》，朱熹《論語集注》卷二，《四書章句集注》，頁73。
27 見《論語·述而第七》，朱熹《論語集注》卷四，《四書章句集注》，頁93。
28 見《論語·衛靈公第十五》，朱熹《論語集注》卷八，《四書章句集注》，頁167。
29 見《論語·顏淵第十二》，朱熹《論語集注》卷六，《四書章句集注》，頁132。
30 見《論語·憲問第十四》，朱熹《論語集注》卷七，《四書章句集注》，頁155。

四　《論語》中須解說或轉化的話語

《論語》有些話語，並不那麼顯豁直白，須讀者作適當的解說，才可以與「修身」包括「待人」的論題相聯繫。如有需要，有時甚至要作適當的轉化。錢賓四先生曾有這樣的提示：

> 清儒曾說：考據、義理、辭章三者不可偏廢。讀《論語》亦該從此三方面用心。[31]

下面據錢先生的提示從三方面分別舉例說明。

（一）考據方面

讀《論語》，常遇到借用名物來譬喻的情況，如果不作考據，就不懂得孔子話語真義的所在。如《論語・為政第二》：

> 子曰：「人而無信，不知其可也。大車無輗，小車無軏，其何以行之哉？」[32]

大車，指載重的牛車；小車，指較輕便的馬車。輗和軏，都是轅端橫木用來套牛、套馬以便駕馭的裝置。朱注：

> 大車，謂平地任載之車。輗，轅端橫木，縛軛以駕牛者。小車，謂田車、兵車、乘車。軏，轅端上曲，鉤衡以駕馬者。車無此二者，則不可以行，人而無信，亦猶是也。[33]

31 見錢穆《孔子誕辰勸人讀論語並及論語之讀法》，《勸讀論語和論語讀法》，頁3。

32 見朱熹《論語集注》卷一，《四書章句集注》，頁59。

33 見同上。

錢賓四先生說：

> 此章言車之行動，在車本身既有輪，又駕牛馬，有轅與衡軛束縛之，但無輗與軏，仍不能靈活行動，正如人類社會，有法律契約，有道德禮俗，所以為指導與約束者縱甚備，然使相互間無信心，一切人事仍將無法推進。信者，貫通於心與心之間，既將雙方之心緊密聯繫，而又使有活動之餘地，正如車之有輗軏也。[34]

錢先生闡述這章的意思甚明。我們要是不明白輗和軏對牛車和馬車的重要和作用，就對人與人間「信」的重要，不一定能充分理解，也不會知道「信」是「修身」的要事。可知講究「修身」的人，一定要使人信自己，一定要使自己的心，貫通於他人之心，這就涉及如何「待人」，即如何與人相處了。

又如《論語．陽貨第十七》：

> 陽貨欲見孔子，孔子不見，歸孔子豚。孔子時其亡也，而往拜之，遇諸塗。[35]

所謂「時其亡」，「猶云伺其出」[36]。陽貨是季氏的家臣，曾因季桓子而專國政。對這種犯上的權臣，孔子本不想見他。朱注：

> （陽貨）欲令孔子來見己，而孔子不往。貨以禮，大夫有賜於

34 見錢穆《論語新解》上冊，1962年12月新亞研究所（香港），頁60。

35 見朱熹《論語集注》卷九，《四書章句集注》，頁175。

36 參閱《論語新解》下冊，頁588。

士，不得受於其家，則往拜其門。故瞰孔子之亡而歸之豚，欲令孔子來拜而見之也。[37]

據朱注考辨，孔子依禮不得不回拜陽貨，因此故意待陽貨出了門才去回拜，可惜還是在途中遇上了。有人或許會問：孔子為甚麼要為這個權臣，委屈地大費周折呢？這其實是知禮與不知禮的分別。知禮是「修身」功夫，能知禮，才會懂得以禮「待人」。又例如孔子雖很熟悉祭祀之禮的種種，但入太廟，仍每事問[38]。這就是懂禮、重禮的表現。在《論語》中，就有許多孔子懂禮、重禮的載述。

（二）辭章方面

《論語》有些話語，涉及辭章問題。我們有時從辭章的角度考慮，才可懂得《論語》原文真義的所在。所謂辭章，包括字義、句法、章法以至篇章的情味等等。如《論語．公冶長第五》：

子曰：「晏平仲善與人交，久而敬之。」[39]

晏子（？-前500），名嬰字平仲，齊大夫。「敬之」的「之」有兩解，一指他人，一指晏子。從句法看，應指前者。但皇侃（488-545）《義疏》在「敬之」上多一「人」字，以句法言，是人敬晏子了。鄭玄（127-200）注本沒有「人」字，朱注以鄭本為據，因此晏子所敬，應

---

37 見朱熹《論語集注》卷九，《四書章句集注》，頁175。

38 《論語．八佾第三》載：「子入太廟，每事問。或曰：『孰謂鄹人之子知禮乎？入太廟，每事問。』子聞之曰：『是禮也。』」見朱熹《論語集注》卷二，《四書章句集注》，頁65。

39 見朱熹《論語集注》卷三，《四書章句集注》，頁80。

該是他人[40]。錢賓四先生認為：

> 人敬晏子，當因晏子之賢，不當謂晏子之善交。……交友久則敬意衰，晏子於人，雖久而敬愛如新，此孔子稱道晏子之德也。孔子論人，常重其德之內蘊，尤於其功效之外見……。[41]

能敬他人，「雖久而敬愛如新」，是「其德之內蘊」，於是才有與人相處的好表現，這正是內在「修身」和外在「待人」相融合的結果。

又如《論語．述而第七》：

> 子在齊聞《韶》，三月不知肉味。曰：「不圖為樂之至於斯也！」[42]

錢賓四先生說：

> 今按本章多曲解：一旦偶聞善樂，何至三月不知肉味。一不解。《大學》云：心不在焉，食而不知其味，豈聖人亦不能正心乎？二不解。又謂聖人之心應能不凝滯於物，豈有三月常滯在樂之理。三不解。積此不三解，乃多生曲解。不知此乃聖人一種藝術心情也。孔子曰：「發憤忘食，樂而忘憂。」此亦一種藝術心情也。藝術心情與道德心情交流合一，乃是聖人境界之高。[43]

---

40 參閱錢穆《孔子誕辰勸人讀論語並及論語之讀法》，《勸讀論語和論語讀法》，頁5。

41 見錢穆《論語新解》上冊，頁162。

42 見朱熹《論語集注》卷四，《四書章句集注》，頁96。按：《韶》，舜樂名。舜之後為陳，自陳敬仲奔齊，齊亦遂有《韶》樂。

43 見錢穆《論語新解》上冊，頁233。「不三解」，疑作「三不解」。

孔子聞《韶》「三月不知肉味」，是對音樂藝術的陶醉，這就是所謂藝術心情。孔子的歎息，是自白藝術心情。他的表現，他的話語，就有文學情味。至於話語的言外之意——嚮往舜的禮樂和德治，則是道德心情，因此錢先生認為孔子聞《韶》的歎息，是「藝術心情與道德心情交流合一的境界」。一般人說「修身」，往往指的是道德修養或道德心情。能使道德心情和藝術心情交流合一，能融道德修養與藝術修養為一體，這才是「修身」的至高境界。我們要體會這種境界，有時就要從辭章的角度，來了解《論語》的話語。

（三）義理方面

我們讀《論語》，須在考據、辭章方面用心，因為這兩方面，有助於我們研求《論語》話語的義理。而探尋義理的所在，仍是讀《論語》的主要目的。既說「探尋」，那就表示有些話語，並不那顯豁直白，是否可與「修身」和「待人」聯繫，有時要費一些解說或轉化功夫。如《論語‧學而第一》：

> 子曰：「學而時習之，不亦說乎？有朋自遠方來，不亦樂乎？人不知而不慍，不亦君子乎？」[44]

「說」即「悅」；「慍」，意云含怒、愁悶，亦有怨義。「學」，朱注：

> 學之為言效也。……後覺者必效先覺之所為……習，鳥數飛也。學之不已，如鳥數飛也。[45]

---

44 見朱熹《論語集注》卷一，《四書章句集注》，頁47。

45 見同上。

前賢解釋這個「學」字，或「專於力行」，或「專在思索」「似皆偏了」[46]。朱注以「效」和「覺」解「學」，以「鳥數飛」解「習」字，似兼顧兩方面。錢賓四先生說：

> 學，誦習義。凡誦讀練習皆是學。舊說：學，覺也，效也。後覺傚先覺之所為謂之學。然社會文化日興，文字使用日盛，後覺習傚先覺，不能不誦先覺之著述，則二義仍相通。[47]

錢先生據朱注的「效」和「覺」來解說「學」，但朱注並沒有把「誦讀」和「練習」二義明白並舉。錢先生明白並舉，又增「社會文化日興」以下數語，顯然是順應時代的需要，對朱注有引伸、轉化的成分。在孔子所處時代，以禮、樂、射、御、書、數為教，當然以「效」（實踐力行）為主，到了後來，先覺著述日增，自不能不在「練習」之外，也要「誦讀」。但我們仍須留意，《論語》原文，在當時是重在「練習」，即所謂「實踐力行」。到了今天，讀《論語》、講「修身」的人，仍不可忽略「實踐力行」。

錢先生又說：

> 本章乃敘述一理想學者之畢生經歷，實亦孔子為學之自述也。……孔子一生主在教，孔子之教主在學。孔子之教人以學，主在學為人之道。……孔子距今已逾二千五百年，今之為學，自不能盡同於孔子之時。然即在今日，仍有時習，仍有朋友，仍有人不能知之一境。學者內心，仍亦有悅有樂有慍不慍

46 參閱錢穆《再談論語新解》，《勸讀論語和論語讀法》，頁77。錢先生引述《朱子語類》朱子答弟子問語句。

47 見錢穆《論語新解》上冊，頁2。

> 之辨。即再踰兩千五百年，亦復如是。故知孔子所開示者，乃屬一種通義，不受時限，通於古今，而義無不然，故可貴。[48]

前人講說《論語》的義理，或「本卑作高」，或「本淺作深」，或「本近作遠」，或「本明作晦」[49]，我們須以這四者為戒，才不會有過高、過深、過遠、過晦之病。而這一章，孔子主要以平實的話語，教人去學為人之道的通義。而這個通義，就是「修身」和「待人」之道。

又如《論語・述而第七》：

> 子曰：「飯疏食飲水，曲肱而枕之，樂亦在其中矣。不義而富且貴，於我如浮雲。」[50]

「疏食」，指粗飯；「水」，指白水、冷水；表示飲食粗陋。朱注：

> 聖人之心，渾然天理，雖處困極，而樂亦無不在焉。其視不義之富貴，如浮雲之無有，漠然無動於其中也。[51]

錢賓四先生說：

> 《中庸》言：素富貴行乎富貴，素貧賤行乎貧賤，君子無入而不自得，然非言不義之富貴也。[52]

---

48 見同上，頁3-4。

49 參閱錢穆《再談論語新解》，《勸讀論語和論語讀法》，頁79-80。

50 見朱熹《論語集注》卷四，《四書章句集注》，頁97。

51 見同上。

52 見錢穆《論語新解》上冊，頁236。

錢先生更指出，若在「不義而富且貴，於我如浮雲」十一字中「深求其義理所在，則『不義而』三字，便吃緊了」[53]。他這樣說：

> 你若不行不義，那有不義的富貴逼人而來？富貴逼人而來，是可有的。不義的富貴，則待我們行了不義才會來。倘我絕不行不義，那「不義而富且貴」之事，絕不會擾到我身上，那真如天上浮雲，絕不相干了。因此，我們若沒有本章下半節「於我如浮雲」這一番心胸，便也不能真有本章上半節「樂亦在其中」這一番情趣。[54]

這說明「不義而」這三個字，在義理方面的重要，即所謂「吃緊」。而「於我如浮雲」的胸懷，正是「修身」功夫。有了這種「修身」功夫，不義之事就不會來誘惑、干擾了。我們要了解《論語》的義理，貴在能逐章、逐句以至逐字推求。

再多舉一例。《論語・子罕第九》：

> 子在川上，曰「逝者如斯夫！不舍晝夜。」[55]

這一章，考據方面大抵不必費神；辭章方面，當然可以闡述，例如其中的文學情味，就躍然紙上，可以拿來細說[56]。義理方面，是否難以闡釋？我們試看朱注：

---

53 參閱錢穆《孔子誕辰勸人讀論語並及論語之讀法》，《勸讀論語和論語讀法》，頁12。

54 見同上。

55 見朱熹《論語集注》卷五，《四書章句集注》，頁113。

56 參閱李學銘《〈論語〉的言語藝術與文學情味》，《撥雲倚樹雜稿——古今文學辨析叢說》，2017年5月萬卷樓圖書公司（臺北），頁263-265。

> 天地之化，往者過，來者續，無一息之停，仍道體之本然也。然其可指而見者，莫如川流。故於此發以示人，欲學者時時省察，而無毫髮之間斷也。……自此至篇終，皆勉人進學不已之辭。[57]

錢賓四先生說：

> 不捨晝夜者，猶言晝夜皆然。年逝不停，如川流之長往也。或說：本篇多有孔子晚年語，如《鳳凰章》、《美玉章》、《九夷章》，及此章，身不用，道不行，歲月如流，遲暮傷逝，蓋傷道也。或說：自本章以下，多勉人進學之辭。[58]

在《子罕》篇中，多孔子晚年語。這章內容，有歲月如流，遲暮傷道之意，也有勉人向學之辭。進學，正是為了要「做人」，即「修身」和「待人」。光看字面，或許未能領會其中義理。宋儒以「道體」之說解釋這一章，是在說義理了，但未免「本淺作深」。不過，話說回來，「本淺作深」，對弘揚學說、開拓思想，有時也有它本身的意義和作用。

五　結語

新亞人和認同新亞精神、新亞辦學理念的人，大抵會對「新亞學規」略有所知。「新亞學規」凡二十四條，其中最重要而涵蓋性最大的，是第一條：

---

57 見朱熹《論語集注》卷五，《四書章句集注》，頁113。

58 見錢穆《論語新解》上冊，頁314。

求學與做人，貴能齊頭並進，更貴能融通合一。[59]

這是說，「求學」是為了「做人」，而「做人」則應包括「修身」和「待人」兩者，缺一不可。《論語》一書，在這方面有充分的表達。我相信新亞諸先賢在商討、擬訂「新亞學規」時，是切實掌握了《論語》的中心概念和主要內容來擬訂的。

我們今次研討的主題，本來是「《論語》與修身」，但我由「修身」推擴至「做人」，即在「修身」以外，增「待人」的要求。為甚麼會這樣？因為大家都知道，「修身」是內在品德的修養，「待人」則是外在與人相處的表現，兩者關係密切，內外融通，才會達到較完美的「做人」效果。《論語》一書，無論有多少章句，無論內容如何豐盛，無論解說如何複雜，都只是教導我們如何「修身」和「待人」，也就是教導我們如何「做人」。

錢賓四先生向我們提示，讀《論語》，要逐章逐句逐字去讀，不能專注意一個或一些字眼，以免「零散分割」。但有時掌握統攝眾德的中心概念而稍作分類去讀，而不放過每一章、每一句、每一字，我以為仍然是讀《論語》的竅門之一，不算「分割」。可注意的是，《論語》的話語，有顯豁直白易於理解的，有須解說或轉化才可理解的，而解說或轉化，有時則須通過考據、義理、辭章三者。這方面，錢先生有具體提示，本文也分別舉例說明了。錢先生又強調：考據、辭章有助於我們研求《論語》話語的義理，而探尋義理的所在，仍是讀《論語》的主要目的。這個意見，我們不可忽略。

《論語》的內容，無非是教導我們如何「做人」，這該是大家的共識。不過「做人」雖兼含「修身」、「待人」兩義，但根本仍在「修

59 見《新亞遺鐸》，2004年8月生活・讀書・新知三聯書店（北京），頁1。

身」。我們可以看到，《論語》裏有很多涉及「修身」的話語和討論，因此，講「做人」，還該由「修身」開始。只是專講「修身」的人，有時會以「修己」為滿足，有了滿足的心態，如果不自我反省、約制，就會流於過分自高、自潔，甚至不肯合群，不易容眾，不重視人與人之間的關係，這是有所偏的流弊。孔子從不以偏教人，凡有所偏，都不該是《論語》的原意，也不該是「修身」之道，更不該是「做人」之道。

（第八屆中國傳統文化研修會講座發言稿，2018年7月13日）

——原載《華人文化研究》第九卷第二期（2021年12月）

「不知命無以為君子」說略

——《論語》論「知命」

一　前言

談到《論語》論「知命」，我們很自然會想到《論語．堯曰第二十》的語句：

> 子曰：「不知命，無以為君子也。……」[1]

這章內容，涉及何謂「命」？為甚麼君子須「知命」？「不知命」為甚麼「無以為君子」？君子之德，是不是須包括「知命」的條件？等等。下面試稍作說明。

二　命、天命、天道

何謂「命」？《論語．雍也第六》：

> 伯牛有疾，子問之，自牖執其手，曰：「亡之，命矣夫！斯人也而有斯疾也！斯人也而有斯疾也！」[2]

1　見朱熹《論語集注》卷十，《四書章句集注》，2005年9月中華書局（北京），頁195。

2　見朱熹《論語集注》卷三，《四書章句集注》，頁87。

伯牛名冉耕（生卒年不詳），孔子（前551-前479）弟子，以德行稱。伯牛患有不可治的惡疾，孔子前往探視，忍不住發出「命矣夫」的深惜之詞。朱注：

> 命，謂天命。言此人不應有此疾，而今乃有之，是乃天之所命也。[3]

可見「命」指「天命」，意云「天之所命」。

又《論語・顏淵第二十》：

> 子夏曰：「商聞之矣：死生有命，富貴在天。……」[4]

「富貴在天」的「天」，其實就是「天命」。朱注：

> 命稟於有生之初，非今所能移；天莫之為而為，非我所能必，但當順受而已。[5]

這是說，「命」由天生，由不得我作主，只能「順受」「天之所命」。

又《論語・憲問第十四》：

> 子曰：「道之將行也與？命也。道之將廢也與？命也。……」[6]

---

3 見同上。

4 見朱熹《論語集注》卷六，《四書章句集注》，頁134。

5 見同上。

6 見朱熹《論語集注》卷七，《四書章句集注》，頁158。

朱注：

> 聖人於利害之際，則不待決于命而後泰然也。[7]

程樹德（1877-1944）《論語集釋》引張爾岐（1612-1678）《蒿菴閒話》：

> 天道之本然而不可爭者，命也。[8]

可見「天命」也就是「天道之本然」，即所謂「天道」。

又《論語・公冶長第五》：

> （子貢曰）夫子之言性與天道，不可得而聞也。[9]

邢昺（932-1010）《疏》：

> 天之為道，生生相續，新新不停……以其自然而然，故謂之道。[10]

所謂「天之為道」，即「天道」。雖然《論語》所載，孔子只言「天命」，不言「天道」，不過孔子言「性」，也曾一見[11]，但子貢的印象，

---

7 見同上。

8 見程樹德《論語集釋》卷三十《憲問下》，1965年3月藝文印書館（臺北），頁891。

9 見朱熹《論語集注》卷三，《四書章句集注》，頁79。

10 見邢昺《論語注疏》卷五，《十三經注疏》，1960年1月藝文印書館（臺北）影印本，頁44。

11 《論語・陽貨第十七》：「子曰：『性相近也，習相遠也。』」見朱熹《論語集注》卷九，《四書章句集注》，頁175。

則是「不可得而聞」。可見子貢不聞之言，不見得其他人也「不可得而聞」。

又《論語・為政第二》：

> 子曰：「吾十有五而志於學……五十而知天命……。」[12]

朱注：

> 天命，即天道之流行而賦於物者，乃事物所以當然之故也。[13]

根據後人的解讀，我們或可這樣說，孔子心目中的「天命」，即「天道」，而所「知」，即「知」「事物所以當然之故」。

從以上引述，可知「命」即「天」，又稱「天命」，而「天命」就是「天道」。有了這樣的理解，我們在讀《論語》時，遇到「天」、「命」、「天命」或「天道」等字詞，就可以一以貫之了。

三　君子之德

為甚麼君子須「知命」？君子之德有甚麼？是不是須包括「知命」的條件？

在《論語》中，君子可指人君或在上位的貴族。如《論語・泰伯第八》：

---

12 見朱熹《論語集注》卷一，《四書章句集注》，頁54。

13 見同上。

君子篤於親，則民興於仁。[14]

邢昺《疏》：

君子，人君也。[15]

朱注：

君子，謂在上之人也。[16]

無論「人君」或「在上之人」，都是國之為政者。《論語・顏淵第十二》：

季康子問政於孔子……孔子對曰：「……君子之德風，小人之德草。草上之風，必偃。」[17]

這是指為政者對民眾所產生的影響，像風對草。

但在《論語》中，君子也常指人品道德修養完善的典型。如《論語・憲問第十四》：

君子道者三，我無能焉：仁者不憂，知者不惑，勇者不懼。[18]

---

14 見朱熹《論語集注》卷四，《四書章句集注》，頁103。
15 見邢昺《論語注疏》卷八，《十三經注疏》，頁70。
16 見朱熹《論語集注》卷四，《四書章句集注》，頁103。
17 見朱熹《論語集注》卷六，《四書章句集注》，頁138。
18 見朱熹《論語集注》卷十四，《四書章句集注》，頁156。

仁、知、勇，是君子之德，孔子自謙「我無能焉」，同時亦用以勉人[19]。其他如《論語・學而第一》：

> 君子食無求飽，居無求安，敏於事而慎於言。[20]

又《論語・里仁第四》：

> 君子無終食之間違仁，造次必於是，顛沛必於是。[21]

又《論語・雍也第六》：

> 君子博學於文，約之以禮。[22]

也就是說，除了仁、知、勇之德，君子也須具有多種優良品質，如勸奮好學、言行一致、嚴以律己、通權達變；同時也要有博通學識的修養和以禮自我約制的踐履功夫。

如上所述，君子應有許多美德和才能。不過，無論有多少美德和才能，君子到底仍要面對許多認識和人力所難及的情況，這些情況，有屬偶然性的，也有屬必然性的，於是就要「知命」，即所謂「知天」或「知天命」，否則，就會產生不知所可、無所適從的困惑。所以孔子才會說：

---

19 參閱同上。

20 見朱熹《論語集注》卷一，《四書章句集注》，頁52。

21 見朱熹《論語集注》卷二，《四書章句集注》，頁70。

22 見朱熹《論語集注》卷三，《四書章句集注》，頁91。

> 不知命，無以為君子也。[23]

朱注引二程之言云：

> 知命者，知有命而信之也，人不知命，則見害必避，見利必趨，何以為君子？[24]

避害、趨利，固然是「不知命」者所常犯的錯誤，算不得是真有修養的君子，而更嚴重的，是沒有自信去做自己該做的事。因此，錢賓四（穆）先生（1895-1990）在朱注的說明上強調：

> 知命者，即知天也。……惟知命，乃知己之所當然。孔子之知其不可而為之，亦是知命之學也。[25]

錢先生認為，「知命」即「知天」，也就是「知天命」。能「知天命」的君子，才會有足夠自信，認定目標，「知其不可」，仍奮力向前「而為之」。可見君子之德，不能沒有「知天命」的修養。

除了「知天命」，孔子認為君子之德還應包括「畏天命」。《論語・季氏第十六》：

> 君子有三畏：畏天命……小人不知天命而不畏也……。[26]

---

23 見《論語・堯曰第二十》，朱熹《論語集注》卷十，《四書章句集注》，頁195。

24 見同上。

25 見錢穆《論語新解》下冊《堯曰篇第二十》，1963年12月新亞研究所（香港），頁685。

26 見朱熹《論語集注》卷八，《四書章句集注》，頁172。

朱注：

> 畏者，嚴憚之意也。天命者，天所賦之正理。知其可畏，則其戒謹恐懼，自有不能已者。[27]

錢賓四先生對「畏」和「畏天命」有較清晰的說明，與朱注稍不同，可以參考。他釋「畏」云：

> 畏與敬相近，與懼則遠。畏在外，懼則懼其禍患之來及我也。[28]

他又釋「畏天命」云：

> 天命在人事之外，非人事所能支配，而又不可知，故當心存敬畏也。[29]

「畏」有「敬」義，不盡等同「懼」。對於「天命」，似當心存敬畏，所以錢先生說「畏與敬相近」。為甚麼君子要「畏天命」？因為「天命」不是人力所能支配，又不可測知，如「心存敬畏」，才會對自己的言行，知所矜慎。小人因為不知有「天命」，也不相信「天命」，於是就會不知畏，更不知敬，心裏沒有戒慎，待人處事往往率意而為，這樣，就難以達到君子的修養、行為標準。因此「畏天命」，也應是君子眾德中的一德。

---

27 見同上。

28 見錢穆《論語新解》下冊《季氏篇第十六》，頁576。

29 見同上。

四　「畏天命」與「知天命」之別

在《論語》中，雖說「命」即「天命」或「天道」，但一涉及「天」，孔子的解說有時未盡相同，這是因為《論語》的特色之一是：同一字詞，有時會因人、因時、因地的不同，而有不同的說法，例如「君子」、「仁」、「文」等等，都是。「天」或「天命」也不例外。我們從《論語》中會讀到有關「畏天命」和「知天命」的語句，把這些語句摘取出來，互相比對，就較容易看到兩者的分別。

根據《論語》的載述，「天命」的「天」，自有巨大的主宰力量，使人敬而畏之。如《論語．八佾第三》：

> 獲罪於天，無所禱也。[30]

朱注指出，「天」即「理」，順理則順天命，逆理則逆天命，逆天命就會天降罪，豈是禱告所能避免？[31]可見天命之可畏。

又《論語．雍也第六》：

> 子見南子，子路不說。夫子矢之曰：「予所否者，天厭之！天厭之！」[32]

孔子向天一再矢誓，表示自己如做了不合於禮的事，就會為天所棄絕[33]。孔子信天命，所以向天發誓，可知他是敬畏天命的。

---

30 見朱熹《論語集注》卷二，《四書章句集注》，頁65。

31 參閱朱注，同上。

32 見朱熹《論語集注》卷三，《四書章句集注》，頁91。

33 參閱朱注，同上。

又《論語・泰伯第八》：

> 子曰：「唯天為大，唯堯則之。……」[34]

這是說，「物之高大，莫有高於天」，只有堯帝之德，才「能與之準」[35]。在孔子心目中，天道之大，天命之重，值得敬畏，可以想見。

又《論語・子罕第九》：

> 子疾病，子路使門人為臣。……（子）曰：「……無臣而為有臣。吾誰欺？欺天乎？」[36]

時孔子不在位，沒有家臣，「無臣而為有臣」，是欺人，更是欺天，「人而欺天，莫大之罪」[37]。孔子表明自己不敢欺天，同時也顯露了他對天命的敬畏。

又《論語・先進第十一》：

> 顏淵死。子曰：「噫，天喪予！天喪予！」[38]

重覆嗟歎「天喪予」，表示對顏淵（前521-前481）之死，極為痛惜，一如天之喪己[39]。天有令人喪命的赫赫天威，誰能不敬而畏之？因為心存敬畏，所以孔子對所「畏」的「天」或「天命」，態度是不會多

---

34 見朱熹《論語集注》卷四，《四書章句集注》，頁107。堯，傳說的古帝王，號陶唐氏。
35 參閱朱注，同上。
36 見朱熹《論語集注》卷五，《四書章句集注》，頁112。
37 參閱朱注，同上。
38 見朱熹《論語集注》卷六，《四書章句集注》，頁125。
39 參閱朱注，同上。

談論，更不會深談，而只表達自己的感受或慨歎。

可見《論語》中的「畏天命」，看重的是「天命」中的「天」。「唯天為大」，不能「獲罪於天」。

不過，談到「知天命」，孔子的態度與「畏天命」就不同。同樣是「天命」，他竟然說出「不知命無以為君子」的看法，究竟是甚麼意思呢？我們還是看《論語》的載述罷。

《論語．為政第二》：

> 子曰：「吾十有五而志於學，三十而立，四十而不惑，五十而知天命……。」[40]

這是孔子自述一生為學與年俱進的階程。但我們應該知道，這只是孔子預計一生為學階程的進度，意思是到了五十歲還「不知命」，就「無以為君子」。孔子一生以君子之道自勉，也以君子之道教人，他在五十或五十之前，應已有「知天命」的認識和修養。這個「知」，與「畏」不同。錢賓四先生的解說是：

> 天命者，乃指人生一切當然之道義與職責。道義職責似不難知，然守道盡職而仍窮困不可通者，有之矣。何以當然者而竟不可通，何以不可通而仍屬當然，其義難知。遇此境界，乃需知天命之學。[41]

所謂「知天命之學」，就是知「人生當然之道義與職責」的所在，即使面臨人生窮困不可通的境遇，仍會以極真、極堅的自信，勉力而

40 見朱熹《論語集注》卷一，《四書章句集注》，頁54。

41 見錢穆《論語新解》上冊《為政篇第二》，頁32-33。

為，或努力奮進，而不必困惑。新亞校歌歌詞中有「艱苦我奮進，困乏我多情」的語句，就是一種「知天命」的表現。

又《論語・述而第七》：

> 子曰：「天生德於予，桓魋其如予何？」[42]

宋司馬桓魋（春秋末宋國人）要加害孔子。孔子表示：天既賦我以如是之德，則桓魋必不能違天害己[43]。

又《論語・子罕第九》：

> 子畏於匡，曰：「文王既沒，文不在茲乎？天之將喪斯文也，後死者不得與於斯文也；天之未喪斯文也，匡人其如予何？[44]

「斯文」，指古代的文化傳統，主要是西周的禮樂制度。孔子臨危堅信自己已得「與於斯文」，即表示天仍未讓「斯文」消滅，天命如此，匡人又怎能違天害己[45]？

又《論語・顏淵第十二》：

> 子夏曰：「商聞之矣：死生有命，富貴在天。……」[46]

這是子夏（前507-？）述老師之言。意思是：死生、富貴，都由天

---

42 見朱熹《論語集注》卷四，《四書章句集注》，頁98。

43 參閱朱注，同上。桓魋，宋司馬向魋，因出於桓公，所以又稱桓氏。

44 見朱熹《論語集注》卷五，《四書章句集注》，頁110。

45 參閱朱注，同上。

46 見朱熹《論語集注》卷六，《四書章句集注》，頁134。

命，「非我所能必，但當順受而已」；「既安於命」，倒不如「修其在己」[47]。

又《論語・憲問第十四》：

> 子曰：「不怨天，不尤人。下學而上達。知我者其天乎！」[48]

朱注引二程之說，認為「凡下學人事，便是上達天理」[49]。所謂「天理」，即「天命」。能由人事之學而「知天理」，也就是能「知天命」了。

又《論語・陽貨第十七》：

> 子曰：「天何言哉？四時行焉，百物生焉，天何言哉？」[50]

四時行，百物生，都是「天理發見流行之實」，不必多所言說[51]。明白這個道理，努力守道盡職，就是「知天命」。

可見《論語》中的「知天命」，看重的是「天命」中的「命」。「命」由天定，掌控不由人，不如盡其在我以「修己」。

我們或許可以這樣說，「不知命無以為君子」的「知命」，就是「知天命」。而「知天命」的意思有兩方面：一是因知天命的可敬可畏而「知天命」，即所謂「畏天命」，所重在「天」；一是天命所指是人生一切當然的道義與職責，作為君子，應該不管將來人生發展的順逆，只做天命或天意所在的事，即所謂「知天命」，所重在「命」。無

---

47 參閱朱注，同上。

48 見朱熹《論語集注》卷七，《四書章句集注》，頁157。

49 參閱朱注，同上。二程，指程顥、程頤。

50 見朱熹《論語集注》卷九，《四書章句集注》，頁180。

51 參閱朱注，同上。

論「畏天命」或「知天命」，都是「不知命無以為君子」的「知命」內涵。劉寶楠（1791-1855）在《論語正義》中有這樣的意見：

> 天命者，《說文》云：「命，使也。」言天使己如此也。……子曰：「不知命，無以為君子。」言天之所生，皆有仁、義、禮、智、順善之心。……是故君子知命之原於天，必亦則天而行……能合天，斯為不負天命，不負天命，斯可云知天命。知天命者……知有仁、義、禮、智之道，奉而行之，此君子之知天命也。[52]

劉氏的意見是，「天命」是天之「使己」。人由天所生，「命」源於天，因此人「皆有仁、義、禮、智、順善之心」，「奉而行之」，就是「不負天命」，即所謂「君子之知天命也」。看來劉氏所重，是「知天命」中的「命」，即天對人事的影響。只是他的解說，似乎並沒有把「知命」（即「知天命」）中的「畏」與「知」界分清楚。

為了讓大家對「畏天命」和「知天命」的比較有具體的印象，我再引述《論語．述而第七》中的一章，以作補充說明：

> 子疾病，子路請禱。子曰：「有諸？」子路對曰：「有之。《誄》曰：『禱爾于上下神祇。』」子曰：「丘之禱久矣。」[53]

孔子向弟子表示：自己平素言行已合於天命，所以不必再向神明請

---

52 見劉寶楠《論語正義》卷二《為政第二》，1958年2月中華書局（北京），頁24。

53 見朱熹《論語集注》卷四，《四書章句集注》，頁101。錢穆先生指出：誄，一本作讄，當從之。讄，施於生者；誄，施於死者。（參閱《論語新解》上冊《述而篇第七》，頁258。）

禱[54]。陳大齊（1887-1988）在《孔子所實行的禱是怎樣的禱》一文中指出：這兩個「禱」，不當解作同義。「子路請禱」的「禱」，應解作通常「禱」的意義，「丘之禱久矣」的「禱」，孔子原意一定不會採用「禱」的通常意義，而應解作「平素勤於修養」。陳氏更強調：「孔子只主張訴諸自己的悔悟以求改過，未嘗主張訴諸神明的慈悲以求赦罪。」[55]他辨析兩「禱」字意義的不同，是對的，但稍有意蘊未盡的地方。可略補充的是：「子路請禱」的「禱」，對象是「畏天命」的「天命」，所重在「天」，而孔子自言「丘之禱久矣」的「禱」，對象是「知天命」的「天命」，所重在「命」。無論「畏天命」或「知天命」，都屬於含意較廣，兼含「畏」、「知」兩義的「不知命無以為君子」一語所云「知命」的語意範圍內。

此外，在《論語》中，有兩章的內容，常引起議論的話題，可以一談。其一是上文引述過的《論語・公冶長第五》：

> 子貢曰：「夫子之文章，可得而聞也；夫子之言性與天道，不可得而聞也。」[56]

另一是《論語・子罕第九》：

> 子罕言利與命與仁。[57]

「天道」，孔子有時稱「天」，有時稱「命」，有時稱「天命」。為甚麼

---

54 參閱朱注，同上。

55 參閱陳大齊《淺見續集》第一編，1973年3月臺灣中華書局（臺北），頁27-32。

56 見朱熹《論語集注》卷三，《四書章句集注》，頁79。

57 見朱熹《論語集注》卷五，《四書章句集注》，頁109。「與」作「贊與」解，不作「並」解，因此「子罕言利」後，宜加逗號。

子貢（前520-？）說「夫子之言性與天道不可得而聞」呢？在《論語》中，孔子言「性」，只一見；「言利之風不可長」，也少談。但他言「仁」最多，也「屢言知天知命」，並且「鄭重言之」。因此，對「與命與仁」的「與」，似宜作「贊與」，因為「孔子所贊與者」，應是「命」和「仁」[58]。

其實，我們只要細讀《論語》各章的語句，就可看到：孔子談到「知命」而涉及人事之外的「畏天命」時，一般不會深談；但談到「知命」而涉及人事之道義與職責的「知天命」時，他就會強調「知天命」是一生為學與年俱進的階程之一，所謂「五十而知天命」，指的就是這方面。「畏天命」心存敬畏，不能說完全沒有宗教的成分；「知天命」，則落實到人事的所當為，孔子常以此自勉，亦常以此勉人。錢賓四先生在解說「五十而知天命」時說：

> 孔子非一宗教主，然孔子實有一極高無上之信仰，此種信仰，似與世界各大宗教並無大異。惟孔子由學生信，非先有信而後學，故孔子教人，亦重在學。[59]

孔子把「知天命」定為為學的階程之一，可見他重視的是「天命」中的「命」，即天所給予的任務，做人事所當為的事，這是屬於為學和修養的範圍，與「畏天命」主要是對「天」的重視，因而產生敬畏之情不同。

---

58 參閱錢穆《論語新解》上冊涉及《公冶長篇第五》及《子罕篇第九》兩章的解說，頁158及291。

59 見錢穆《論語新解》上冊《為政篇第二》，頁33。

五　結語

「論『知命』」這個論題，涉及天、命、天命、天道甚至天理的討論。這方面的討論，可以淺，可以深，可以虛，可以實；其中有消極之說，也有積極之說。我以為，在「知命」或「知天命」的前提下，辨別「畏天命」與「知天命」的不同，或許是個切入論題的方法之一。這就是本文討論的中心。臨末，我再引述錢賓四先生的意見，作為本文的結束，錢先生的意見是這樣的：

> 知命，即知天也。有淺言之者，如云富貴在天，死生有命是也。有深言之，又積極言之者，如云天生於予，文王既歿，文不在茲乎之類是也。亦有消極言之者，如云道之不行，吾知之矣，道之將廢也與命也之類是也。……惟知命，乃知己之所當然。孔子之知其不可而為之，亦是其知命之學也。[60]

錢先生指出，「知命」即「知天」，可見「命」即「天」，也就是「天命」或「天道」，因此「知命」即「知天」、「知天命」或「知天道」。如據朱注「天」即「理」的說法，「知天」、「知命」，也就是「知天

60 見錢穆《論語新解》下冊《堯曰篇第二十》，頁685。至於錢先生的論據，可說明如下，以便參考：(1)《論語》原文為「死生有命，富貴在天」，見《論語・顏淵第十二》，朱熹《論語集注》卷六，《四書章句集注》，頁134。(2)「天生德於予」，見《論語・述而第七》，朱熹《論語集注》卷四，《四書章句集注》，頁98。(3)「文王既歿，文不茲乎」，見《論語・子罕第九》，朱熹《論語集注》卷五，《四書章句集注》，頁110；「歿」，《論語集注》作「沒」、「歿」與「沒」通。(4)「道之不行，吾知之矣」，《論語》原文為「道之不行，已知之矣」，見《論語・微子第十八》，朱熹《論語集注》卷九，《四書章句集注》，頁185。(5)「道之將行也與？命也。道之將廢也與？命也。」見《論語・憲問第十四》，朱熹《論語集注》卷七，《四書章句集注》，頁158。

理」了。

錢先生又從深、淺和消極、積極的角度，各舉《論語》的語句為例，作為論據。「畏天命」，或可視為消極的「知天命」，與「畏天命」相對的「知天命」，則可視為積極的「知天命」。前者順天、敬天、畏天，不敢欺天；後者順受天命的同時，仍不忘盡其在我，知其不可而為之，看重的是人事，態度積極，富於人文精神。我以為，這該是孔子所重的知命之學，也該是他樂於與弟子談論的知命之學。

為方便讀者掌握本文內容，現試以表列方式，歸納全篇要點如下：

<table>
<tr><td colspan="4">不知命無以為君子也（堯曰）</td></tr>
<tr><td colspan="4">命、天、天命、天道、天理</td></tr>
<tr><td rowspan="2">知命：君子眾德之一</td><td>畏天命：重「天」
（消極）</td><td>順天
敬天
畏天
不敢欺天</td><td>信仰</td></tr>
<tr><td>知天命：重「命」
（積極）</td><td>知己之所當然
看重人事
盡其在我
知其不可而為之</td><td>由學生信</td></tr>
</table>

（第九屆中國傳統文化研修會講座發言稿，2019年7月12日）

——原載《華人文化研究》第十卷第一期（2022年6月）

「孔子以狂為教」辨

一

楊鈞（1881-1940），字重子，號白心，室名「白心草堂」，湖南湘潭人，王闓運（1833-1916）弟子，曾留學日本；著作有《草堂之靈》、《白心草堂詩集》、《白心草堂金石書畫》。

楊氏篤學博識，有詩才，讀書、治藝、談文、論學，常以通博自許，又常持獨異之論，對人少所許可。因自信甚強，時有過偏判斷語，從《草堂之靈》一書，可略覘一斑。茲摘其「說狂」之言如下，並辨析之，藉見通博之人，亦會思慮未周而已。

二

楊鈞《草堂之靈》有「說狂」條云：

> 禽滑釐曰，端木叔狂人也，辱其祖矣。段干木曰，端木叔達人也，德過其祖矣。此二說也，一似太過，一似不及。然則余於二者之間又孰取焉？顧信其辱於祖，毋寧信其過於祖也。[1]

---

1 見楊鈞《草堂之靈》卷二，1985年3月岳麓書社（長沙），頁23。禽滑釐，亦作滑黎、骨釐、屈釐，戰國初人；初受業於子夏，後為墨子弟子，盡傳其學。段干木，戰國時魏國人；少貧且賤，師事子夏，高尚不仕。端木叔，戰國時衛國人，子貢後裔；祖傳家貲萬金，不治業，極盡遊樂；行年六十，盡散其財於宗族國人，及死，無喪葬之需。

一以狂為辱，一以狂為德，二說孰是？楊氏信其德過於祖，並曰：

> 且狂為美德。孔子曰：「必也狂狷乎，狂者進取。」又曰：「吾黨之小子狂簡。」是孔子以狂為教。孔子之弟子皆狂，而禽滑釐反之，以狂為辱，余以此知禽滑釐為非孔。或問曰：「以狂為教，其利安在？」余答曰：「狂與腐，為對待之詞。孔子知後世必有曲解忠孝義之人，以成其名者，故不得不以狂為教之旨。曲解忠孝者，腐儒也。狂也者，防腐劑也。孔子以此防民，而唐宋以後之儒生，莫不蓄有腐氣。試詳審之，愈腐之人，反愈尊孔，而指狂者為離經叛道，則又孔子之所不料也。」[2]

楊氏引述《論語》之言，並據此謂孔子（前551-前479）「以狂為美德」，又「以狂為教」，而其「弟子皆狂」。其說新異，理則未充。依《論語》所載，孔子誠不以狂為辱，對狂者亦不排拒，並謂「狂者進取」，然實未以狂為教，亦未視狂為美德，更不能謂其弟子皆狂。苟如楊氏所言，則孔子平日言行應多狂態，且日日以禮、樂、射、御、書、數教狂，時時以狂道誨其弟子，《論語》所記皆為狂言狂事，《春秋》筆削亦一以狂為繩準，豈有是理耶！楊氏蓋深惡尊孔子之腐儒，乃以「狂」為防腐劑，故不覺其言之過耳。人多知孔子以「仁」為教，未聞「仁者」即「狂者」也。

三

楊鈞《草堂之靈》「交際」條亦有涉及說狂之言，云：

---

2 見同上，頁23-24。

> 富貴出身者，得當時名易，得身後名難；貧賤出身者，得身後名易，得當時名難。且於當時交際尤難，既不可抗，又不可卑，卑近於諂，抗不見容。王湘綺先生起自孤童，未冠之時，即與貴人游，恐人侮辱，乃自標置，抗論直詞，無所推讓，於是狂名大起。[3]

此言王闓運（湘綺，1833-1916）狂名大起之故。王氏之狂，人未必盡以為非，然其表現，論者恐未必視為合於孔子之教也。

楊氏又云：

> 凡有經世先王之志，欲建白於天下者，狂名萬不可負。如志在著書，不求聞達，雖舉世狂之，初無障礙，然亦只限於才人，學人實非所宜也。[4]

楊氏既云孔子以狂為美德，又以狂為教，是則人人可狂，有經世志向、欲建白天下之學人，亦可狂矣，何故云才人可狂，學人則不宜狂？其說豈非自相牴牾？然則王闓運才人歟？學人歟？楊氏似未以其師王氏之「狂名大起」為非，顯然未視其師為學人也。

四

或言楊鈞「說狂」之論，應有所據而云然。予弗能盡知楊氏持論之所據，然就孔子言論觀之，似無他書之足信，可居乎《論語》之上者。爰就《論語》所載，考辨楊說之是非。

---

3 見楊鈞《草堂之靈》卷十五，頁290-291。

4 見同上，頁291。

《論語・泰伯第八》云：

> 子曰：「狂而不直，侗而不愿，悾悾而不信，吾不知之矣。」[5]

朱注云：

> 侗，無知貌。愿，謹厚也。悾悾，無能貌。吾不知之者，甚絕之之辭，亦不屑之教誨也。[6]

朱注於此未釋「狂」字，惟「狂」與「侗」、「悾悾」並列，可見均非美德之詞，故「狂」須「直」，「侗」須「愿」，「悾悾」須「信」。是以「狂而不直」，非孔子之所取。

錢賓四（穆）先生（1895-1990）釋「狂而不直」云：

> 狂者多爽直，狂是其病，爽直是其可取。凡人德性未醇，有其病，但同時亦有其可取。今則徒有病而更無可取，則其天性之善已喪，而徒成其惡，此所謂小人之下達也。[7]

「狂」為病，「直」為美，學問之功，貴能增其美而釋其病。倘不見其美，孔子亦云「吾不知之矣」，烏可謂孔子以「狂」教弟子哉！

《論語・子路第十三》又云：

---

5 見朱熹《論語集注》卷四，《四書章句集注》，2005年9月中華書局（北京），頁106。

6 見同上，頁106-107。

7 見錢穆先生《論語新解》上冊，《泰伯篇第八》，1963年12月新亞研究所（香港），頁282。

子曰：「不得中行而與之，必也狂狷乎！狂者進取，狷者有所不為也。」[8]

朱注云：

狂者，志極高而行不掩，狷者，如未及而守有餘。蓋聖人本欲得中道之人而教之，然既不可得，而徒得謹厚之人，則未必能自振拔而有為也。故不若得此狂狷之人，猶可因其志節，而激厲裁抑之以進於道，非與其終於此而已也。[9]

朱注又引述《孟子》之言曰：

孔子豈不欲中道哉？不可必得，故思其次也。……狂者又不可得，欲得不屑不潔之士而與之，是狷也，是又其次也。[10]

朱注所引，見《孟子・盡心篇下》，其引述，文字有出入，亦有節略，幸尚不失原意。「中行」，指行得其中。孔子蓋欲得中行之人而教之，若不能得，則思其次，狂者狷者亦可。是則狂者雖「進取」，狷者雖「有所不為」，惟較諸中行則未足，豈可謂孔子「以狂為教」乎？

賓四先生釋「中行」云：

中行，行得其中。孟子所謂中道，即中行也。退能不為，進能

8 見朱熹《論語集注》卷七，《四書章句集注》，頁147。

9 見同上。

10 見同上。

> 行道，兼有二者之長也。[11]

能兼狂、狷之長，可進則進，可退則退，時時不失中行，方為孔子所許。

《論語・陽貨第十七》又云：

> 子曰：「由也，女聞六言六蔽矣乎？」對曰：「未也。」「居！吾語女。好仁不好學，其蔽也愚；好智不好學，其蔽也蕩；好信不好學，其蔽也賊；好直不好學，其蔽也絞；好勇不好學，其蔽也亂；好剛不好學，其蔽也狂。」[12]

朱注云：

> 六言皆美德，然徒好之而不學以明其理，則各有所蔽。愚，若可陷可罔之類。蕩，謂窮高極廣而無所止。賊，謂傷害於物。勇者，剛之發。剛者，勇之體。狂，躁率也。[13]

六言為「仁」、「知」、「信」、「直」、「勇」、「剛」，皆美德，「愚」、「蕩」、「賊」、「絞」、「亂」、「狂」為六蔽，均須好學以救其失，則孔子並未以「狂」為美德可知。

賓四先生釋「好剛不好學，其蔽也狂」云：

> 仁、知、信、直、勇、剛六言皆美名，不學則不明其義，不究

11 見錢穆先生《論語新解》下冊《子路篇第十三》，頁456。

12 見朱熹《論語集注》卷九，《四書章句集注》，頁178。

13 見同上。

> 其實，以意會之，有轉成不善者。……狂，妄抵觸人。[14]

賓四先生之意，殆謂六言雖美，惟必好學深求之，乃能成德於己，否則轉成不善。可知孔子以「好學」教人，不以「狂」教人。

《論語・陽貨第十七》又云：

> 子曰：「古者民有三疾，今也或是之亡也。古之狂也肆，今之狂也蕩；古之矜也廉，今之矜也忿戾；古之愚也直，今之愚也詐而已矣。」[15]

朱注云：

> 狂者，志願太高。肆，謂不拘小節。蕩則踰大閑。矜者，持守太嚴。廉，謂稜角陗厲。忿戾則至於爭矣。愚者，暗昧不明。直，謂徑行自遂。詐則挾私妄作矣。[16]

「狂」、「矜」、「愚」為三疾，而有古今之異。孔子雖傷今疾之益衰，而實未以古疾為美德也。朱注謂狂者「志願太高」，「志願高」乃對人稱美之詞，「太高」則顯失其中道矣，何美德之可言？且古狂為「肆」，今狂為「蕩」，均非美善之形容。

賓四先生釋「古之狂」及「今之狂」云：

> 古之狂也肆：狂者志願高，每肆意自恣，不拘小節。今之狂也

---

14 見錢穆先生《論語新解》下冊《陽貨篇第十七》，頁598-599。

15 見朱熹《論語集注》卷九，《四書章句集注》，頁179。

16 見同上，頁179-180。

> 蕩：蕩則無所據，并不見其志之狂矣。[17]

孔子以古今為說，乃傷今俗之益衰也。古之狂猶有可取，今之狂則大失古意矣。古狂雖有可取，倘謂以此為美德而教人，則恐非孔子本意也。

五

楊鈞又舉《論語》「吾黨之小子狂簡」一語為據，證「孔子以狂為教」，其說亦可商榷。此涉「狂簡」之解說，茲述論如下。

《論語・公冶長第五》云：

> 子在陳曰：「歸與！歸與！吾黨之小子狂簡，斐然成章，不知所以裁之。」[18]

朱注云：

> 此孔子周四方，道不行而思歸之歎也。吾黨小子，指門人之在魯者。狂簡，志大略於事也。斐，文貌。成章，言其文理成就，有可觀者。裁，割正也。夫子初心，欲行其道於天下，至是而知其終不用也。於是始欲成就後學，以傳道於來世。又不得中行之士而思其次，以為狂士志意高遠，猶或可與進於道也。但恐其過中失正，而或陷於異端耳，故欲歸而裁之也。[19]

---

17 見錢穆先生《論語新解》下冊《陽貨篇第十七》，頁607。

18 見朱熹《論語集注》卷三，《四書章句集注》，頁81。

19 見同上。

朱注抉發孔子思歸之意頗詳。其釋「狂簡」為「志大而略於事」，指人之行為，合「狂」與「簡」為一意，似可商。又云「狂士志意高遠」，「但恐其過中失正」，則狂士乃「思其次」之士而非「得中行」之士可知。是以朱注僅謂狂士「猶或可進於道」，「猶或」非肯定語，其意仍為孔子所謂「不得中行而與之」[20]之意而已。

《孟子・盡心篇下》有載萬章問孔子在陳之歎，云：

> 萬章問曰：「孔子在陳曰：『盍歸乎來！吾黨之士狂簡，進取，不忘其初。』孔子在陳，何思魯之狂士？」孟子曰：「孔子『不得中道而與之，必也狂獧乎！狂者進取，獧者有所不為也』。孔子豈不欲中道哉？不可必得，故思其次也。」……（孟子又）曰：「……狂者又不可得，欲得不屑不潔之士而與之，是獧也，是又其次也。……」[21]

「狂獧」即「狂狷」，「獧」與「狷」為古今字。孟子師弟間之答問，「狂簡」與「狂獧（狷）」似混而無別。牟潤孫先生（1908-1988）嘗撰《釋〈論語〉狂簡義》一文辨之，云：自來注《論語》者，多合萬章之問與《論語・公冶長》及《子路》篇所記為一事，朱子亦同此意。然如此說，有不可通者二：（一）狂簡指人之行為言，何以能斐然成章？（二）簡與狷（獧）固同部，然實不同義。《公冶長篇》為「狂簡」，《子路篇》為「狂狷」，萬章所問者亦為「狂簡」，孟子答萬章之問則為「狂獧（狷）」。「簡」縱有「大」義，然僅能用以解志大

---

20 語見《論語・子路第十三》，朱熹《論語集注》卷七，《四書章句集注》，頁147。

21 見朱熹《孟子集注》卷十四，《四書章句集注》，2005年9月中華書局（北京），頁374-375。

言大之「狂」，不能解有所不為之「狷」[22]。

潤孫先生既於文中辨析《論語》諸家注疏之說，復引述唐代劉知幾（661-721）《史通》之《斷限篇》及《書事篇》為證，指出劉氏雖非經師，「猶知漢魏經師之舊義，論史書體制，兩引狂簡以喻著史者之濫載失裁」[23]。劉知幾《史通·斷限第十二》云：

> 夫書之立約，其來尚矣。如尼父之定《虞書》也，以舜為始……丘明之傳魯史也，以隱為先……此皆正其疆里，開其首端。因有沿革，遂相交互。事勢當然，非為濫軼也。過此已往，可謂狂簡不知所裁者焉。[24]

上文之「狂簡」，顯非指人。《史通·書事第二十九》又云：

> 大抵近代史筆，敘事為煩。榷而論之，其尤甚者有四。……於是考茲四事，以觀今古，足驗積習忘返，流宕不歸。乖作者之規模，違哲人之準的也。孔子曰：「吾黨之小子狂簡，斐然成章，不知所以裁之。」其斯之謂矣。[25]

劉氏兩引「狂簡」，均喻撰作之濫載失裁，與朱注及諸家注「狂簡」之說不同。潤孫先生因而斷曰：「狂簡」之「狂」，應釋為「妄」，決非用以稱人；「簡」指「書簡」，亦非指人，蓋「古時編簡為書，故稱

---

22 參閱牟潤孫先生《釋〈論語〉狂簡義》，《注史齋叢稿》（增訂本）上冊，2009年6月中華書局（北京），頁200。

23 參同上，頁207-208。

24 見浦起龍《史通通釋》卷四，1978年4月上海古籍出版社（上海），頁95。

25 見浦起龍《史通通釋》卷八，頁231-232。

之曰篇，亦謂之曰書，析言之則曰簡。狂簡者，妄著簡牘也」[26]。賓四先生甚以潤孫先生之說為可，並致函表示推許，云：

> 《釋〈論語〉狂簡義》拜讀，甚佩。得《史通》為證，更見圓滿也。[27]

楊鈞未知「狂簡」非用以稱人，亦未知其義為「妄著簡牘」，是則據是以稱人之狂為美德，又據是以證孔子以狂為教，乃不得不成虛設之論矣。

六

楊鈞《草堂之靈》「說狂」及「交際」兩條內容，涉及「狂」之論見。前者直言孔子以「狂為美德」，並「以狂為教」；後者既言其師王闓運「狂名大起」，又言才人可負狂名，「學人實非所宜」。其說可商，其理未充，已如前述。

楊氏誠兼有學人之「學」及才人之「才」，而氣質則近才人，故其才常駕乎其學之上。是以論人、論學、論藝，每以才人之見，掩其學人之識，「說狂」乃其一例。至謂學人不宜負狂名，則又與「狂為美德」之說相悖。王闓運其所敬重之師也，而竟言其「狂名大起」，則似未視其師為學人也。讀《草堂之靈》，楊氏似未肯自居為才人，著述甚豐之王氏，恐亦未甘於自居為才人也。

---

26 參閱牟潤孫先生《釋〈論語〉狂簡義》，《注史齋叢稿》（增訂本）上冊，頁204-205。

27 見錢穆先生致牟潤孫先生函，參閱拙文《現代國學界的通儒錢賓四先生》，香港中文大學歷史系編《扎根史學五十年》，2016年7月三聯書店（香港），頁29。按：「扎根」繁體字形本作「紮根」，今兩詞通用。有人表示「紮根」誤，不免顛倒是非。

雖然，楊氏倡言狂為美德者，乃因「狂」與「腐」為對待之詞，狂也者，防腐劑也，所以防曲解忠孝節義之腐儒也。其言偏激，其意可啟人思，似未可盡忽也。

二〇一七年九月完稿

——原載《國文天地》第三十七卷第八期（22年1月）

錢賓四先生論兩漢經學

——讀《經學大要》札記

一　《經學大要》成書緣起

《經學大要》一書，是錢賓四（穆）先生（1895-1990）在一九七四年至一九七五年為中國文化學院（後改稱中國文化大學）研究生講課的記錄稿，內容主要講「儒學」與「經學」的關係，同時也是辨析經學史上的各種問題。開課前，錢先生預先指定專人負責錄音，並要據錄音整理、寫定講稿，再由錢先生審閱修訂。可惜負責錄音、整理、寫定講稿的人，未能如期交出全份講稿，只有最初數講的講稿，曾讓錢先生過目。可以說，全稿並未正式修訂。直到錢先生去世後，臺灣聯經出版公司在一九九六年整理、出版錢先生的全集時，才由編者根據錄音把《經學大要》一書的全稿寫出，共六百多頁，遇到錄音有遺漏的地方，只能加注說明，凡錄音不清之處，也只能採取刪而不增的原則，以免與講者的原意有出入[1]。因此，本書內容未盡完善，這倒不必諱言，但書中仍保存了錢先生講課時的主要意見，則是可以肯定的。

1　參閱《經學大要》目次前的「出版說明」。錢穆《經學大要》，2000年12月素書樓文教基金會、蘭臺出版社（臺北）。2011年7月，九州出版社（北京）將《經學大要》收入《講堂遺錄》，《錢穆先生全集》（新校本），頁247-871。

二 《經學大要》的性質和內容

本書名為《經學大要》，其實是講中國經學史。錢賓四先生在《經學大要》的第十三講中說：

> 這門課叫「經學大要」，實際上重要的在講經學史的問題。……中國學術分經、史、子、集，經學是學問中的第一項……我們倘使要講「經學史」，那是歷史中間的一部分。我們懂了中國歷史，才能懂得經學。講經學不能不牽涉到全部歷史……。[2]

錢先生在《經學大要》的第十五講中又說：

> 我不是從經學來講經學，而是從史學來講經學。[3]

可見「經學大要」這門課，主要是從學術的發展來講中國經學史。錢先生不是就經學來講經學，而是從史學來講經學，因為講經學時，不能不牽涉歷史，有時甚至不能不牽涉到全部歷史。

本書共有三十二講，每講各有中心。第一講屬「緒論」，主要說明開課講論經學問題的意義；第二講討論的，是孔子與《六經》的關係，即「儒學」與「經學」的關係。由第三講至第三十二講，則是按時序講論由漢至清的經學發展，其中涉及不少經學史上有爭議的話題，錢先生都明確地提出自己的看法和理據，或梳理，或糾謬，或辨析，或強調，不但為聽講者提供具體的經學史知識，同時也為聽講者

---

2 見錢穆《經學大要》，頁231。引述本書文字時，偶或改動標點符號，因未影響文意，不一一說明。

3 見同上，頁261。

開示治學特別是研治經學的途徑和方法，並隨機推介一些重要的經學著作和參考資料，對後學很有啟導的作用。要說明的是：本書是講課的錄音稿，內容大部分未經講者審閱、修訂，其中應有些缺漏、重覆或未盡符合講者原意的地方。而且，講課記錄到底不同於嚴謹學術論著，措詞、行文或許未夠精準，更沒有學術論著所常見的附註；又提到古代學者的姓名時，錢先生或稱名或稱字或稱號，不一致。這些情況，我相信大多數讀者應能理解、接受，不作苛求。可貴的是，通過本書，我們彷彿可看見錢先生的講課風采，也彷彿可聽到他自信而懇切的提示。

從內容、篇幅看，本書講論最詳的，是「兩漢經學」，佔十四講，其次是「宋朝經學」，佔九講。我的討論範圍，主要是根據本書的兩漢部分，述說錢先生論「兩漢經學」的意見，如有需要，也會稍作闡釋、發揮，同時也會參閱或引述錢先生的相關論著，如《兩漢經學今古文平議》、《國學概論》、《先秦諸子繫年》、《國史大綱》、《秦漢史》等等，以作印證或補充。

三　讀《經學大要》札記（一）

（一）孔子「六藝」與漢人《六藝》

錢先生指出，孔子（前551-前479）的「六藝」，並不就是漢人的《六藝》。他在《經學大要》第二講中說：

> 孔子以禮、樂、射、御、書、數「六藝」教弟子。但到了漢代，如《漢書・藝文志》中的「《六藝略》」，這「《六藝》」便改指了《易》、《書》、《詩》、《禮》、《春秋》之《六經》。其實

> 漢代也只有《五經》，從來沒有獨立的「《樂經》」。但照漢人如此一說，孔子和《五經》便發生了密切的關係。[4]

孔子以「六藝」教弟子，內容是禮、樂、射、御、書、數，班固（32-92）《漢書．藝文志》也有所謂《六藝》，兩者名同而實異。由於《漢書．藝文志》改指《六藝》為《易》、《書》、《詩》、《禮》、《樂》、《春秋》，於是孔子便與《六經》（當時其實只是《五經》）發生了密切關係。「漢人如此一說」的「漢人」，並非只有班固一人，司馬遷（前135-前87？）的《史記》，在班固《漢書》前，便有清楚的說明。錢先生在《經學大要》第三十一講中就這樣補充：

> 漢朝人認為孔子「刪《詩》、《書》，訂《禮》、《樂》，贊《周易》，作《春秋》」，《六經》都是孔子一個人的工作，太史公《史記》裏便明明白白這樣寫的。[5]

司馬遷和班固，是兩漢的大史家，他們繼承家學，學有淵源，在學問上，又有各自的造詣，但對孔子與《六經》的說法，仍不免受到時代和社會的局限。錢先生因此在《經學大要》第三十一講中又說：

> 西漢、東漢沒有人講過這裏面有錯，但是經過漢朝以後，我們漸漸知道，漢潮人這話根本是錯的。孔子是作了《春秋》，至謂孔子刪《詩》、《書》，這是絕對沒有的事。孔子自己沒講過，孔子學生及孟、荀等許多重要人物沒講過，連反對孔子的

4 見同上，頁21。
5 見同上，頁568-569。

> 人也沒有批評孔子刪《詩》、《書》。再說到孔子贊《周易》，更沒有這事了。先秦的人都沒有講，只是漢人講孔子贊《周易》。經學史開頭講到漢朝人講經學，都講錯了。[6]

錢先生直言漢朝人講孔子與《六經》的關係，除了「作《春秋》」這一項，「都講錯了」。他的意見，自然是有所據，可惜信服今文經學家之說的人，不肯接受這個事實，而別有用心的人，更用來攻訐錢先生對經學的認識，甚至詆毀錢先生欺聖反孔，目無儒書。其實推崇孔子，可以有許多方式，倒不必把《六經》和許多後人解經之說，都掛在孔子的身上。

為了讓大家對錢先生的意見有更清晰的了解，我試引述他在《先秦諸子繫年・孔門傳經辨》中的意見作為佐證：

> 余考孔子以前無所謂《六經》也。孔子之門，既無《六經》之學，諸弟子亦無分經相傳之事。自漢博士專經授受，而推以言先秦，於是曾、思、孟、荀退處於百家，而孔子之學乃在六藝，而別有其傳統。而孔門之與儒學，遂劃為兩途。[7]

據錢先生考辨，孔子之門「無《六經》之學」，「諸弟子亦無分經相傳之事」；孔子之學在「六藝」，漢儒的「《六藝》」，則指《六經》，兩者並非一事。錢先生又進一步說：

> 謂孔子時已有《六經》，皆傳自子夏，各有系統，尤非情實。

6 見同上，頁569。

7 見錢穆《先秦諸子繫年》（又名《先秦諸子繫年考辨》）上冊，1956年6月香港大學出版社（香港）增訂本，頁83。

> 韓非僅云儒分為八，未聞分《六經》之傳統也。儒家《六經》之說至漢初劉安、董仲舒、司馬遷之徒始言之。然《史記》亦僅言漢儒傳統，無孔門傳經。孔門傳經系統見於《史》者惟《易》，而《易》之與孔門，其關係亦最疏，其偽最易辨。其他諸家傳統之說，猶遠出史遷後，略一推尋，偽跡昭然矣。[8]

孔子與《六經》的關係有如上述。孔門傳經系統之說，《史記》只提及《易》，而《易》與孔門關係最疏；其他後於《史記》之說，更不足信。錢先生的辨析，我以為是可信的。如果有人不信，那只好姑隨其便了。

至於漢朝人說「孔子作《春秋》」，錢先生是認同的，因為孟子（前372-前289）沒有說孔子曾刪《詩》、《書》，訂《禮》、《樂》，贊《周易》，但有說他「作《春秋》」，而且引述孔子之言：「知我者其惟《春秋》乎！罪我者其惟《春秋》乎！」如果孔子純粹刪裁魯國史書舊文而成《春秋》，在刪裁過程中只「述而不作」，則從何顯示「知我」、「罪我」的撰作用心？因此錢先生在《孔子與春秋》一文中說：

> 正惟《春秋》經了孔子手，纔得有大義微言，宏旨密意……。[9]

孔子在魯史舊文中加了「大義微言，宏旨密意」，可說豐富了原來文本的內容，有撰作的用心，於是「作《春秋》」的「作」字，也可說名副其實了。再說，在史書舊文去取的過程中，不能沒有義例，有義例，也就有「作」的成分了。

---

8 見同上，頁87-88。

9 見錢穆《兩漢經學今古文平議》，2003年8月商務印書館（北京），頁278。

（二）《史記・五帝本紀》「古文」釋義

錢先生在《經學大要》第八講中，引述《史記・五帝本紀》的「太史公曰」：

> 百家言黃帝，其文不雅馴……總之不離古文者近是。[10]

司馬遷自言撰寫《五帝本紀》，主要根據「不離古文者」的資料，而不是「文不雅馴」的「百家言」。《史記》所說的「古文」，究竟是甚麼意思？有人解釋為經學「今古文」中的「古文」。錢先生不以為然，說：

> 太史公這句話是說，百家講黃帝的話，靠不住。「古文」所說，總是近於「是」。……太史公拿當時學術分成兩大類：「百家」講的話靠不住，而「古文」講的比較靠得住，而「古文」的對面，不是「今文」，而是「百家」。……太史公心中的觀念，是「古文」與「百家」相對，而不是「古文」與「今文」相對。換句話說，當時沒有古文與今文分別的觀念。崔適拿《史記》書中「古文」兩字，都要講成「古文經學」，因此要說這句話是劉歆偽羼，這便不對了。[11]

錢先生的意見是：《史記・五帝本紀》所提及的「古文」，是與「百家」相對的「古文」，而不是與「今文」相對的「古文」，因為司馬遷

10 見錢穆《經學大要》，頁153。《史記》原文，見《史記》卷一，1962年5月中華書局（北京）校點本，頁46。

11 見錢穆《經學大要》，頁153-154。

在當時，並沒有「古文經學」與「今文經學」分別的觀念。所謂與「百家」相對的「古文」，指的是古代典籍，即古文舊書，主要是司馬遷《太史公自序》所謂「考信於六藝」的《六藝》——《詩》、《書》、《禮》、《樂》、《易》、《春秋》，也就是漢朝人所講的《六經》。《史記·十二諸侯年表序》提及「古文」時，並舉《春秋》、《國語》，可知《國語》也是「古文舊書」之一，而《國語》也曾被視為經書[12]。不少學者，如民國初年任北京大學文科教授的崔適（1852-1924），在《史記探源》中，把《五帝本紀》中的「古文」兩字，講成「古文經學」，並以此為準則，去審視經書中的語句，自然會得出錯誤的判斷。

錢先生為了要讓聽講者對「古文」有具體的了解，他在《經學大要》第九講中又引述劉歆（約前53-23）《移讓太常博士書》，並附說明：

> 《移讓太常博士書》，是一篇極出名的文章……他說：「今上所考視，其古文舊書皆有徵驗。外內相應，豈苟而已哉！夫禮失求之於野，古文不猶愈於野乎！」由他這段話，可見劉歆所謂「古文」，其實亦即是「舊書」，中國的所謂經學，其實亦只是孔子以前所保留下來的少數幾部古文舊書而已。[13]

錢先生據劉歆之說，清楚指出中國經學的經書，其實「只是孔子以前

---

12 參閱錢穆《國學概論》第四章，1965年6月臺灣商務印書館（臺北），頁87。

13 見錢穆《經學大要》，頁169。《移讓太常博士書》，見班固《漢書》卷三十六《楚元王傳·劉歆傳》，1964年11月中華書局（北京）校點本，頁1967-1971。又，司馬貞《史記索隱》云：「古文即《帝德》、《帝系（繫）》二書也。」（見《史記》卷一《五帝本紀》，頁47。）所指較狹。錢穆先生認為是「古文舊書」，較合理。

所保留下來的少數幾部古文舊書」。他又說：

> 太史公的《史記》，古文針對百家言，可見太史公《史記》之所謂古文，實亦指在孔子以前的幾部舊書。孔子以後的一切著作，全成為「子部」，即「百家言」。而孔子以前所保存的幾部舊書則稱為「古文」，亦即經學。中國當時的學術分野，大體如此，那裏在經學中尚有「古文」、「今文」的分別呢？這是遠在後起之事，拿來移說古代，這就大謬不然了。[14]

錢先生不避重覆，在第八、第九講中，一再強調《史記．五帝本紀》所提及的「古文」，指的是孔子以前所保存的「古文舊書」，即漢朝人心目中的「經部」典籍，孔子以後的一切著作，則全成為「子部」的「百家言」。錢先生指出：這是當時學術的分野，經學中有所謂「古文」、「今文」之分，並有爭議，那是後起的事，不能拿來移說古代。

關於《史記》「古文」的意義，錢先生曾在《兩漢博士家法考》一文中這樣述論：

> 蓋《史記》之所謂「古文」，正指《六藝》，凡所以示異於後起之家言也。《五帝本紀贊》：「百家言黃帝，其文不雅馴，薦紳先生難言之。」又曰：「總之不離古文者近是。」此史公開宗明義，標明其書取裁別擇，一本《六藝》官書，經、傳、記、說，則一也。目之曰古文者，以別於後起之百家言。故曰：「學者載籍極博，猶考信於《六藝》。」(《伯夷列傳》)……在

14 見錢穆《經學大要》，頁169。

> 史公時，《五經》博士家法未起，後世所謂今文、古文之藩籬未築，史公並不指《左傳》為古文以示異於《公羊》之為今文，如後世經生之見，決矣。[15]

「古文」在漢朝是《六藝》的通稱，《六藝》即《六經》。因此司馬遷筆下的「古文」，並沒有把《左傳》與《公羊傳》對立，分為古文經和今文經。錢先生以上的文字，與《經學大要》的文字比較，當然較為簡要明晰，這是學術論著與講課筆錄的不同。不過，講課筆錄也有好處，好處是淺白易懂，有時稍見重覆，這是為了要讓聽講者特別留意，因而不惜一再強調、反覆致意。

無論怎樣，錢先生對《史記・五帝本紀》「贊」語中「古文」兩字的釋說，應該是很清楚了。

（三）漢武帝「表彰《五經》」說

談到漢武帝「表彰《五經》，罷黜百家，而後儒家定於一尊」，不少大專院校的國史參考書和中學國史教科書，都認為這是尊孔子、崇儒學的表現，並且認為，因漢武帝立《五經》博士而經學盛，「好像儒家從此才成為中國文化主流。把後來中國人看重儒家思想，完全歸因於漢武帝的這項措施」[16]。錢先生不同意這個說法，他在《經學大要》第三講中說：

> 漢武帝表彰的是戰國以前的《五經》，而非表彰戰國以後的儒家。漢武帝「表彰《五經》的另一句，是「罷黜百家」。儒家

15 見錢穆《兩漢經學今古文平議》，頁202-203。又詳參同書，頁249-258。

16 參閱錢穆《經學大要》第三講，頁31。

只能算是百家中的第一家，則也在漢武帝罷黜之列。[17]

他跟著舉《漢書・藝文志》為證，說：

> 我們讀《漢書・藝文志》，這是漢代皇家圖書館的目錄分類，把一切書籍編目，分歸七類。第一類為《六藝》，便是「經」。第二類為「諸子」，便是「百家」。百家中第一家，便是「儒家」。可見罷黜百家，儒家亦在內。《六藝》與「諸子」，這是當時學術上一個大分野。[18]

所謂《六藝》，即「《六經》」，但從來沒有獨立的《樂經》，漢代也只有《五經》，所以漢武帝立《五經》博士。當時看重的，是從周公到孔子的學術，並非只看重孔子一人，而《論語》也不能與《春秋》並尊[19]。《六藝》與「諸子」，是當時學術上兩大分類。兩者的分別在哪裏？錢先生說：

> 《漢書・藝文志》以《六藝》為「王官學」，諸子為「百家言」。「王官」指國之共尊，「百家」乃指民間私家。[20]

可見漢武帝要提倡「王官學」來罷黜「百家言」。《五經》就是《六藝》中的《五藝》，也就是「王官學」，《孟子》、《荀子》等等，在當時都是「百家言」。儒家不過是「百家言」之一，在《漢書・藝文

17 參閱同上，頁32-33。

18 見同上，頁33。

19 參閱同上，頁35。

20 見同上。

志》中，歸入《諸子略》。不過，《論語》不歸入《諸子略》，卻與《爾雅》、《孝經》同附於《六藝》之後，因為漢朝人認為孔子是傳《五經》的。無論怎樣，漢武帝表彰的，並不是戰國以後的儒家，而是戰國以前的古文舊書。錢先生說：

> 漢朝人表彰《五經》，是看重從周公到孔子，後起孟子、荀子並不在內。我們今天「孔、孟」連稱，則要到宋代才如此。此是中國學術史上一大轉變。這可說漢代人看重周公、孔子，並不只看重孔子一人，而《論語》並不能與《春秋》並尊。[21]

錢先生的意見很清楚，他指出漢朝人「表彰《五經》」，是看重周公、孔子，並不只孔子一人，不包括後起的孟子、荀子。漢朝人只視孟、荀之說為百家言，宋人才連稱「孔、孟」，把他們同視為儒家的代表人物。這是中國學術發展的一大轉變。錢先生因而用肯定的語氣說：

> 若如民初人說「漢武帝表彰《五經》，罷黜百家，而後儒家定於一尊」，這便是無根據的空論。[22]

這樣說，只不過講出漢武帝的「表彰《五經》」，是要提倡「王官學」，並沒有使儒家定於一尊的情況。這是說明學術發展的事實，並不是貶抑孔子，更不是貶抑儒家。

錢先生在《秦漢史》中，對這方面有這樣的說明：

> 儒家亦百家之一，不得上儕於六藝。然則漢武帝立五經博士，

---

21 見同上。

22 見同上，頁33。

> 謂其尊六藝則可，謂其尊儒術，似亦未盡然也。特六藝多傳於儒者，故後人遂混而勿辨耳。故漢人尊六藝，並不以其為儒者而尊。而漢人之尊儒，則以其尊六藝。此不可不辨也。……則當時之尊六藝，以其為古之王官書，非以其為晚出之儒家言，其義又斷可識也。[23]

可知漢武帝立《五經》博士，是尊「古之王官書」──《六藝》，不是「晚出之儒家言」。漢人尊儒，是因為《六藝》多傳於儒者，而儒者又能守《六藝》。

談到「王官學」的提倡，這涉及漢朝學術「更化」的問題。錢先生在《經學大要》第三講中這樣講說：

> 「罷黜百家，表彰《五經》」，其議由董仲舒提出。董仲舒的文章屢言「更化」。「更化」二字，拿今天的話說，就是「新文化運動」。罷黜百家，表彰《五經》，便是當時一種新文化運動。[24]

「董仲舒的文章」，指董仲舒（前197-前104）答漢武帝策問的《天人之策》。董氏屢言「更化」，錢先生的解說是，當時董氏是在提倡「新文化運動」，只不過他是以「復古」的手段來「更化」：

> 董仲舒主張「更化」，要以「復古」來「更化」。其實只是要恢復以前周公到孔子之古，來更先秦自孔子以下至秦始皇一段之化。在學術上罷黜百家，來恢復從前的《五經》王官之學。……

23 見錢穆《秦漢史》第三章第二節，1966年4月自印本（香港），頁82-83。

24 見錢穆《經學大要》，頁36-37。

> 而孔子以下的百家言，在當時則視為「今」而非「古」。[25]

以「復古」來「更化」，看似守舊，但漢武帝認同董仲舒的主張，並付諸實踐，其實並不守舊，因為「表彰《五經》」，把他祖父漢文帝的博士制度也改了，連《孟子》博士和《老子》博士都罷黜了；可見「復古」只是手段，「更化」才是目的。所以錢先生才說：這是「當時一種新文化運動」。我國歷史上有時所謂「復古」，往往有創新的意圖，如唐代的「古文運動」，其實正是「新文學運動」。這已是常識，不必再說明了。

根據錢先生的意見，漢武帝表彰《五經》，目的在恢復從前的王官之學。至於成效，錢先生在《經學大要》第十三講中，有這樣概括的說明：

> 秦始皇焚書，廢了許多博士官，又不許人以古非今，要拿政治來控制學術，下面就完了。漢武帝立《五經》博士，成立國立大學。什麼都看重讀書人，請教讀書人，漢朝就有幾百年歷史。[26]

錢先生表示，國祚長短，與是否看重學術、看重讀書人有關，秦朝、漢朝，就是具體的例子。看來錢先生在講論漢朝經學時，不但在評論當時的學術，同時也以「古」論「今」了。

---

25 見同上，頁37及40。

26 見同上，頁234。

四　讀《經學大要》札記（二）

（一）漢人經學「今古文之爭」辨

漢人經學「今古文之爭」，在中國經學史中是個常有人討論的話題，但其中頗有些誤解的說法，需要辨明。錢先生在《經學大要》第九講中說：

> 經書開始分有「今文」、「古文」，只有一部《尚書》。秦始皇燒書之後，《尚書》遭查禁，原先的博士也不得為博士了。博士中有一伏生……逃歸他的家鄉，藏其《尚書》於壁中。因此漢文帝時派了一位年輕人鼂錯，到伏生家中受讀《尚書》。[27]

錢先生述說伏生（生卒年不詳）《尚書》出現的情況，可說措詞淺易，言簡意賅。他又說：

> 鼂錯學的這部《尚書》，計有二十八篇，此所謂伏生《尚書》。此外漢朝另有一部孔安國《尚書》。孔安國為孔子的後代。當時魯恭王為了建宮室，拿孔子家的牆壁拆了，在壁中發現很多古書，中間便有一部《尚書》。……因此這部《尚書》稱為「孔安國《尚書》」。[28]

這是述說孔安國（生卒年不詳）《尚書》出現的緣由。無論是伏生《尚書》或孔安國《尚書》出現的述說，都是中國經學史上為人熟知

---

27 見同上，頁173。

28 見同上。

的事情。錢先生又說：

> 拿孔安國《尚書》與伏生《尚書》相比較，多出了許多篇。……因為伏生傳授《尚書》，晁錯把來改寫成當時通行字體，稱為「今文」，而孔安國《尚書》則都是古體字，所以稱為「古文」。[29]

經書有「今文」與「古文」的分別，由《尚書》開始。兩書相較，孔安國《尚書》比伏生《尚書》多出了十六篇。可補充說明的是，伏生《尚書》未改寫成通行的字體前，其實也是古體字；孔安國《尚書》出現後，為了方便讀講，也該把原來的古體字，改寫成當時通行的字體。因此後來仍然維持「今文《尚書》」與「古文《尚書》」的名稱，只是辨別兩者出現的先後，而不是因為字體有古今的不同。

錢先生在《經學大義》第九講中又說：

> 漢武帝「表彰《五經》」所立的《尚書》是伏生《尚書》。孔安國家裏藏著這部書，送往朝廷，可是沒有立博士。太史公曾做過孔安國的學生……太史公心中並無古文經學、今文經學相異對立觀念……連孔安國心中也沒有這樣的分別。孔安國這部「古文《尚書》」……直到東漢……始終沒有立博士。最後到了三國，天下大亂，這部書丟了。[30]

由漢武帝到三國，「古文《尚書》」始終沒有立博士，最後卻在三國戰亂時丟失了。錢先生特別指出，在孔安國和司馬遷的心中，並沒有古

29 見同上。

30 見同上，頁174。

文經學、今文經學相異對立的觀念。因此，他說：

> 西漢當時討論的所謂「今文」、「古文」，就是這部《尚書》。而當時講《尚書》的人，不講古文《尚書》。[31]

這說明西漢當時討論的經學「今古文」，只限伏生和孔安國兩本不同的《尚書》，而當時講《尚書》的人，也只講當時朝廷認可的「今文《尚書》」。不過在戰亂中丟失的「古文《尚書》」，後來又出現了。錢先生說：

> 到東晉，有人發現一部古文《尚書》，獻上朝廷，說是孔安國《尚書》，這書才算失而復得，再在社會流傳。實際上東晉發現的這部古文《尚書》是部偽書……。[32]

古文《尚書》再出現於東晉，是真是偽，歷代辨析的人不少。到了清代閻若璩（1636-1704）《古文尚書疏證》一書出來，廣引經傳古籍，考證古文《尚書》之偽；古文《尚書》是偽書，就成為定論了。

至於後人所謂漢人經學「今古文之爭」到底是甚麼一回事？錢先生記述：

> （漢朝）當時三傳中只有《公羊》一家立博士。……戾太子時，武帝要他學《公羊春秋》……後來宣帝出來做皇帝，他曉得祖父很喜歡《穀梁春秋》。……漢宣帝在石渠閣召開博士會議，主

31 見同上，頁175。

32 見同上，頁174。

> 要由講《公羊》、《穀梁》的雙方辯論，《穀梁春秋》終於也獲立為博士。石渠之爭，乃一家與一家之爭，非如後人所謂「今古文經學」之爭。[33]

由漢武帝至宣帝，講《春秋》有《公羊》、《穀梁》之別，但只有《公羊》立博士。戾太子是宣帝的祖父，他喜歡《穀梁》，曾從瑕丘江公（生卒年不詳）受學。宣帝即位後，想完成祖父心願，為《穀梁》立博士，於是在石渠閣召開會議，由講《公羊》、《穀梁》的雙方辯論，最後《穀梁》獲立博士。這場辯論及結果，錢先生認為，這只是「一家與一家之爭」，而不是「今文」與「古文」之爭。

石渠閣會議後，發展情況怎樣？錢先生在《經學大要》第九講中繼續說：

> 下及漢哀帝建平元年，劉歆請增立《左氏春秋》、《毛詩》、《逸禮》、《古文尚書》四種於學官，而為朝廷諸博士所反對。……劉歆的《移讓太常博士書》便是為此發的。最後到了漢平帝時，《古文尚書》、《毛詩》、《逸禮》、《左氏春秋》，終於還是都立了博士。到王莽時代又增立《周官》博士。……只不久之後，到光武帝中興，這幾部經又再被廢。那時立博士官的總共有十四個，這五種便都不在內，但要之，凡屬經學在當時則同為「古文」，別無所謂今文、古文之分別……。[34]

上述是由哀帝至光武帝增立和廢立博士的情況。據錢先生《國學概

---

33 見同上，頁175。戾太子，漢武帝太子，名據，以巫蠱之獄自殺。宣帝是戾太子之孫。

34 見同上，頁175-176。

論》第四章的說明：哀帝時劉歆求立《左氏春秋》、《毛詩》、《逸禮》、《古文尚書》之爭，是後儒所謂「今古文」相爭的第一案，但在當時未嘗有「今古文」相爭之名。光武帝時，有范升（生卒年不詳）爭立《費氏易》及《左氏春秋》；章帝時，有賈逵（30-101）、李育（生卒年不詳）爭《公羊》及《左氏》優劣；桓帝、靈帝時，有何休（129-182）與鄭玄（127-200）爭《公羊》及《穀梁》、《左氏》優劣。這都是當時所謂「今古文之爭」，而所爭以《左氏》為主，用意在請立官置博士及禁抑官置博士之立[35]。既有所爭，為甚麼錢先生還是說，「凡屬經學在當時則同為『古文』，別無所謂今文、古文之分別」？他在《國學概論》第四章的解釋是：

> 當時所謂「今古文」者……前漢有「今文」之實，而未嘗有「今文」之名，後漢則有「古文」之名，而無「古文」之實者也。則當時所謂爭者，豈不在文字之異本、篇章之多寡而已哉？豈不在於立官置博士而已哉？……所謂漢「今古文」之爭者，如斯而止。[36]

因為所有經書的原本，都是由古體字改寫成通行的字體，可以說「同為『古文』」。而且，前漢經學從未自我標榜為「今文」，所以有「今文」之實而無「今文」之名；後漢爭立博士的經書都稱為「古文」，但實際上是用通行文字寫出來，說經者盡本於戰國晚起「今文」之說，所以有「古文」之名而無「古文」之實[37]。錢先生因此認為，其實當時所「爭」，不外文字異本、篇章多寡、立官博士置弟子等方面，

35 參閱錢穆《國學概論》，頁107-110。

36 見同上，頁112-122。

37 參閱同上，頁101。

主要是爭利祿，而不是字體有分別，更不是為了爭學術的真是非[38]。這就是經學「今古文之爭」的事實。

（二）經學「章句」的來歷和發展

經學有章句，由漢朝開始，時間大抵在司馬遷去世之後。《漢書・夏侯建傳》載：

> （夏侯建）自師事勝及歐陽高，左右采獲，又從《五經》諸儒問與《尚書》相出入者，牽引以次章句，具文飾說。勝非之曰：「建所謂章句小儒，破碎大道。」建亦非勝為學疏略，難以應敵。建卒自顓名經，為議郎博士，至太子少傅。[39]

錢先生在《經學大要》第十講中，引述《漢書》這段文字來說明章句的來歷：

> 由此上這段文章看，可見在夏侯勝時，尚無所謂「章句」，要到夏侯建才有章句，同時他人也都未有章句……後來大夏侯（勝）也有了章句。當時若不這樣東牽西引，一字一句都講得完備，則無法與別人對敵。此所謂「章句」之學。章句始於漢宣帝以後，這與武帝時立《五經》博士，做學問的路徑大不相同了，演變到後來每書都有章句。[40]

《漢書》所說，似乎只限《尚書》，其實還應包括《詩》和《春秋》。

---

38 參閱同上，頁81。

39 見班固《漢書》卷七十五《夏侯建傳》，1964年11月中華書局（北京），頁3159。

40 見錢穆《經學大要》，頁190。

宣帝時，《尚書》有三家，《春秋》有兩家；各家有「家法」、「師承」。當時很重視「家法」、「師承」，因為有考試，考試須有評定等第成績的標準，但「家法」、「師承」不同，講法就會不同，這會造成評定的困難，因此考試時，便須注明講法的根據，這就是「家法」、「師承」受重視的緣故[41]。為了應付考試，講經學就要諸多「牽引」、「具文飾說」、逐章逐句很完備地講，這就是所謂「章句」之學。而對經學章句有認識的人，跟別人辯論經學問題時，也易於「應敵」。錢先生指出，章句之學始於宣帝，發展到後來，變成每書都有章句了。

不過，漢人講經學，不是人人都講章句，也有不講的，這就出現了分歧。錢先生在《經學大要》第十講中繼續說：

> 自西漢武帝起，教育由國家來辦，再加上考試，而且還有出路……教授先生，已經做了博士，在《公羊》、《穀梁》之外，還有另添《左傳》，有《齊》、《魯》、《韓》詩，還要增立《毛詩》，如此一來，東漢以下，才有所謂今文學與古文學。[42]

錢先生特別指出，經學有所謂「今文學」與「古文學」，是「東漢以下」才有，並不是由於伏生「今文《尚書》」和「古文《尚書》」的出現。因為經學有「今文」與「古文」之別，於是也就出現「有章句」與「沒有章句」的不同。錢先生這樣說：

> 今文學立博士，有章句，有考試，有出身。古文學則不立博士，不到太學，亦不做官，他們自己讀。所以今文學與古文學

---

41 參閱同上，頁188-189。

42 見同上，頁191。

> 的分別，在於有章句與沒有章句。章句有家法，而東漢古文學則無家法。[43]

其實古文經有幾部也曾立博士，只是時間短暫，光武中興時都被廢了，因此不必為了考試、出身而大講特講章句、家法，所以錢先生說：「今文學與古文學的分別，在於有章句與沒有章句。」錢先生用「有章句」和「沒有章句」來辨別「今文學」和「古文學」的不同，與一般經學史的說法顯然有別。

關於經學從西漢到東漢的發展趨勢，錢先生在《經學大要》第十一講中有具體的說明：

> 東漢光武帝是王莽時一太學生，他做皇帝之後，極尊重經學，仍沿襲西漢下來的一套制度。當時一個大趨勢，即是章句愈來愈繁瑣。[44]

這是說，東漢初沿襲西漢之舊，講經學仍然重章句，而且愈來愈繁瑣。錢先生又說：

> 章帝時有楊終上奏疏，說：「章句之徒，破壞大體。」他主張仿漢宣帝「石渠議奏」……朝廷接納了他的意見，召集了一個大會，便是所謂「白虎觀議奏」。當時所討論的意見，編纂成書，便名《白虎通議》……當時因為講章句，有許多學者便瞧不起這些太學博士。譬如東漢初的班固，史稱他「博貫群籍，

43 見同上。

44 見同上，頁194。

> 九流百家之言無不窮究。所學無常師，不為章句，舉大義而已」。[45]

以前因「表彰《五經》，罷黜百家」，儒生大多不研究九流百家之說，但班固則對九流百家「無不窮究」，而且講學「無常師」，「不為章句」，但「舉大義」。章帝時，還有李育，他學《公羊春秋》，也讀《左傳》，並不守《公羊》家法。又有何休，他講《公羊春秋》，撰《春秋公羊解詁》，但不講章句。另有鄭玄，他注過《周易》、《尚書》、《毛詩》、《儀禮》、《禮記》、《論語》、《孝經》、《尚書大傳》，方式是博采眾說，不講「師承」、「家法」，不講「章句」[46]。因此，錢先生評鄭玄，說：「他才是真做學問，真是當時一經學家。」[47]

關於兩漢經學的發展，錢先生在《經學大要》第十講中有概括的評論：

> （經學）由於章句太多，先生無法講，學生便自己去討論。慢慢由此便發生將來的清談（議）與黨錮之禍。……而西漢所傳下來十四博士的章句，到東漢以後，一個字都不傳了。只有東漢古文經學，才是真經學。……但以上所說雖是漢代經學的毛病，並非說漢朝人的經學一文不值，而是經學變而為章句、利祿、考試之途，這才是大病所在。[48]

---

45 見同上，頁194-195。

46 參閱同上，頁194-199。

47 語見同上，頁201。

48 見同上，頁192。按：原文「將來的清談與黨錮之禍」，「清談」似宜作「清議」。此或為筆錄誤記。

錢先生以上意見，有幾點值得我們留意：(一) 東漢清議與黨錮之禍的發生，與經學章句太繁瑣有關；(二) 西漢十四博士的章句，東漢以後，都失傳了；(三) 東漢的古文經學，才是真經學；(四) 漢人的經學不是毫無價值，但經學變而為章句、利祿、考試之途，則是大病。

至於「章句」之學促成清議與黨錮之禍，錢先生在《國史大綱》第十章中的說明也扼要：

> 漢武帝立五經博士，本為通經致用，至宣帝時，博士之學已漸流於章句，至東漢而益甚……章句繁瑣比傳，殊不足以饜賢俊之望……學者或自遍謁名師，會通群經，治求大義……然大多數居京師，目擊世事之黑暗污濁，轉移其興趣於政治實際問題，放言高論，則為清議。[49]

錢先生因而指出：由於清議在當時政治上有很大影響力，於是「促成黨錮之獄」[50]。他的意見，說明學風、政治兩者之間有密切關係，不可忽視。這方面的提示，可讓我們思考。

(三) 漢人經學與陰陽家言

漢人講經學，不脫陰陽家言。錢先生《經學大要》中有頗多論述。他在第四講中說：

> 秦始皇以後到漢武帝，這中間如何發展出一套所謂古代的「經學」呢？……古代史學上像是沒有說到經學如何來，而實際上

49 見錢穆《國史大綱》上冊第三編，1964年10月臺灣商務印書館（臺北），頁127-128。
50 參閱同上，頁129。

經學則已在那裏漸漸地滋長了。[51]

錢先生告訴我們：秦始皇以前，中國沒有所謂「經學」，後來儒家思想會通各家，漸漸地滋長，發展出一套所謂「經學」來。他還指出：「儒家做學問是吸收性的」，他們有繼承，有轉變，有模仿，但亦有傳統[52]。因此，漢儒經學的內容，已不純是孔子及其弟子的儒家思想，而是雜有各家之說，特別是有陰陽家之說。錢先生名之為「新儒家」。他這樣說：

> 儒家思想要拿各家思想會通歸之於一……這是當時的風氣，所以另有一派儒家，他們亦想會通各家，歸之於儒。這派「新儒家」以什麼書作代表？我想有兩部書可作代表，一部是《易傳》，《易經》的《十傳》，它拿各家會通之於孔子。……另一書，便是《禮記》。《禮記》有兩部，一是戴德所編，名《大戴禮記》，一為戴聖所編，名《小戴禮記》。他們倆是漢朝人，為叔侄，他們拿從前論「禮」的文章，總合成書，曰「記」。漢朝人「經」之下，有「傳」，有「記」，有「說」，都是發揮經義的。[53]

《易傳》講陰陽，這是戰國末年陰陽家鄒衍之說，而大盛於漢代；《大戴禮記》和《小戴禮記》，是漢人集前人論「禮」的篇章，總合成書，也講陰陽。

漢人特別重視陰陽家言，錢先生在《經學大要》第五講引述司馬

---

51 見錢穆《經學大要》，頁53-54。

52 參閱同上，頁55。

53 見同上，頁67-68。

遷的《史記》為證：

> 太史公這篇《孟子荀卿列傳》，理應講孟、荀兩人。可是……這篇傳中講得最多的是鄒衍。……在漢代鄒衍的思想大盛行，太史公不得不講，而他把來加在孟子、荀卿的傳中講，因為漢朝人認為最能講孔子的人是鄒衍……而太史公則說：「要其歸，必止乎仁義。」最後鄒衍也講「仁義」。可見拿各家思想會通成一套，鄒衍是第一個，他拿儒家思想擴大了來講。[54]

《史記‧孟子荀卿列傳》理應只講孟、荀兩人，卻用了較多文字載述鄒衍，可證當時多麼重視陰陽家。錢先生又說：

> 鄒衍的思想是甚麼？他講「陰陽五行」。《論語》中不講陰陽五行，孟子、荀子亦不講陰陽，只有《易傳》中講陰陽。……鄒衍的思想，由戰國開始，到漢代大為盛行。所謂「漢學」，其實中間有一大部份是陰陽家思想。[55]

漢人講《易經》，多用了《易傳》中講「陰陽五行」這一套，而這一套，就是鄒衍陰陽家之說。

漢人講《尚書》，用的是伏生《尚書大傳》之說，伏生之說，也離不開陰陽家思想。錢先生說：

> 伏生所謂「天下非一家之有也」，漢朝人就是這一個思想。……伏生又說：「王者存二王之後，與己為三，所以通三

---

54 見同上，頁83。

55 見同上，頁83-84。

> 統，立三正。」這是所謂「通三統」。……「通三統」這句話，將來成為講孔子《春秋》最重要的一句話。……因講「通三統」，便要講到「五德終始」。氣分陰陽，陰陽變合，為木、火、土、金、水五行。……一切萬物都有「五德」，「五行」就是「五德」。天下有這五個天帝……輪流當令……此所謂「五德終始」。[56]

伏生的《尚書大傳》，表面上是解說儒家經典，其實由「通三統」，講到「陰陽五行」、「五德終始」，這套理論，也是陰陽家言。

以上是錢先生在《經學大要》第四講中，論述漢人經學與陰陽言的關係。在第五講中，錢先生更有扼要的述說：

> 陰陽家言在漢代有它極特殊的地位。因為它融會了各家的思想，而漢人要應用這套說法來替自己說一個來歷。儒家便在這種情形下隨之而起，而儒家思想中都羼進了陰陽家言。《易》、《書》、《春秋》、《小戴禮記》等固然如此，即如《詩經》，諸位讀漢人的注，它雖與陰陽家隔得較遠，亦得要添進去講。漢朝人學問都不脫陰陽家言。譬如董仲舒是漢代第一大儒，他便有陰陽家言。一切經學也都有陰陽家言。[57]

可見漢人講《詩》、《書》、《易》、《禮》、《春秋》，都要把陰陽家言添進去。錢先生自言「並不看重漢代陰陽家言的一套學問」，但他要講出漢人經學的「實際內容」[58]。

---

56 見同上，頁86-88。

57 見同上，頁91。

58 參閱同上，頁92。

談到漢人經學，究竟漢人指的是西漢是兩漢？從上文的引述，《經學大要》似偏重西漢經學的討論。究竟東漢經學，是否也有陰陽家之說？我認為，錢先生說「一切經學也都有陰陽家言」這句話，也應包括西漢以下，直到東漢，雖然東漢經學，從整體來說，與西漢不同。如錢先生在《經學大要》第十一講中就說：

> 東漢的經學是對西漢的一個大反動。西漢經學是今文學，到了東漢，今文學還有存在朝廷，但他們要講的是古文。[59]

又如《十三經注疏》，《詩》、《周禮》、《儀禮》、《禮記》四部，都是鄭玄注；《公羊傳》用何休《解詁》；《孟子》用趙岐（約110-201）注。鄭、何、趙都是東漢人，他們說經的內容和方式，並不同於西漢人[60]。這是說，東漢學者似乎不用陰陽家那一套來講經學了，但並不表示東漢的經學沒有陰陽家言。

錢先生在《國學概論》第五章中說：

> 漢儒說經，其功力所注，厥有兩途：一曰讖諱，一曰傳注。讖諱雜於方士，傳注限於師法。二者皆利祿之所致也。讖諱雖有不同，然皆原於陰陽，為漢儒本色。[61]

上面所謂「漢儒說經」、「漢儒本色」，指的還是西漢。錢先生跟著說：

> 及王莽託言符命，光武信重圖讖，而此風益甚。[62]

59 見同上，頁203。

60 參閱同上，頁204。

61 見錢穆《國學概論》，頁126。

62 見同上，頁126-128。

錢先生並引述朱彝尊（1629-1709）《說緯》之言為證：

> 東漢之世，以通七緯者為內學，通五經者為外學。其見於范《史》者無論，謝承《後漢書》稱姚浚「尤明圖緯祕奧」。……當時之論，咸以內學為重。[63]

光武信重圖讖，學者亦以內學讖緯為重。因此，錢先生又說：

> 故漢儒之學，用力雖勤，而溺於迷信，拘於尊古，至其末流，弊益彰著。王充則對此潮流而下銳利之宣戰書者也，其著述傳後者為《論衡》。……其對於當時傳統思想，為有力之攻擊者凡四：一為反對天人相應陰陽災變之說，一為反對聖人先知與神同類之說……一為反對尊古卑今之論……一為反對專經章句之學……。[64]

上面所謂「漢儒之學」，應指東漢。從王充（27-97？）在《論衡》大張旗鼓對潮流學風的「宣戰」，正可證明當時盛行的論學內容是甚麼。「天人相應陰陽災變之說」，就是陰陽家之言；「聖人先知與神同類之說」，其實是「今文」經學災異讖緯學的說法。所以錢先生說：

> 而在當時，「今文」博士災異讖緯之學，方瀰漫於一世，莫不尊孔子若神明，以謂一切前知，造為荒誕之說，以媚漢而自重。……則欺人者所以自欺，而孔子遂為教主，諸書遂為經

63 見同上，頁128。「范史」，指范曄《後漢書》。

64 見同上，頁129-134。

> 典，讖緯遂為符命，則王充之論，亦誠不可以已也。[65]

從王充的評論，正可說明當時的政治和社會，都不能免於受陰陽家之說的影響，而談論經學的人，為了討好當時的君主，也會把陰陽家言，尤其是讖緯符命之說，添進經學裏去。不過後來學風逐漸轉變，到了鄭玄，他雖然未能免俗，也講讖緯之學這一套，但他能融合異說，集眾說的大成，經學又是另一番面目了[66]。

五　《經學大要》的提示和啟發

根據錢賓四先生的自述，《經學大要》主要是講中國經學史的問題，全書共有三十二講。我選擇的，是錢先生論兩漢經學的意見，明顯涉及這個範圍的，是第二講至第十五講的內容，其他各講，部分段落，也有稍及兩漢經學的述說，但不多。從錢先生講論的內容，我們或可從中得到一些提示和啟發。下面試就閱讀《經學大要》的所得，舉出幾項為例談談。所舉未盡，聊示蠡測而已：

（一）糾正錯誤成說

錢先生治學，長於提供論據，辨析誤說，並作裁斷。在兩漢經學方面，他在《經學大要》諸講中，就糾正不少錯誤成說，其中有古代學者之說，也有現代學者之說。例如孔子與《六經》的關係、司馬遷《史記》中的「古文」所指、漢武帝「表彰《五經》」是否使儒家獨尊、漢人經學「今古文之爭」的真相等等，都是。誤說流行，由古至

65 見同上，頁132-133。

66 參閱錢穆《經學大要》第十二講，頁219。

今，被誤導的人頗不少。其實許多誤說，錢先生早有專著論及，如《國學概論》、《先秦諸子繫年》、《兩漢經學今古文平議》等等，都有不少糾正兩漢經學誤說的討論，可惜肯仔細研讀的人不多，偶然有人只摘取一些自己不同意的語句，不問論據的是非，而恣意抨擊。《經學大要》一書，凡六百多頁，篇幅不少，但卻是普及性較大的讀物，我從中選取部分糾誤之說作為例子，稍作闡釋；而書中非糾誤的討論，有些是錢先生立意強調的所在，值得大家留意。期望關注經學史問題的讀者，或可由《經學大要》得到一些有用的提示和啟發，再進而閱讀錢先生其他相關的專著。

(二) 破除門戶之見

談論經學的人，有主張今文之說的，有主張古文之說的，兩方各持己見，互相排斥。到了晚清，情況更甚；直到現代，仍然有人標榜門派之說，排斥異己。於是主張今文的學者，每以今文諸經建立門戶，排斥古文諸經於門外；而主張古文的學者，又常以今文的門戶為門戶，自囿於所見所聞，故意與今文之說立異。錢先生在《經學大要》第八講中指出：皮錫瑞（1850-1908）的《經學歷史》，以今文家的立場，認定今文家推尊孔子，古文家推尊周公；照古文家的說法，《周官》是周公所作。錢先生曾評康有為（1858-1927）《新學偽經考》有二十八端不可通，論者或以為他持古文家說攻今文家的不是，但錢先生的《周官著作時代考》，則明言《周官》絕非周公之書，也絕非劉歆偽造，而是戰國時代晚出的書[67]。錢先生立說，打破門戶之見，既不是今文家言，也不是古文家言。他在《經學大要》第八講中強調：講經學和講經學史，應該破除以前今古文學的界限，才能找尋

67 參閱錢穆《劉向歆父子年譜》，《兩漢經學今古文平議》，頁1-179。

出一條研治新路[68]。我們可以看到，錢先生無論撰作經學專著或以《經學大要》為題講課，都意在「撤藩籬而破壁壘」，「凡諸門戶，通為一家」[69]。我們細讀他的專著，就可看出他這種態度；而《經學大要》的持論，更是如此。治學，切忌以門戶自我蔽錮；論學，不該雜以門戶意氣之私；這是錢先生對我們再三的叮囑。

（三）舊說亦新說

《經學大要》一書，其中有不少意見，看似是舊說，但其實是新說；也有一些意見，看似是新說，但其實是舊說。這樣說，究竟是甚麼意思？錢先生在《經學大要》第一講中，就開宗明義表示：「這門課所講都是些古老的東西，與現代社會似乎無關係」，「實際上並不如此」。例如現代人講「大同」、「小康」、「天下為公」，都出典於西漢時代的《小戴禮記‧禮運篇》中，這是有關古代經學的問題，同時也是現代社會的問題。又例如晚清時康有為講變法，他根據的是《春秋公羊傳》和西漢董仲舒之說，如果要知道康有為所講的一套，不能不了解漢代的今古文經學；「戊戌政變」是中國近代史問題，其實也是經學史問題。又例如民國初年有所謂「新文化運動」，其中就附帶有「疑古辨偽」運動，形成風氣，這可說新，也是舊。講中國現代史的人，能不關注經學史上的問題嗎？講中國近三百年學術史的人，能不知道兩漢經學的實際內容嗎[70]？錢先生在《經學大要》的意見，對現代人的治學，也會有提示和啟發的作用罷？

---

68 參閱錢穆《經學大要》，頁144。

69 語見錢穆《兩漢經學今古文平議‧自序》，《兩漢經學今古文平議》，頁6。

70 參閱錢穆《經學大要》第一講，頁1-13。

(四) 尚「通」與尚「專」

錢先生在《經學大要》中專講經學，似乎講的是專門之學，其實他是尚「通」不尚「專」。他在《經學大要》第七講中說：講經學的人往往有個大缺點，就是不懂用史學來講經學，就是只根據經學來講經學。這樣論學，就會太偏、太專，脫離了歷史，容易出毛病[71]。反過來說，講史學的人，不通經學也不行。例如研究秦漢史，不得不讀《史記》、《漢書》，但完全不懂經學，又怎能讀懂這兩部史書呢？理學，固然不同於經學，但兩者關係密切，如果不懂經學，就難以明白理學，不明白理學，又怎樣研究宋代歷史呢[72]？除了史學，經學與文學、哲學也有關係，可是現代大專院校的歷史系、中文系、哲學系在設計課程時，都不來理睬經學，都不注意文史哲都要通經學的重要。這種課程的設計，錢先生認為：大專學生讀中國書就會發生問題[73]。他在這方面的提示，不值得我們留意和思考嗎？

(五) 經學與經學史

經學是一種自兩漢以來千古聚訟之學，在每階段的發展過程中，都出現複雜的情況，也引發許多爭議。因此，我們要認識經學，須通考據，也須有史的觀念。不過，考據須在大題目、大義理上用，不宜在枝節、瑣屑問題上過分操心，同時也要注意經學史，即學術思想的傳承和發展。否則，不懂先秦，如何能懂兩漢？不懂兩漢，又如何能懂魏、晉、南北朝、隋唐以下？這是錢先生在《經學大要》第二講中對我們的開導[74]。可是現代研治經學的人，大多重視經學專書的研

71 參閱錢穆《經學大要》第七講，頁113-114。

72 參閱同上，頁119。

73 參閱錢穆《經學大要》第九講，頁172。

74 參閱錢穆《經學大要》，頁29。

究，卻不知道經學史的重要。因此，現代大專院校或研究機構，有研究經書的人，卻少研究經學史的人。五十年代，錢先生在新亞書院講中國文學史和中國文化史，都有涉及經學史問題的討論；五十年代至六十年代，牟潤孫先生（1908-1988）就曾多次開設經學史這門課，先後修讀的同學頗多；七十年代，錢先生在臺灣中國文化學院（後改稱中國文化大學）為研究生講《經學大要》，內容就是經學史。我對經學所知有限，但未敢忘記師教，自九十年代開始在新亞研究所任教時，也曾多次講授經學史課，並常提到經學與史學及其他學科的關係。在多年前一個經學研討會中，我曾從經學史的角度，談經學與史學的密切關係。會後聽說有人對身邊的晚輩說：「講經學就講經學好了，講甚麼經學與史學的關係！」在現代學界中，有人發這種「尚專」之論，我不感詫異，但錢先生的意見，不是也值得我們參考嗎？

六　餘論

錢賓四先生著作很多，內容涉及面廣，這是大家都知道的。從他的著作，我們知道他向來重視經學，有不少重要論著，是屬於經學方面的。他的《兩漢經學今古文平議》，內含論文四篇，就是有代表性的專著之一；而書前的《自序》，更是一篇表白撰作用心的重要文章。根據這書的內容，可知錢先生很關注經學史上的各種問題。照道理說，他應該有一部專以經學史為內容的專著。聽說他的確有此心意，特別是因為《劉向歆父子年譜》在一九三〇年（民國十九年）的發表，批評了康有為《新學偽經考》內容的謬誤，影響到當時各大學所開設的「經學史」和「經學通論」課停開，因為講這些課的學者，都信服康有為的今文家言。錢先生自言撰文的目的，本為看重經學，糾謬辨誤可引發討論，有推廣經學之意，但結果卻使經學史或通論課停開，因此有意撰作「經學史」以作補救。可惜後來戰亂頻仍，生活不安定，也因為有其他撰作計畫，最後未能成事。到了晚年，錢先生在臺灣講學，決定為研究生開設「經學大要」這門課，就是要從「史」的角度，為學生講「經學史」[75]。

本文主要是根據錢先生的《經學大要》，述說錢先生講論經學史有關兩漢經學的意見，採用的是讀書札記形式。一般讀書札記，大多是按閱讀的先後次序，逐條摘錄原書文字，並附說明或評議。我的做法，是先通讀全書，有了概括的印象，再從書中摘取錢先生講論兩漢經學的文字，然後又據所得資料，分類歸納、述說，並標立類目，以便讀者。雖說《經學大要》有關兩漢經學的講論，集中在前面的第二講至第十五講，但在漢以後的經學講論中，有時也會出現一些談及兩漢經學的話語。這或許是錢先生有心向後學再三致意，同時也可約略顯示兩漢經學在不同階段的經學史中，有不容忽視的關係。

根據閱讀所見，錢先生在講論兩漢經學的過程中，涉及不少經學史上的學術問題。這些問題，有錯誤的成說，有分歧的議論，有受人忽視的項目，有值得特別關注的課題，等等。錢先生對這些問題，都有辨析或評說。考慮到讀者的閱讀時間，也不想本文篇幅太長，我只選擇其中六項，作為兩漢經學問題的類例札記，當然未能涵蓋《經學大要》書中的所論。期望有些讀者，可通過本文的類例和述說，進而細讀書中有關兩漢經學的部分，以至全書，並知道要研治經學，不可忽略經學史。「史」的認識是基本，有了這個基本，才不會使自己的經學研治太狹、太偏，也不會容易滿足於對經學一書或一家之說的探究。

二〇二〇年一月完稿

---

75 參閱錢穆《經學大要》目次前的「出版說明」。

錢賓四先生《兩漢經學今古文平議》讀後

——兼談錢先生的治學特色

一 前言

錢賓四（穆）先生（1985-1990）《兩漢經學今古文平議》一書，一九五八年八月新亞研究所（香港）初版，一九七一年東大圖書公司（臺北）重印，一九七八年再版。二〇〇一年七月商務印書館（北京）出版國內本，二〇〇三年八月第二次印刷。本文的引述，是北京商務印書館的第二次印刷本。

本書收錄錢先生所撰四篇論文：第一篇《劉向歆父子年譜》初刊於一九三〇年（民19）六月《燕京學報》第七期及《古史辨》，又曾由中國文化服務社單獨印行；第二篇《兩漢博士家法考》曾刊載於一九四四年七月中央大學《文史哲季刊》第二卷第一號；第三篇《孔子與春秋》曾刊載於一九五四年一月香港大學東方文化研究院《東方學報》第一卷第一期；第四篇《周官著作時代考》曾刊載於一九三二年六月《燕京學報》第十一期[1]。

---

1 參閱錢穆《兩漢經學今古文平議．自序》及「編者按語」，《兩漢經學今古文平議》，2003年8月商務印書館（北京），頁7。如據錢先生自述，《平議》四文的完成次序和年份是：《劉向歆父子年譜》（1929）、《周官著作時代考》（1931）、《兩漢博士家法考》（1943）、《孔子與春秋》（1953），這或許是文章完成和文章刊載兩者，

據說錢先生有意寫這幾篇論文，實因皮錫瑞（1850-1908）的《經學歷史》和《經學通論》而起。他認為皮氏這兩部著作，內裏有不少可商榷的地方，尤其是《經學歷史》，一開始便講錯了[2]。至於各篇論文的內容，都是為兩漢經學今古文問題而發，包括：破除劉歆（約前53-23）偽造古文經的謬說；發明兩漢博士治經分今古文的真相；闡述古今經學流變的大體；證明《周官》確實是偽書。其中《劉向歆父子年譜》這一篇，是錢先生的成名作，對當時學壇有很大的影響。

二　《平議》各篇論文內容要略

（一）《劉向歆父子年譜》

本篇原名為《劉向劉歆王莽年譜》，初刊於《燕京學報》第七期，顧頡剛（1893-1980）在刊發時改為今名。這是錢賓四先生轟動當時學壇的成名之作，也是中國現代學術史上不斷受人稱許的名篇，主要是為了針對康有為（1858-1927)《新學偽經考》的謬誤而撰寫，目的在通過糾謬辨誤引發討論，有推廣經學之意[3]。

本篇的體例，是仿王國維（1877-1927）《太史公行年考》，以年譜的撰作形式，具體排列了劉向（前77-前6）劉歆父子的生卒、任事年月及新莽朝政，用具體史事揭櫫康有為《新學偽經考》有二十八項不可通，凡康文曲解史實、抹殺證據之處皆一一指明。錢先生在《劉向歆父子年譜・自序》中說：

在時間上稍有差距。參閱錢穆《經學大要》第八講，2000年12月素書樓文教基金會、蘭臺出版社（臺北），頁144-145。

2　參閱錢穆《經學大要》第八講，頁同上。

3　參閱錢穆《經學大要》目次前的「出版說明」。

> 主今文經者，率謂《六經》傳自孔氏，歷秦火而不殘，西漢十四博士皆有師傳，道一風同，得聖人之旨。此三者，皆無以自堅其說。……南海康氏《新學偽經考》持其說最備……要而述之，其不可通者二十有八端。[4]

錢先生指出，主今文經說的人，認為《六經》傳自孔子、西漢十四博士師承歷歷可數、今文經說無論內容或學風都得聖人之旨。這些說法，都不成立，但康有為則「持其說最備」。錢先生繼續說：

> 余讀康氏書，深疾其牴牾，欲為疏通證明，因先編《劉向歆父子年譜》，著其實事。實事既列，虛說自消。元、成、哀、平、新莽之際，學術風尚之趨變，政治法度之因革，其跡可觀。……循是而上溯之晚周先秦，知今古分家之不實，十四博士之無根，《六籍》之不盡傳於孔門而多殘於秦火，庶乎可以脫經學之樊籠，發古人之真態矣……。[5]

據錢先生辨析，而兩漢時有經學「今古文」，只限伏生（生卒年不詳）和孔安國（生卒年不詳）兩本不同的《尚書》，而當時講《尚書》的人，也只講當時朝廷認可的「今文《尚書》」。由武帝至宣帝，講《春秋》有《公羊》、《穀梁》之別，但只有《公羊》立博士。宣帝即位後，有石渠閣會議，最後《穀梁》獲立博士。但這只是一家與一家之爭，而不是「今文」與「古文」之爭。哀帝時，劉歆求立《左氏春秋》、《毛詩》、《逸禮》、《古文尚書》，是後儒所謂「今古文」相爭

---

4 見錢穆《兩漢經學今古文平議》，頁1。

5 見同上，頁7。

的第一案，但當時並沒有「今古文」相爭之名，只有經學與諸子百家言的分別。光武至東漢末，當時有所謂「今古文之爭」，而所爭以《左氏》為主，但實際上，所爭不外文字異本、篇章多寡、立官博士置弟子等方面，主要是爭利祿，而不是字體有別，更不是為了爭學術的真是非。這就是經學「今古文之爭」的事實[6]。至於「十四博士之無根」、「《六籍》之不盡傳於孔門」，則可參閱本書《兩漢博士家法考》和《孔子與春秋》兩文，下文會有提及，為免重覆，現從略。

總之，錢先生在本篇駁斥康有為《新學偽經考》「不可通者二十有八端」，概括起來，主要包括幾方面：

一、劉歆無遍造群經的時間；

二、與劉歆同時或前後時代的人，並未留下劉歆作偽的記載；

三、劉歆爭立古文經時，並無媚莽助篡偽造《周官》；

四、劉歆並無在偽造《周官》之前，偽造《左傳》、《毛詩》、《古文尚書》、《逸經》等經書。[7]

（二）《兩漢博士家法考》

本篇是一篇詳細研究、分析兩漢博士家法的論文。清末今文學大師有兩人，一是康有為，一是廖平（1852-1932）。廖氏的《今古學考》有二十表，把漢代今古文學的分野，一一追溯到戰國。錢先生詳細駁斥廖氏之說，他在《兩漢經學今古文平議・自序》中云：

> 康著《新學偽經學考》，專主劉歆偽造古文經之說，而廖季平之《今古學考》……謂前漢今文經學十四博士，家法相傳……

---

6 參閱錢穆《國學概論》第四章，1956年6月臺灣商務印書館（臺北），頁107-122；又，錢穆《經學大要》第三講，頁173-176。

7 參閱錢穆《劉向歆父子年譜自序》，《兩漢經學今古文平議》，頁234-235。

> 一一追溯之於戰國先秦，遂若漢代經學之今古文分野，已遠起於先秦戰國間，而夷考漢博士家法，事實後起，遲在宣帝之世。……兩《漢書・儒林傳》可資證明。……夫治經學者，則豈有不讀《儒林傳》？而終至於昧失本真而不知，此即是門戶之見之為害也。[8]

根據班固（32-92）《漢書・儒林傳》和范曄（398-445）《後漢書・儒林列傳》的記載，漢代經學博士遲至宣帝時才有所謂家法，並非遠起於戰國，廖平（季平）的《今古學考》，竟列表把漢代經學今古文的分野，一一追溯到戰國時期，可見他完全忽略了兩《漢書》中相關的記述。兩《漢書》是常見書，更是治經學者所必讀。廖氏大抵不會不讀兩《漢書》，但好像對書中的記述視而不見。錢先生認為：這是因為他先存有「門戶之見」，因而「昧失本真而不知」！

其實宣帝時諸經博士雖講家法，但並沒有今古文之分。錢先生在《兩漢博士家法考》中有清楚的說明：

> 宣帝時既已增立諸經博士，至哀帝元年而又有劉歆請建《左氏春秋》、《毛詩》、《逸禮》、《古文尚書》一案。後人率目歆所爭立者為「古文經」，而謂宣帝以來所立諸博士經為「今文」，經學有今古文界劃全於此，而夷考當時情實，則頗不然。歆之移書讓太常博士……力言三者（指《逸禮》、《古文尚書》、《左氏春秋》）之為古文舊書，蓋明其與朝廷所立博士諸經同類，此歆爭立諸經之最大理由也。[9]

---

8 見錢穆《兩漢經學今古文平議》，頁4。

9 見同上，頁231-232。

劉歆在《移讓太常博士書》中，力言《逸禮》、《古文尚書》、《左氏春秋》是古文舊書，表示三者與朝廷所立博士諸經同類，可知當時仍以《詩書六藝》（即《六經》）為「古文」，與後出的百家言之書相異。也就是說，劉氏爭立的不是「古文經」，而是「古文舊書」。到了光武中興，立於官學的有十四博士。當時有韓歆（生卒年不詳）上疏，為《費氏易》、《左氏春秋》爭立博士，范升（生卒年不詳）反對。據范氏的說法，在東漢初期，諸經亦只有立官與不立官之分，仍未有所謂今文、古文之別。稍後賈逵（30-101）又爭立《左傳》，也表明《公羊》不同於《左傳》、《穀梁傳》，正如《尚書》和《易》有不同經師之說[10]。錢先生因而說：

> 立官有先後，經說有異同，當時並不指十四博士自成一系，謂之「今文」，其他諸經則為「古文」，如後世云云也。而爭端所在，前漢則為《公》、《穀》，後漢則為《左氏》、《公羊》，亦並不遍及諸經。凡後世遍及諸經，而為之分立古今文界劃者，皆張皇過甚之談也。[11]

顯而易見，經學立博士有先後，經說有異同，但並不表示已立十四博士的經學自成一系，稱為「今文」，其他諸經則是「古文」。而且，經學立博士之爭，前漢只限《公羊》與《穀梁》之爭，後漢則是《左傳》與《公羊》之爭，並不遍及群經，亦不涉及「今文」與「古文」的分歧。如果像廖平《今古學考》所云，認為經學早有今古文之分，漢代十四博士的淵源流變可一一上溯至戰國，自然是浮誇不實之論。

---

10 參閱錢穆《兩漢博士家法考》，《兩漢經學今古文平議》，頁234-235。

11 見同上，頁235。

我們有了上述的理解，對錢先生下面的論說，就會能夠認同。錢先生先指出，王國維《觀堂集林》卷七各篇，辨析經學今古文及漢儒師說家法的淵源流變甚精密，但未能解決以往爭議的根本問題，而《漢魏博士考》一文，也少發明之見[12]。錢先生跟著說：

> 清代經師，盛尊漢學，高談師說家法，已失古人真態。又強別今文、古文，誤謂博士官學，皆同源一本，自成條貫，而古學起與立異。分門別戶，橫增壁壘……曾不能千萬得一；而肆其穿鑿，強為綴比，積非成是，言漢學者競相引據焉。[13]

所謂「清代經師」的誤說，指康有為、廖平等人的主張。他們認定兩漢經學早分今文、古文，又說博士官學同源一本，可一一追溯至戰國。錢先生認為，這都是穿鑿附會。可惜談經學的學者，卻競相引據，致令謬說廣為流播。

（三）《孔子與春秋》

談孔子思想，我們會想到兩部書，一部是《論語》，另一部是《春秋》。本篇特別強調，《論語》是「公認為研究孔子一部必要的典籍」，是「孔子門人弟子記載孔子平日言行的一部書，而《春秋》則是孔子自己的著作」，「真是研究孔子，實在不該忽略了《春秋》」[14]。錢先生主張《春秋》是孔子「唯一的著作」，曾引發一些批評[15]，錢先生在多種論著中都有辨析、申說，而且言而有據，這裏就不再重述

---

12 參閱同上，頁183。

13 見同上，頁258-259。

14 參閱錢穆《孔子與春秋》，《兩漢經學今古文平議》，頁263及266。

15 參閱錢穆《經學大要》第二講，頁17。

了。錢先生特別以《孔子與春秋》為題撰作，可見他對《春秋》及相關問題的重視。

錢先生在《兩漢經學今古文平議・自序》中說：

> 本書第三篇《孔子與春秋》，特於古今經學流變之大體，以及經學與儒家言之離合異同，提挈綱領，窮竟源委，於學術與時代相配合相呼應之處，獨加注意，而漢儒與清學之辨，亦朗若列眉……讀者必於此有悟，乃可以見清學之所建立，乃所以獨自成其為清學，而未必即有當於漢儒之真相也。[16]

可見本篇重點在論述：古今經學的流變、經學與儒家言的離合異同、漢儒與清學之辨等方面，而於學術與時代的配合和呼應，則特別措意。

談《春秋》，錢先生在本篇引述了不少《論語》的話語，其中較重要的話語是：

> 天下有道，(則) 禮樂征伐自天子出；天下無道，(則) 禮樂征伐自諸侯出。……天下有道，(則) 政不在大夫，天下有道，則庶人不議。[17]

錢先生下按語云：

> 在孔子心目中，他認為當時是一個無道之世……所以他要以一

---

16 見錢穆《兩漢經學今古文平議》，頁5。

17 見錢穆《孔子與春秋》的引述，《兩漢經學今古文平議》，頁313。《論語》原文，見朱熹《論語集注》卷八《季氏第十六》，《四書章句集注》，2005年9月中華書局（北京），頁171。錢先生引述原文時，省去三「則」字，本文用括號補回。

> 個庶民的地位而來議當世之禮樂征伐……今所見於《論語》的，則只是一般原則性的話。至於孔子對於當世禮樂征伐一切具體的訾議和批評，則他的弟子們，並沒有詳細記下，而大體則見之於《春秋》。所以《孟子》說：「《春秋》成而亂臣賊子懼。」[18]

這是說，孔子身處無道之世，所以要以庶人身分議當世的禮樂征伐，但他的意見，《論語》只記錄原則性的提示，而《春秋》則記述了具體的訾議和批評，因此孟子（前372-前289）才會說：「《春秋》成而亂臣賊子懼。」

錢先生又說：

> 既是征伐不自天子出，自然無一而合於義。……孔子《春秋》必然反篡弒，也必然反征伐。而孔子心目中，並有他自己一番對於新的王政措施之想像與把握。……無怪乎他們要說「孔子志在《春秋》」了。[19]

在無道之世裏，自然無一合於義。孔子於是通過《春秋》，來反篡弒和反征伐。所謂「志在《春秋》」，就是要藉《春秋》來傳達批評現實政治的微旨。錢先生又說：

> 孔子與門弟子當時所講論，決不能一一盡見於《論語》……如是，則捨棄了《春秋》，專治《論語》，決不足以見孔子之學之

---

18 見錢穆《孔子與春秋》，《兩漢經學今古文平議》，頁313-314。

19 見同上，頁314-315。

> 全，與其所志之真……《春秋》還是一部亦經亦史的一家言。……天下永遠是無道，若我們要議天下，似乎孔子《春秋》精神，所謂其深切著明處，我們還得繼續講。[20]

捨棄《春秋》專治《論語》，不足以見孔子所學之「全」和所志之「真」，這是錢先生向治孔學者的重要提示。《春秋》為甚麼「是一部亦經亦史的一家言」？要回答這個問題，仍須引述錢先生的意見：從史方面說，《春秋》是史書編年之祖；轉官史為民間史，關乎民輿論的自由；會國別史為通史，尊王攘夷，主聯諸夏抗外患，以民族觀念，發而為大一統理想[21]。從經方面說，《春秋》中有微言大義，有褒貶，涉及天子如何治理天下的事，所以孔子才會說：「知我罪我，其惟《春秋》。」錢先生強調，要掌握《春秋》中「深切著明」的精神，得要上承周公，下接孟子，會通漢宋[22]。這就是學術須與時代相配合和相呼應。言下之意，現代人研治《春秋》，也不可忽略這一點提示。

(四)《周官著作時代考》

本篇對《周官》的著作時代和古文經的關係，作了詳細的考辨，指出後世經師評論的種種失誤。錢先生提供論據，證明《周官》是戰國晚年書，與今文家認為《周官》是晚出之書的看法相同，只是他同時指出：「謂其書乃劉歆偽造，則與謂其書出周公制作，同一無根。」[23]錢先生在《兩漢經學今文平議．自序》中說：

---

20 見同上，頁316-317。

21 參閱錢穆《國學概論》第一章，頁11-12。

22 參閱錢穆《孔子與春秋》，《兩漢經學今古文平議》，頁317。

23 語見錢穆《周官著作時代考》，《兩漢經學今古文平議》，頁322。

> 清儒主張今文經學者，群斥古文諸經為偽書，尤要者則為《周官》與《左傳》。《左傳》遠有淵源，其書大部分應屬春秋時代之真實史料，此無可疑者。惟《周官》之為晚出偽書，則遠自漢、宋，已多疑辨，然其書果起何代，果與所謂古文經學者具何關係，此終不可以不論。本書第四篇《周官著作時代考》，即為此而發。[24]

錢先生明確表示：《左傳》遠有淵源，內容大部分屬春秋時代的真實史料，因此不是偽書。不過他同意，《周官》是晚出的偽書，與今文家的主張相同，可見他超越今古文經學家門戶之見，求事實的真是。對《周官》這部晚出之書，錢先生要考辨的，主要是兩項：其書起於何時？與所謂古文經學者有何關係？這就是本篇的撰作緣起。

關於《周官》的著作時代，錢先生分從祀典、刑法、田制及其他相關等各方面，作了詳細深入的辨析，並提供充足的理據。簡而言之，他的意見是：

> 《周官》記載宗教祀典，大部分採取戰國晚年陰陽家思想。關於法制刑律，則有許多是李悝、商鞅傳統。……至於《周官》書中之井田制度，則多半出自戰國晚年一輩學者理想中所冥構。[25]

其他如公田的廢棄、爰田制的推行、封疆的破壞等情況，《周官》都有涉及，但都是井田制度消失後的現象。可見《周官》一書的內容，已隨著時代的發展、新興的局面而有晚出的記述[26]。錢先生因此說：

---

24 見錢穆《兩漢經學今古文平議》，頁5。

25 見錢穆《周官著作時代考》，《兩漢經學今古文平議》，頁405及407。

26 參閱同上，頁462。

> 《周官》還只是像戰國三晉人作品。遠承李悝、吳起、商鞅，參以孟子，而為晚周時代的一部書。[27]

談到《周官》與所謂古文經學者的關係，不得不涉及《周官》與劉歆之間的問題。錢先生在「古文經學者」之前加「所謂」兩字，因為他認為哀帝時劉歆求立《左氏春秋》、《毛詩》、《逸禮》、《古文尚書》之爭，是後儒所謂「今古文」相爭的第一案，但在當時未嘗有「今古文」相爭之名，更沒有今文學者與古文學者的分別[28]。錢先生在《周官著作時代考》中說：

> 《周官》自劉歆、王莽時，眾儒已「共排以非是」。其後雖有少許學者信奉，終不免為一部古今公認的偽書。然謂其書乃劉歆偽造，則與謂其書出周公制作，同一無根。我前草《劉向歆父子年譜》，曾於劉歆大批偽造古書一說，加以辨白。……何休曾說：「《周官》乃六國陰謀之書。」據今考論，與其謂《周官》乃周公所著，均不如何說遙為近情。[29]

錢先生《劉向歆父子年譜》一文，羅列論據，詳辨主張劉歆偽造大批古文經之說的謬誤。有人誤會他以古文經的立場，攻今文經學者之失，自然是不實的質疑。提出質疑的人，無疑是先有門戶之見，而自我錮蔽於自設門戶之內，終至於「渺不得定論之所在」，「此即門戶之見之為害也」[30]。

---

27 見同上。

28 參閱錢穆《國學概論》第四章，頁122；錢穆《經學大要》第九講，頁175-176。

29 見錢穆《兩漢經學今古文平議》，頁322。

30 語見錢穆《兩漢經學今古文平議・自序》，《兩漢經學今古文平議》，頁3-4。

三 《平議》重要提示舉隅

《兩漢經學今古文平議》一書，只有四篇論文，討論範圍，都是為兩漢經學今古文的問題而發。表面看來，論文篇數不多，涉及面似乎不夠寬廣，但都是我國學術史上的重要議題，而且內容並不局限於兩漢經學的今文和古文。我們只要細讀，就知道其中有些提示，啟發性強，更不是兩漢經學所可囿限。下列三項，只不過是書中的部分提示，聊作舉隅，期望有助於研讀本書和愛好思考的讀者。

(一)「破藩籬」,「通諸門戶為一家」

錢先生在《兩漢經學今古文平議・自序》中說：

> 蓋清儒治學，始終未脫一門戶之見。其先爭朱、王，其後則爭漢、宋。……今古文之分，本出晚清今文學者門戶之偏見，彼輩主張今文，遂為諸經建立門戶，而排斥古文諸經於此門戶之外。而主張古文諸經者，亦即以今文學家之門戶為門戶，而不過入主出奴之意見之相異而已。[31]

清儒治學，無論主今文經或古文經，都擺脫不了門戶之見，出主入奴，每雜意氣之私，自然難以定學術的是非。錢先生的意見，說來沉痛。可見他於《平議》一書雖以破今文學家之說為主，但其實並非以古文學家之說為立足點。

錢先生因而在《自序》的末後，交代本書的撰作宗旨：

---

31 見同上，頁3及5-6。

> 本書宗旨，則端在撤藩籬而破壁壘，凡諸門戶，通為一家。……本書之所用心，則不在乎排擊清儒說經之非，而重在乎發見古人學術之真相。亦惟真相顯，而後偽說可以息，浮辨可以止。誠使此書能於學術界有貢獻，則不盡於為經學上之今古文問題持平論、作調人，而更要在其於古人之學術思想有其探原抉微、鈎沉闡晦之一得。[32]

談論經學的人，有主張今文之說的，有主張古文之說的，兩方各持己見，互相排斥。到了晚清，情況更甚；直到現代，仍然有人標榜門派之說，排斥異己。錢先生在《劉向歆父子年譜》中，力數康有為《新學偽經考》有二十八端不可通，論者或以為他持古文家說攻今文家的不是，但他的《周官著作時代考》，則明言《周官》絕非周公之書，也絕非劉歆偽造，而是戰國時代晚出的書。可知錢先生立說，沒有門戶之見，既不是今文家言，也不是古文家言。他在講學或論著中，常常強調：講經學和經學史，應該打破今古文學的界限，通諸門戶為一家，我們細讀他的專著，就可看出他這種態度。

（二）「治經終不能不通史」

錢先生在《兩漢經學今古文平議・自序》中說：

> 夫治經終不能不通史……龔定菴、魏默深為先起大師，此兩人亦既就史以論經矣。而康長素、廖季平，其所持論，益侵入歷史範圍。故旁通於史以治經，篳路藍縷啟山林者，其功績正當歸之晚清今文諸師。惟其先以經學上門戶之見自蔽，遂使流弊

---

32 見同上，頁6-7。

> 所及，甚至於顛倒史實而不顧。凡所不合於其所欲建立之門戶者，則胥以偽書偽說斥之。……輓近世疑古辨偽之風，則胥自此啟之。[33]

治經須通史，清代今文諸家如龔自珍（定菴，1792-1841)、魏源（默深，1794-1856)、康有為、廖平即「旁通於史以治經」，可惜囿於經學上門戶之見，凡不合於「所欲建立之門戶」，都斥為偽書、偽說。錢先生指出這是近世疑古辨偽之風所由起。他又說：

> 夫史書亦何嘗無偽？然苟非通識達見，先有以廣其心、沉其智，而又能以持平求是為志，而輕追時尚，肆於疑古辨偽，專以蹈隙發覆、標新立異為自表襮之資，而又雜以門戶意氣之私，則又烏往而能定古書真偽之真乎？[34]

史書亦有偽，所以不是不可辨偽，而是辨偽要有「通識達見」，而又不「輕追時尚」，「雜以門戶之私」。這是識見和態度的問題。此外，還要有史的觀念和認識。錢先生表示，如辨劉歆是否有遍造古文偽經、十四博士是否有根、孔子與《六經》的關係、《周官》是否屬晚出之書，都可根據史書的載述，「著其實事」，「實事既列，虛說自消」。循史實而「上溯之晚周先秦」，就「可以脫經學之樊籠，發古人之真態」[35]。

因此，錢先生標舉撰作《兩漢經學今古文平議》的宗旨，固然是有意破門戶的藩籬，同時他更指出：

---

33 見同上，頁6。

34 見同上，頁6-7。

35 參閱錢穆《劉向歆父子年譜．自序》，《兩漢經學今古文平議》，頁7。

> 經學上之問題，同時即為史學上之問題，自春秋以下，歷戰國，經秦迄漢，全據歷史記載，就於史學立場，而為經學顯真是。[36]

自兩漢以來，經學每階段的發展過程中，都出現複雜的情況，也引發許多爭議。因此，我們要認識經學，須通考據，也須有史的觀念和認識，同時也要注意經學史，即學術思想的傳承和發展。否則，不懂先秦，如何能懂兩漢？不懂兩漢，又如何能懂魏、晉、南北朝、隋唐以下？這是錢先生在不同論著中對我們的開導。可是現代研治經學的人，一般多重視經學專書的研究，卻不知道經學史的重要，更不知道經學上的問題，往往是史學上的問題。「治經終不能不通史」，這是錢先生向來所強調的。

(三)「一時代之學術」,「有一時代之共同潮流與其共同精神」

錢先生在《兩漢經學今古文平議・自序》中說：

> 一時代之學術，則必其有一時代之共同潮流與其共同精神，此皆出於時代之需要，而莫能自外。逮於時代變，需要衰，乃有新學術繼之代與。若就此尋之，漢儒治經學，不僅今文諸師，同隨此潮流，同抱此精神，即古文諸師，亦莫不與此潮流相應相和，乃始共同形成其為一時代之學術焉。[37]

錢先生在上文，特別指出一時代的學術，與時代潮流和時代精神的密切關係。漢儒治經，有所謂今文家之說與古文家之說，他們的說法和

---

36 見同上，頁6。

37 見錢穆《兩漢經學今古文平議》，頁4-5。

爭辯，其實正是當時潮流和當時精神的反映，並共同形成一時代的學術。時代變，需要變；需要不同，自然產生新興的學術。這是學術流變的現象。錢先生於是說：

> 清儒晚出於兩千載之後，其所處時代，已與漢大異，清儒雖自號其學為「漢學」，此亦一門戶之號召而已，其於漢學精神，實少發見。[38]

清儒晚出於漢學兩千年之後，時代潮流、時代精神前後大異，因此雖自號為「漢學」，其實根本是兩回事。試以各時代的經學為例：漢儒治經，有不少附會穿鑿，但他們對有些微言大義，確有所受，同時把其中一些內容，用到當時的實際政治上來，還要在深切著明處用力。魏晉以下，因道釋思想的影響，漸漸看輕「政治」，看重「教化」。唐人治經，主「治」、「教」分；宋人治經，主「治」、「教」合；朱熹的《四書章句集注》，則主「以教統治」[39]。清儒經學，依錢先生的意見，卻另是一新途向：「他們既不重政治，又不重教化，把自身躲閃在人事圈子外面來講經學，雖說他們的訓詁考據，冠絕古今，其實是非宋亦非漢，他們縱有所發明，卻無關於傳統經學的大旨」[40]。以上說明了每一時代的學術，會因時代潮流、時代精神而轉移的具體事實。總之，我們如缺乏時代的認識，用後人的觀點，來推論前人的學術，總會有搔不著癢處的地方；同樣的理由，清儒自號其學為「漢學」，上接漢代學術的傳統和精神，自然是不實之論了。

---

38 見同上。

39 參閱錢穆《孔子與春秋》，《兩漢經學今古文平議》，頁295-297。

40 語見同上，頁299。

四 從《平議》看錢先生的治學特色

根據《兩漢經學今古文平議》一書，我們或可略窺錢賓四先生的治學特色。現試歸納說明如下：

（一）一文有一文的創見

錢先生每種或每篇論著，都會為我們提供或多或少的創見，尤其是學術論文更是如此。《平議》一書，含論文四篇，每篇論文，不但論據堅實，考辨精詳，而且都有本身的創見和特點，而其中又有「一以貫之」的主題──析論兩漢經學的種種問題，特別是有關經學今古文之爭和古文經真偽的考辨。談論文的撰作，我們都會覺得寫述證的論文易，寫辯證的論文難，尤其是寫有創見的論文更難。本書四篇論文，都顯示辯證的功力而又有創新之見，值得後學好好學習。

（二）體例傳統而精密

「傳統」，現代人往往視為「保守」或「守舊」的代名詞，這當然是很大的誤解。錢先生治學重視著作體例，《劉向歆父子年譜》一文可為代表。他有借鑑王國維《太史公行年考》的地方，以年譜的形式排列史事，讓史料向我們說明歷史的真相。而加按語的地方，往往就是畫龍點睛的功力所在。體例是傳統的，但論證則精密。胡適（1891-1962）對以傳統方式治學的學者一般少所許可，但他在一九三〇年十月二十八日的日記中說：「錢譜為一大著作，見解與體例都好。」[41]「錢譜」，指的就是《劉向歆父子年譜》。

41 語見《胡適日記全集》第6冊，2004年4月聯經出版事業公司（臺北），頁350。

（三）長於「折衷」和「判斷」

錢先生在一九三九年，曾寫了一封信給顧頡剛，這封信收錄在《顧頡剛日記》裏。錢先生在信中對顧氏說：「兄之所長在於多開途轍，發人神智。弟有千慮之一得者，則在斬盡葛藤，破人迷妄。故兄能推倒，能開拓，弟則稍有所得，多在於折衷，在於判斷。」[42]錢先生指出，顧氏治學的所長，是能「推倒」和「開拓」，自己治學的所長，多在於「折衷」和「判斷」。這是長久自省、觀察所得之言，同時，也可看到錢先生學有所得的自信。我們試讀《平議》四篇論文，就知道他在廣徵論據時，能折衷眾說，並作判斷，然後提供有說服力的結論。這可說明他識力之高。

（四）辨析述論，以文化為本位

錢先生治學，實以文化為本位。他認為研究歷史，實質上是研究歷史背後的文化。他研究歷史的著作特多，而且往往涉及諸子學、經學、玄學、佛學、理學、清學等學術思想史的領域。領域雖廣，其實仍是以儒家思想為宗主。儒學思想，在中國歷史上延續了兩千多年，長久以來，已成為中國文化中最重要的部分，也表現在中國人生活的方方面面。錢先生認同這個事實，也不諱言自己深受儒學思想的影響。《平議》一書，以經學為辨析述論中心，也就是以儒學思想為討論中心，這顯示他以文化本位的治學取向。全書四篇論文，篇目不同，討論各異，但都是經學研究，也是史學研究，更是文化研究。

---

42 語見《顧頡剛日記》第四卷「1939年7月2日日記」，2007年5月聯經出版事業公司（臺北），頁395。

（五）富提示啟發，有功歷史文化教育

錢先生學深才高，識力過人，到了晚年，從他問學的後輩，仍常感到他思如泉湧，理路清晰，能隨時提出新觀點。論者認為，錢先生「任何論點，多富啟發性，好學深思者，讀先生書，不論能否接受，皆能獲得一些啟示，激發學者別開蹊徑，不致執著，拘守成說，不能發揮」[43]。因此，錢先生的論著，除了建立本身的論點外，對於歷史教育和文化教育的貢獻，就是其中所蘊含的啟導和開示，讓人受益。我們讀《平議》一書，應可從中得到不少有用的提示和啟發。本文第三節有「《平議》重要提示舉隅」的述說，或可供讀者參考。

五　結論

錢先生的學問，兼通經史，主要論著，都是以儒家為宗主，以文化為本位，並具有史的觀念。他的《兩漢經學今古文平議》一書，就是一部亦經亦史、亦儒學亦文化的代表作。錢先生曾向聽課的學生表示：倘使大家「真要講經學」，這部《平議》「雖不易讀，也應該讀」。這部書用了二十多年完成，大家不妨花幾年工夫「去讀通它」，這樣才可以懂得「做學問的艱難困苦曲折，才可以在學問上「更上進」[44]。本文撰作的目的，就是根據錢先生上述提示，談談自己讀《平議》後的一些意見，藉此鼓勵一些對經學稍有興趣的朋友，嘗試去讀這一部書。

本文內容，大體分三部分：其一是介紹《平議》四篇論文的內容

---

43 語見嚴耕望《錢穆賓四先生與我》，《怎樣學歷史——嚴耕望治史三書》，2006年1月遼寧教育出版社（瀋陽），頁261。

44 參閱錢穆《經學大要》第八講，頁146及149。

要略；其二是用舉隅方式，從《平議》一書引述其中的重要提示；其三是通過《平議》一書，看錢先生的治學特色。因討論內容，不出《平議》的範圍，不免有所限制。不過，《平議》雖不是篇幅很大的巨著，但各篇論文，都是有分量之作，其中有創新的觀點，到了現在，仍有參考的價值；而在體例和表達方式方面，也有不少地方可供後學借鑑。《平議》有關治學的提示，本文只舉出三項，聊作舉隅，顯然並不全面，期望讀者可通過直接閱讀，進一步發掘其中的精意深旨。至於錢先生的治學特色，以往述論的人不少，本文的述說，也只限於《平議》一書的表現，譬猶蠡測而已。

二〇二〇年四月完稿

——原載《重訪錢穆》上冊，秀威資訊公司（2021年6月）

乙輯
說史

雜談古人的「袴」和「褌」

我國人穿袴子的歷史，會在何時開始？有人認為，大抵由漢代開始，漢以前的人，可能是不穿袴子的。他們會引述《說苑・辨物篇》的記載作為論據：

> （晉平公）使郎中馬章布蒺藜於階上，令人召師曠。師曠至，履而上堂。平公曰：「安有人臣履而上人主堂者乎？」師曠解履刺足，伏刺膝，仰天而歎。[1]

師曠（生卒年不詳）之所以「伏」而「刺膝」，可能是因為沒有穿袴子。足膝少了袴子的防護，當伏下時，自然會「刺膝」了。不過，即使有了袴子的防護，當伏下時，也不能說完全不會有「刺膝」的情形。因此，單憑這條資料，也不能證明漢以前的人，是不穿袴子的。為了說明問題，我們不妨多看一些資料。

據《禮記》的載述，我國古代受過教育的人，他們的行為舉止，都有規範，如：「暑毋褰裳」[2]、「不涉不撅」[3]。「褰」，原意本來是「行難」[4]，但「褰」與「搴」、「褰」相通[5]，「褰」有「開」義，可見「褰」

1 見劉向《說苑》卷十八，向宗魯《說苑校証》，1987年7月中華書局（北京），頁469。

2 見《禮記・曲禮上》，《十三經注疏》第7冊，1960年1月藝文印書館（臺北）影印本，頁36。

3 見《禮記・內則》，《十三經注疏》第8冊，頁520。

4 《說文解字》段注云：「行難謂之蹇。」見《說文解字注》二篇下，1964年11月藝文印書館（臺北）影印本，頁84。

也有「舉」和「開」之義[6]。一個不穿袴子的人，如果當眾「蹇裳」，形態就很不雅了。因此，孔穎達（574-648）在《禮記‧曲禮上》的《疏》中說：

> 暑毋褰裳者，暑雖炎熱，而不得褰袪取涼也。[7]

至於「攐」字的解釋，《說文解字》段注云：「揭衣也。」[8]這是說，涉水的時候，為了避免弄濕衣服的下襬，不得不「揭衣」而「涉」，否則就不「揭衣」。《說文解字》對「揭」字的解釋是「高舉也。」段注則補充云：「褰裳也。」[9]一個不穿袴子的人，平時動輒把衣服的下襬高舉，這還了得！由此而論，我國古代禮法的制訂，往往是切合現實生活的。

又據《論語‧鄉黨第十》的提示：

> 當暑，袗絺綌，必表而出之。[10]

朱注云：

---

5 王念孫《廣雅疏證》卷一下：「搴者，《說文》：攐，摳衣也。」《鄭風‧褰裳篇》云：「褰裳涉溱。」《莊子‧山木篇》云：「蹇裳躩步。」竝與「搴」通。（1936年12月商務印書館〔上海〕萬有文庫本，頁121。）

6 《廣雅》：「搴、揭，舉也。」見《廣雅疏證》卷一下，頁120。又，潘安仁《射雉賦》「褰微罟以長眺。」徐爰注：「褰，開也。」見《昭明文選》卷九，1976年1月石門圖書公司（臺北）影印尤刻本，頁142。

7 見《十三經注疏》第7冊，頁36。

8 見《說文解字注》十二篇上，頁616。

9 參閱同上，頁609。

10 見朱熹《論語集注》卷五，《四書章句集注》，2005年9月中華書局（北京），頁119。

> 袗，單也。葛之精者曰絺，麤者曰綌。表而出之，謂先著裏衣，表絺綌而出之於外，欲其不見體也。[11]

朱注對「必表而出之」的解說，並不清晰。劉寶楠（1791-1855）《論語正義》則稍作補充，云：

> 孔曰：暑則單服。絺俗，葛也，必表而出之，加上衣。正義曰：上衣，謂衣之在外加於上者，即裼衣也，又謂之中衣。其外又加禮服，禮服對中衣言，亦稱上衣。[12]

劉氏先引述孔穎達說，再從而說明。孔、劉的說法是，所謂「必表而出之」，是指在葛布的單服外加上衣，又稱中衣；中衣外又加禮服，則禮服又稱上衣。不過對「出之」的解說，仍然含混不清。錢賓四（穆）先生（1895-1990）《論語新解》對「袗絺俗」的解說是：

> 袗，單衣……當暑家居，可單衣絺綌也。[13]

他又對「必表而出之」這樣解說：

> 表者上衣……在家不加上衣，出門必加。雖暑亦然。古本或作必表而出，無之字。
>
> 或曰：之字當在而字上。[14]

---

11 見同上。

12 見劉寶楠《論語正義》卷十二，1958年2月中華書局（北京），頁211。

13 見錢穆《論語新解》上冊，1963年12月新亞研究所（香港），頁339。

14 見同上，頁339-340。

錢先生的解說，應該較朱注和《正義》為清楚，所謂「必表而出之」，就是出門或出外必須加上衣。他更指出：古本《論語》作「必表而出」，無「之」字；或「之」字在「而」字上。這樣一說明，《論語》的文意就很清楚了。原來絺綌的性質薄而透明，適合暑天在家穿著，但是，一個不穿袴子的人，穿上這種性質薄而透明的衣服出門，豈不丟人露醜！要是出門加上外衣，就不怕葛布衣服的透薄了。

為了證明古人不穿袴子，或可再看另一條資料。據《拾遺記》載述：

> 張儀、蘇秦二人，同志好學……遇見《墳》《典》，行途無所題記，以墨書掌及股裏。夜還而寫之……。[15]

可見張儀（？-前310）蘇秦（？-前284），並沒有穿袴子，要是穿了袴子，又怎可以把字寫在「股裏」呢？

不過，我們如果認為漢以前的人，下身完全不穿東西，也不大對。原來那時的人，也穿「袴」，只是他們穿的「袴」，其實只是「脛衣」，跟我們心目中的袴子並不相同。「袴」，也寫作「絝」。《漢書・上官皇后傳》顏師古（581-645）注云：

> 絝，古袴字也。[16]

《說文解字》云：

---

15 見王嘉《拾遺記》（齊治平校注）卷四，1988年2月中華書局（北京），頁103-104。

16 見《漢書》卷九十七上《外戚傳》，1964年11月中華書局（北京）校點本，頁3960。按：「袴」，音庫，本作「絝」，或作「䩻」、「㡑」，現多寫作「褲」。

絝，脛衣也，从糸夸聲。[17]

段注有稍詳細的說明：

今所謂套袴也，左右各一，分衣兩脛。古之所謂絝，亦謂之褰，亦謂之襗，見衣部。……今皆作袴。[18]

據段注的說明，「絝」與「袴」是古今異體字，也可能與「褰」、「襗」相通，雖然「褰」作動詞用，意義就會不同。所謂「脛衣」，也就是說，脛以上不衣，形狀大抵跟套袴一樣，每脛各一，不相連合。《韓非子・外儲左下篇》載：

齊有狗盜之子與刖危子戲而相誇，盜子曰：「吾父之裘獨有尾。」刖危子曰：「吾父獨冬不失袴。」[19]

舊注云：

刖足者不衣袴，雖終其冬夏，無所損失也。[20]

因為脛衣只穿在足脛上，刖足的人沒有脛，自然不會穿脛衣，又怎會「失袴」？

《韓非子・外儲說左上篇》也提到「袴」：

17 見《說文解字注》十三篇上，頁661。
18 見同上。
19 郭慶藩《韓非子集釋》卷十二，1959年9月中華書局（北京），頁695。
20 見同上。

> 鄭縣人卜子，使其妻為袴，其妻問曰：「今袴何如？」夫曰：「象吾故袴。」妻子因毀新令如故袴。[21]

我們可推想，卜子的「袴」，也該是每脛各一，不相合的「脛衣」。

上面提到的資料，顯然只限男性，但我國古人的下裳，男女的情況是無大區別的。男性下身的裏衣不全，女性大抵也不例外。

漢魏時，我國人漸漸有了穿袴子的習慣。據《三國志・魏書・裴潛傳》裴松之（372-451）注引《魏略》：

> 黃初中，（韓宣）為尚書郎，嘗以職事當受罰於殿前，已縛束，杖未行。文帝輦過，問：「此為誰？」……特原之，遂解其縛。時天大寒，宣前以當受杖，豫脫袴，纏褌面縛；及其原，褌腰不下，乃趨而去。[22]

韓宣受杖前，「脫袴」，「纏褌」，可知「袴」和「褌」並不相連。當時的「袴」，是不是漢以前的「脛衣」？而「褌」又是甚麼東西？

原來韓宣的「袴」，形式與漢以前的「脛衣」約略相同，但似乎比脛衣較長，大概像現在的長套袴，不單包裹足脛，還可以包裹股部，因為當時的袴如果只有膝以下的長度，韓宣在準備受杖時，也就不必脫下了。

關於漢魏人的袴，還可以再看一些資料。《漢書・外戚傳》云：

> （昭）帝時體不安，左右及醫皆阿意，言宜禁內，雖宮人使令

---

21 見同上，頁646。

22 見《三國志》卷二十三，1959年12月中華書局（北京）校點本，頁675。

皆為窮絝，多其帶，後宮莫有進者。[23]

「窮絝」的「絝」，同「袴」，它是甚麼？服虔（338-385）注云：

窮絝，有前後當，不得交通也。[24]

根據上述材料，我們可以知道，漢昭帝（前94-前74）時的「窮絝（袴）」，是有帶以為束縛的，而且前後當（襠）不得交通。

有關窮袴的樣子，我們不妨用顏師古注《漢書・外戚傳》的說明來解釋：

窮絝，即今之緄襠袴也。[25]

顏師古是唐朝人，原來窮袴的樣子，就像唐人的緄襠袴。「緄」是甚麼？《說文解字》云：

緄，織成帶也。[26]

段注云：

《毛傳》曰：緄，繩也，此古義也，而許不取之，過矣。[27]

---

23 見《漢書》卷九十七上《外戚傳》，頁3960。

24 見同上。

25 見同上。

26 見《說文解字注》十三篇上，頁659。

27 見同上。

《正字通》對「緄」字的解釋，則是「縫也」[28]。《正字通》的解釋，表面與《毛傳》、《說文》不同，其實是相通的。我們可以這樣理解：唐人的緄襠袴，是袴襠有縫，必須結上帶子（繩子），而這種襠縫結帶子的袴，就是漢人的窮袴。由此可知，漢人未有窮袴前，袴襠是有縫開露的。韓宣是東漢末、魏初時人，他所穿的袴，構造大抵與窮袴類似，只不過窮袴的袴襠，有帶子以為束縛，而韓宣的袴子，卻並非合襠。至於窮袴而「多其帶」，只是為了要照顧皇帝的健康而「禁內」，是異常的舉措，平常穿窮袴的人，是不必「多其帶」的。要補充的是，從資料看，當時穿窮袴的人，似乎只限部分女性，一般男女，穿的恐怕還是沒有合襠的袴子。

至於「褌」，又是甚麼東西？《說文解字》收「幝」、「褌」兩字，並指出「幝或從衣」[29]。《急就篇》顏師古注云：

> 合襠謂之褌，最親身者也。[30]

王應麟（1223-1296）補注云：

> 《廣韻》：「幝」，褻衣也。[31]

《說文解字》段注云：

28 參閱《正字通》未集中，影印清刻本，出版年月不詳，頁26前面。《正字通》十二卷，廖文英購張自烈稿而掩為己有。

29 參閱《說文解字注》七篇下，頁362。

30 見《急就篇》，1989年1月岳麓書社（長沙），頁145。

31 見同上。

> 《釋名》:「褌，貫也；貫兩腳，上繫腰中也。」按：今之套褲，古之絝也；今之滿檔褲，古之褌也。[32]

原來漢魏人的「褌」或「幝」，指最親身的私服，也就是顏、王、段所說的褻衣或內袴。只不過漢魏人的內袴，是一個短的直筒，跟後來合襠的內袴，並不一樣。我們憑甚麼肯定「褌」是直筒呢？理由是：韓宣在預備受杖前，可以把褌上纏而不脫下，到了被赦免離開時，褌還纏在腰中。如果褌是有襠的話，又怎可以向上纏呢？《急就篇》顏注云:「合襠謂之褌」，其實並不正確。不過，合襠的褌，在漢代也是有的，這就是犢鼻褌，《急就篇》顏注所指的，可能就是這一種。

據《史記・司馬相如列傳》載：

> 相如身自著犢鼻褌，與保庸雜作，滌器於市中。[33]

所謂「犢鼻褌」，大抵就是《急就篇》顏注所說的合襠褌。這種褌的形狀，略具三角形，不長，好像一個犢鼻。犢鼻有兩個鼻孔，犢鼻褌自然也有兩個洞，穿褌的人，可以把腿從這兩個洞穿過去。可見這種犢鼻褌，應該是合襠的。只是這種合襠的褌，大抵不是一般人的常服，《史記》說司馬相如（？-前118）之所以穿它，是為了「與保庸（傭）雜作」。穿上這種短而合襠的褌，行動、工作應較為方便，這該是保傭的常服罷？司馬相如扮演保傭的角色，穿上合乎角色的服裝，當然是順理成章的事。但那時一般人所穿著的，應該還是直筒無襠、可以上纏腰中的褌。

---

32 見《說文解字注》七篇下，頁362。

33 見《史記》卷一一七，1962年5月中華書局（北京）校點本，頁3000。

此外，我們須注意，漢魏的人，對是否穿袴這回事，似乎不大重視。尤其是生活較為貧困人，更視不穿袴子為常事。如《東觀漢記・黃香傳》載：

> （黃香）冬無袴被，而親極滋味。[34]

黃香（約59-122）家貧，所以冬無袴被。又《三國志・魏書・賈逵傳》裴注引《魏略》云：

> （賈逵）少孤家貧，冬常無袴，過其妻兄柳孚宿，其明無何，著孚袴去……。[35]

從以上兩條資料，可以看到一個事實，就是漢魏人穿袴的用意，只是為了下身的暖和，否則，穿或不穿，並不重要。貧困的人，有時冬天連袴子也不穿，這是形容貧困的程度。由此推想，漢魏人在暑天時，許多人該不穿袴子罷？至於經濟條件較好的人，為了下身的暖和，有時甚至穿上皮袴。如《後漢書・馬援傳》載：

> （馬援）身衣羊裘皮絝。[36]

可見當時穿袴子的目的，主要是為了禦寒。現代的人，飯可以不喫，袴子不可不穿，這種想法，跟古人比較起來，是大相逕庭了。

---

34 見《東觀漢記》卷十七，吳樹平《東觀漢記校注》，1987年3月中州古籍出版社（河南），頁783。

35 見《三國志》卷十五，頁480。

36 見《後漢書》卷二十四，1965年5月中華書局（北京）校點本，頁828。

附記：本文是一篇讀書札記，初稿完成於七十年代。近日整理存稿，從一堆舊稿中翻出，閱讀一遍，覺得雖無特異可喜之說，但似尚可保存，以見自己當日讀寫情狀的一斑。因對附註稍作補訂，並調整形式，以便讀者。至於全文內容和行文措詞，則大致仍舊，以免大費周章，徒增煩擾。

二〇一七年補訂

——原載《國文天地》第三十七卷第九期（2022年2月）

漢雞鳴衛士小考

讀《東坡題跋》，見《書雞鳴歌》一則云：

> 余來黃州，聞黃人二三月皆群聚謳歌，其詞固不可分，而其音亦不中律呂，但宛轉其聲，往返高下，如雞唱爾。與廟堂中所聞雞人傳漏微有相似，但極鄙野耳。《漢官儀》：「宮中不蓄雞，汝南出長鳴雞衛士，候朱雀門外，專傳雞鳴。」又應劭曰：「今《雞鳴歌》也。」《晉太康地道記》曰：「後漢固始、鮦陽、公安、細陽四縣衛士習此曲，於闕下歌之，今《雞鳴歌》是也。」顏師古不考本末，妄破此說。余今所聞豈亦《雞鳴》之遺聲乎？土人謂之山歌云。[1]

據上所述：漢宮中不蓄（畜）雞，乃以衛士為雞人效雞之長鳴報時，此長鳴之聲，即《雞鳴歌》云。蘇軾（1037-1101）因聞黃州土人之山歌而憶廟堂雞人傳漏及文獻所載，可補漢宮廷史之闕，而其朝廷之思，亦可見矣。至文中所謂《漢官儀》云云，原文見蔡質《漢官典職儀式選用》：

> 五更未明三刻後，雞鳴衛士踵丞郎趨嚴上臺。不畜宮中雞，汝

1　見屠友祥《東坡題跋校注》，2011年8月上海世紀出版股份有限公司遠東出版社（上海），頁68。按：《校注》本原斷句為「汝南出長鳴雞，衛士候朱雀門外」，將「長鳴雞」與「衛士」分為二，恐非是。又，「蓄雞」，似宜作「畜雞」。

> 南出雞鳴衛士，候朱雀門外，專傳雞鳴於宮中。[2]

何謂「趨嚴上臺」？「嚴」，指「日未明四刻」[3]，蔡書殆謂雞鳴衛士於日未明四刻前隨丞郎上臺，預備作長鳴也。「不畜宮中雞」一語，文字似有倒亂，蘇氏文謂「宮中不蓄（畜）雞」，是也。

又，蘇文引述「應劭曰」云云，原文見應劭（約153-196）《漢官儀》卷下：

> 高祖既登帝位，鮦陽、固始、細陽歲遣雞鳴歌士，常謳于闕下。[4]

蘇氏引應劭「今《雞鳴歌》也」一語，未見於孫星衍（1753-1818）校集之應氏《漢官儀》，其所述《晉太康地道記》之言，雖見於《漢官儀》，惟文字有出入。如所謂「後漢」，《漢官儀》則云西漢高祖「登帝位」時；所舉縣名，《漢官儀》僅列三縣，缺「公安」。是則衛士傳雞鳴之制，疑非遲至後漢時。

蘇氏引述前人說，書名不盡合，文字亦稍異，大抵憑藉記憶，非字字核實，惟其語意明晰，頗便讀者。蘇氏之說，誠有助後人對我國古代宮廷制度之認識，恐亦由今而昔，藉「今典」以通「古典」也。

考「雞人」之職，或源於周。《周禮・春官・宗伯第三》云：

---

2 見孫星衍校集《漢官六種》，1967年11月臺灣中華書局（臺北）影印本，頁3。按：此書收六種書，各自編頁碼。六種書為：不詳撰者《漢官》一卷、王隆撰胡廣注《漢官解詁》一卷、衛宏撰《漢官舊儀》二卷及《補遺》二卷、應劭撰《漢官儀》二卷、蔡質撰《漢官職典儀式選用》一卷、丁孚《漢儀》一卷。

3 《新唐書・禮樂志》云：「日未明四刻，搥一鼓為一嚴；二刻，搥二鼓為再嚴。」見《新唐書》卷十五，1975年2月中華書局（北京）校點本，頁369。

4 見孫星衍校集《漢官六種》，頁11。

> 雞人，下士一人，史一人，徒四人。[5]

又云：

> 雞人，掌共雞牲，辨其物。大祭祀，夜嘑旦以嘂百官。凡國之大賓客、會同、軍旅、喪紀亦如之。凡國事為期，則告之時。凡祭祀，面禳、釁，共其雞牲。[6]

如《周禮》所載，周代春官有「雞人」之設，其職任主要為各類祭典供應雞牲及辨其種類。若逢大祭祀或接待大賓客、會同、軍旅、喪紀等事，雞人須於天未明時揚聲喚百官。倘國有定期舉行之大事，雞人亦須呼叫報時。惟雞人呼叫之聲，是否如雞之長鳴，《周禮》並無說明，但既名曰「雞人」，則聲若雞鳴，亦有可能。是則漢代雞鳴衛士，追溯其源，或沿自周制，然非完全相同。如周代有大事方呼叫，漢代則每日清晨均呼叫，而漢雞鳴衛士之呼叫，則顯然仿效雞之長鳴；且漢之雞鳴衛士，似無供雞牲、辨種類之職任，如周之雞人也。

二〇一七年五月完稿

---

5 見《周禮注疏》卷十九，《十三經注疏》第5冊，1960年1月藝文印書館（臺北）影印本，頁260。

6 見《周禮注疏》卷二十，同上，頁305。按：「共」即「供」；「嘑」即「呼」；「嘂」音同「叫」（噭），意云大叫以警百官；「面禳」，指「四面禳」；「釁」血祭。

蘇軾論孔子誅少正卯

一

孔子（前551-前479）誅少正卯之是或非，由古至今，論者繁多，迄今無定說。言其是者，似多深好儒學之士，評其非者，則類多反對儒學之人；至於因政治取向而有所述說，則屬是其所欲是，非其所欲非，雖多引述論據，實非純學術之討論。曲直紛紜，複雜如此，為免煩擾，置之不論，似未為不可。

近日與友相聚，偶聞有人極言誅少正卯之非，以為孔子任魯司寇僅七日而誅大夫，何其輕率！竊謂孔子誅卯之所為，可不必定其必是，然謂其輕率，則不可。按讀《論語》、史書及歷來文獻所載，孔子豈輕率之人哉！《東坡志林》為宋人蘇軾（1037-1101）所撰，爰引其說，以作述論之嚆矢。

二

《東坡志林》「人物」類《孔子誅少正卯》條云：

> 孔子為魯司寇七日而誅少正卯，或以為太速。此叟蓋自知其頭方命薄，必不久在相位，故汲汲及其未去發之。使更遲疑兩三日，已為少正卯所圖矣。[1]

---

1 見蘇軾《東坡志林》，2002年11月青島出版社（青島），頁161。

孔子誅少正卯，於魯定公十四年（前496），時孔子年五十六，蘇軾稱之為「叟」，蓋尊之也。「叟」，長者之稱，古人年五十餘，非尊之恐未得視為長者。《曲禮》云：五十曰艾，六十曰耆，七十曰老，八十、九十曰耄[2]。是也。蘇氏謂孔子急於誅卯，免為所圖，恐非孔子原意。宋代黨爭激烈，蘇氏之說，殆有感而發，非盡為誅卯事，所謂以古論今而已。

三

竊意孔子在魯久，嘗為委吏、中都宰、司空，深知少正卯平日之非，誅卯之念，蓋蓄之久矣，一旦為司寇，自以迅雷手段臨之，此謂疾惡如讎也。若夫卯可誅之罪，《荀子．宥坐篇》已詳言之，云：

> 孔子為魯攝相，朝七日而誅少正卯。門人進問曰：「夫少正卯，魯之聞人也，夫子為政而始誅之，得無失乎？」孔子曰：「居！吾語女其故。人有惡者五，而盜竊不與焉：一曰心達而險，二曰行辟而堅，三曰言偽而辯，四曰記醜而博，五曰順非而澤。此五者有一於人，則不得免於君子之誅，而少正卯兼有之。故居處足以聚徒成群，言談足飾邪營眾，強足以反是獨立，此小人之桀雄也，不可不誅也。……」[3]

---

2 參閱《禮記．曲禮上一》，《十三經注疏》第七冊，1960年1月藝文印書館（臺北），頁16-17。

3 見王先謙《荀子集解》卷二十第二十八篇，1997年10月中華書局（北京），頁520-521。

《史記・孔子世家》亦云：

> （魯）定公十四年（前498），孔子年五十六，由大司寇行攝相事……於是誅魯大夫亂政者少正卯。[4]

《孔子家語・始誅》又云：

> 孔子為魯司寇，攝行相事……於是朝政。七日而誅亂政大夫少正卯，戮之於兩觀之下，尸於朝三日。……[5]

上述各書載孔子誅卯事，大體相同。卯為魯之聞人，亦為大夫，並不相悖。或謂古之大夫，非必有職在身，然卯廣為人知，則無疑也。至「五惡」說明，《孔子家語》亦載，惟文字則與《荀子》稍異而義甚近，故弗再錄。

孔子戮卯於兩觀之下，曝其尸於朝三日，是有意揚其惡於眾也，倘其惡不大，誅不以其罪，烏可如此？孔子與弟子言天下之大惡有五，有一於人，則不免君子之誅，而卯竟皆兼有之，是其罪不容不誅，蓋可知矣。

---

4 見司馬遷《史記》卷四十七，1962年5月中華書局（北京）校點本，頁1917。

5 見《孔子家語》卷一，1968年3月臺灣中華書局（臺北），影宋蜀本，頁四之背面及頁五之前面。《漢書藝文志》著錄《孔子家語》，二十七卷。原書久佚，今本為毛晉校刊本，十卷，傳魏王肅注。或謂《家語》乃王肅取《左傳》、《國語》、《荀》、《孟》、二《戴記》諸書增竄而成，並為其作注，故論者定其為偽書。先師牟潤孫先生則認為，王肅並非偽造《家語》之人，因其內容多與王氏所反鄭玄之說合，而此書之注，亦非王氏自注，大抵為王門弟子從王氏所注他書抄來，故竟有多篇無注，不合注疏體例。雖然，《家語》之編撰為誰固不可知，其注亦可疑，惟其內容多來自古書之載述，並非全不可信。

四

抑有進者，少正卯聚徒成黨，談說惑眾，而勢之強，又足以獨行其是，人不能傾，是乃亂國之姦雄，壞政之小人，為國家安定計，不可不除。吾人可質疑孔子「五惡」之說，然自為政者治國觀之，則卯之罪，實不容赦也。

或謂居魯司寇七日而誅卯，無乃「太速」乎？倘以孔子任司寇前之時日計，則何止「七日」哉！且除惡務急，方成果斷之功，若曠日持久，受害者眾，又予對方以反制之機，又何「太速」之可言？勸善固可不必以「太速」為嫌，若未能急成，則徐圖之，亦無不可，因於國事無立見之禍也。

五

夫禮，禁亂之所由生，故禮之另一面則為法。孔子重禮，凡違禮悖法者，孔子俱嚴懲之唯恐不及，《史記・孔子世家》及《孔子家語》均詳載之。如魯定公與齊景公會夾谷，孔子攝魯相事，即對景公嚴斥夷狄之樂，以為非禮；齊奏宮中之樂，俳優侏儒戲於前，孔子即命有司加法，侏儒手足異處，使景公懼而有慙色；是其例也[6]。是則孔子誅少正卯時，恐未嘗慮及卯之圖己。慮及他人之圖己，乃宋神宗時蘇軾所處之政局，非春秋魯定公時孔子所處之政局也。

讀史、論人須知世，不知世而讀史、論人，往往有偏，可不慎歟？

二〇一七年六月完稿

---

6 參閱司馬遷《史記》卷四十七《孔子世家》，1962年5月中華書局（北京）校點本，頁1915-1916；《孔子家語》卷一《相魯第一》，頁二之前後面。

趙紀彬《關於孔子誅少正卯問題》讀後

一　弁言

偶從雜亂圖書中檢出趙紀彬《關於孔子誅少正卯問題》一書。是書為一薄冊，出版於一九七三年九月，據云初稿成於一九六九年十月，一九七三年五月增改，全書正文僅八十九頁。篇幅不大，而不惜多費時日增改，可見作者對此問題之重視。

趙書為反孔而作，政治立場鮮明，殆屬「是其所欲是，非其所欲非」之作。且此書出版已久，衡以論題貴新之原則，本欲不予置論。惟其言辯而肆，資料頗見充實，而今重視儒學之士，似仍有人關注此一論題。茲稍疏理趙氏之說，舉其要點，並略作評論。

二　六類誅少正卯說

關於孔子誅少正卯之說，趙紀彬歸納所得資料，別為六類[1]：

1　參閱趙紀彬《關於孔子誅少正卯問題》，1973年9月人民出版社（北京），頁2-30。表中人物所附生卒年，全據趙書。據知下列人物有生卒年：應劭（約153-196）、程復心（1257-1340）、高似孫（1158-1231）、王若虛（1174-1243）。

<table>
<tr><td rowspan="15">1</td><td rowspan="15">七日而誅說</td><td>荀況（前340-前245）</td></tr>
<tr><td>劉向（前77-前6）</td></tr>
<tr><td>王尊（西漢末人，生卒不詳）</td></tr>
<tr><td>許慎（30-124）</td></tr>
<tr><td>李膺（110-169）</td></tr>
<tr><td>應劭（東漢末人，生卒不詳）</td></tr>
<tr><td>王肅（195-256）</td></tr>
<tr><td>《尹文子》作者[2]</td></tr>
<tr><td>蘇軾（1036-1101）</td></tr>
<tr><td>程復心（元皇慶間人，生卒不詳）</td></tr>
<tr><td>張萱（明萬曆中舉於鄉，生卒不詳）</td></tr>
<tr><td>呂元善（明天啟間山東布政司都事，生卒不詳）</td></tr>
<tr><td>陳士珂（？-1794）</td></tr>
<tr><td>陳玉澍（1853-1906）</td></tr>
<tr><td></td></tr>
<tr><td rowspan="13">2</td><td rowspan="13">為魯司寇而誅說</td><td>韓嬰（西漢文景武時人，生卒不詳）</td></tr>
<tr><td>劉安（前176-前122）</td></tr>
<tr><td>司馬遷（前145-前86）[3]</td></tr>
<tr><td>班固（32-92）</td></tr>
<tr><td>鄭樵（1104-1162）</td></tr>
<tr><td>陳善（南北宋間人，生卒不詳）</td></tr>
<tr><td>胡宏（1105-1155）</td></tr>
<tr><td>高似孫（1184進士，生卒不詳）</td></tr>
<tr><td>孫元措（金承安正大間人，生卒不詳）</td></tr>
<tr><td>黃道周（1585-1646）</td></tr>
<tr><td>洪震煊（1770-1815）</td></tr>
<tr><td>陳喬樅（1809-1869）</td></tr>
<tr><td>陳立（1809-1869）</td></tr>
</table>

（續）

2 尹文（前350-前285）先於荀況，其書《尹文子》，據考為魏晉人偽託，故列王肅後。

3 司馬遷之生卒年，或謂為：前35-前87。

3	稱惡說	王充（27-91） 劉晝（512-569）
4	偽造說[4]	朱熹（1130-1200）[5] 葉適（1150-1223） 王若虛（生卒不詳） 陸瑞家（生卒不詳） 尤侗（1618-1704） 閻若璩（1636-1704） 范家相（1749年進士，生卒不詳） 孫志祖（1736-1800） 崔述（1740-1816） 梁玉繩（1744-1819） 王仁（詁經精舍弟子，生卒不詳）
5	誅字訓責說	孫星衍（1753-1818）
6	三月而誅說	《公羊傳》 司馬遷《史記・孔子世家》 崔述《洙泗考信錄》

孔子誅卯之事，其說紛紜如此，上表所列資料，可覘一斑。除偽造說外，其他諸說，多認為少正卯實有其人，孔子誅卯實有其事。以所列資料論，持有其人有其事之說者，實較持偽造說者為眾。趙氏為「三月而誅說」提供三資料：「孔子行乎季孫，三月不違。」(《公羊

4 現代著名學人持偽造說者，趙紀彬舉梁啟超、錢穆、馮友蘭為例。錢先生於《孔子行攝相事誅魯大夫亂政者少正卯辨》一文中，質疑《荀子・宥坐篇》及《史記・孔子世家》之說，並謂荀況先倡《非十二子》之論於前，其徒乃造為「孔子誅卯」之事於後，而《史記》承其誤。錢說考辨有所據，可供參考。然其中亦有矜慎推論之詞，並非作截然之判決也。參閱《先秦諸子繫年》卷一，1956年6月香港大學出版社（香港）增訂本，頁25-26。

5 朱熹初疑孔子誅少正卯事，以為齊魯陋儒，故為此說，而晚年則明謂孔子誅卯有其事。前後說法不同。

傳》定公十二年），一也；「與聞國政三月。」（《史記・孔子世家》），二也；「既云『三月不違』，明孔子見用未嘗至一年也。」（崔述《洙泗考信錄》），三也。上舉資料，均未明言孔子「三月而誅」卯，而崔述更於《洙泗考信錄》謂誅卯「必非孔子之事」，「其為異端所託無疑」[6]。是則「三月而誅」云云，乃趙氏以理推之，立為一目，非實有此一說也。

三　對誅卯諸說之評論

趙紀彬舉述眾說後，隨而陳述己見[7]，云：

一、偽造之說不成立，確信少正卯實有其人，孔子誅之亦實有其事。

二、少正卯以官為氏，其先人於某國某時曾為少正之官，其出身或屬商賈階層，非有職任之大夫。

三、綜觀「五惡」之訓釋，少正卯出身於商賈之「佞人」、「小人」，故孔子斥之為「小人之桀雄」（語見《荀子・宥坐篇》）。

四、少正卯代表商賈（小人）之利益，與孔子代表貴族統治之「君子」立場對立，故不免於「君子之誅」。

五、標榜「仁政」、「德治」者，從無不「用殺」之仁人，自古明聖，未有無誅而治者。如《論語》多記孔子「惡佞」之態度，可證。孔子誅卯，乃其「惡佞」精神之實錄。

6　參閱趙紀彬《關於孔子誅少正卯問題》，頁29-30。趙書引述崔述之說，原見《洙泗考信錄》（叢書集成本）卷二，頁39-40。

7　參閱趙紀彬《關於孔子誅少正卯問題》，頁30-34。

六、法家從儒家分裂而出，荀況成為儒表法裏之代表。而「佞人」之名，則自古至清，已成共誅之惡稱。

七、偽造說多不能言之成理。朱熹謂孔子誅卯為齊、魯陋儒所偽造，乃無視《荀子・宥坐篇》所載之事實。後人從而引伸，乃妄圖掩飾孔子之「污點」。

趙氏以上述意見為基礎，進而推少正卯為法家之先驅，並云其「戰爭力量」，源自「烝民」及「小人」；而孔子誅卯，乃「儒法鬥爭」，云云[8]。其說是否可信，讀者可自抉擇。竊以為孔子誅卯，實乃治之以禮法，即所謂「君子之誅」也。吾人或可質疑孔子誅卯之論據，然似不可定為「儒法鬥爭」，亦不宜定為不同階層之鬥爭，卯恐非法家之先驅，亦非商賈（小人、佞人）階層之代表。以不同階層鬥爭為說，乃今人為「政治服務」，非為學術之真而研討也。

若夫《荀子・宥坐篇》記孔子指稱卯之「五惡」──心達而險、行辟而堅、言偽而辯、記醜而博、順非而澤[9]，趙氏亦詳為疏證，於全書八十九頁之篇幅中，竟佔四十五頁。如斯詳析，趙氏認為有助於理解誅卯問題之「關鍵」及「本質」。惟所謂「關鍵」及「本質」，不外為儒法鬥爭及階層鬥爭立說耳。故其據雖多，其詞雖銳，既援引古義，又反覆考辨，仍不免緊扣服務政治為先之宗旨，是所欲是，非所欲非。為免枝蔓，今弗舉述其說於此，讀者欲知其說之詳，自閱其書，即可瞭然矣[10]。

---

8 參閱同上，頁88。

9 參閱王先謙《荀子集解》卷二十，1997年10月中華書局（北京），頁520-521。

10 參閱趙紀彬《關於孔子誅少正卯問題》，頁44-48。

四　誅卯說是否可信

據《荀子》及《史記》所載，少正卯屬其時有名有位之聞人，此人是否當誅，論者意見容有分歧。然孔子既為司寇，戮之於兩觀之下，又尸於朝三日，並彰示其惡有五，倘無其罪，或戮非其罪，魯君及其他大夫可容孔子不依國法，而誅有重名之大夫或聞人乎？七日、三月之說，言其速耳，倘應誅，七日不速，三月，則已嫌其遲。且三月之說，《史記・孔子世家》原文，僅在「誅魯大夫亂政者少正卯」後，有「與聞國政三月」一語[11]，揣其語意，似謂誅卯後孔子與聞國政三月，非謂三月而誅卯也。朱熹《論語・序說》云：

> 孔子年五十六，攝行相事，誅少正卯，與聞國政。三月，魯國大治。[12]

其文意較《孔子世家》明晰，可免引發疑惑，此或為《世家》史文之原意歟？

自宋而後，持偽造者漸眾，而首開其端者為朱熹。朱氏以為孔子誅卯事，乃齊、魯陋儒故為此說[13]。持論若是，殆理學家心中有一聖人在，而聖人治國以仁以德，應不輕行刑戮；而後之持偽造說者，或亦有重儒學之念。不知儒者所尊崇之堯、舜、禹、湯、文、武、周公，考諸古史載述，亦非全不施行刑戮也。孔子答季康子問政，誠有「子為政，焉用殺」之言[14]，然殺一有宿惡、顯罪之人，亦未必有違

---

11 參閱司馬遷《史記》卷四十七《孔子世家》，1962年5月中華書局（北京），頁1917。

12 見朱熹《四書章句集注》，2005年9月中華書局（北京），頁41。

13 參閱朱熹《舜典象刑說》，《晦庵先生朱文公集》（四部叢刊本）卷六十七，頁17。

14 參閱朱熹《論語集注》卷六《顏淵第十二》，《四書章句集注》，頁138。

儒者為政之道。為政固不應輕行刑戮，惟所謂「不應輕行」，非謂為政絕不能行刑戮也。抑可異者，《四書章句集注》為朱熹晚年著作，其《論語・序說》，竟明言孔子誅卯有其事，如前引述。論者以為此乃《集注》定稿「釐革之未盡」[15]。「未盡」事或有之，然亦可證朱熹持論前後矛盾，說未定於一也。且釐革之未盡乎？晚年定說乎？俱未可知也。實則孔子為聖人，乃後人奉呈之冠冕，非孔子自居，其同時人亦未視之為聖人，而其弟子子貢，亦僅於人前稱夫子為「固天縱之將聖」而已[16]。至訓「誅」為「責」，以為孔子「誅卯」，乃「責」之而已，非急於用刑戮，亦非行刻深之法[17]。其說如此，顯欲為「聖人」開脫耳。若有國法可依，為盡司寇之責，誅則誅矣，又何必視為過情，並特為之開脫哉？反孔及尊孔者若視誅卯為孔子行事之「污」，或訐或辯，毋乃多事乎？

五　結語

綜而言之，吾人因反孔而證誅少正卯有其事，固不當，因尊孔而力證無其事，似亦有偏。孔子是否誅卯，實於孔子及儒學之地位及價值，無大損益。先去反孔、尊孔之念，以平心論誅卯事之有無，或可得近真之情實，亦符現代學術自由研討之宗旨。《荀子》、《史記》有關誅卯之記事，或有可質疑之枝節，然未可謂此二書全不足信。

或曰《荀子・宥坐篇》載孔子誅少正卯事，乃法家之徒，藉以表

---

15 趙紀彬引述閻若璩《四書釋地又續》語，見《皇清經解》卷廿二，頁33。參閱《關於孔子誅少正卯問題》，頁16。

16 參閱朱熹《論語集注》卷五《子罕第九》，《四書章句集注》，頁110。

17 趙紀彬引述孫星衍《孔子誅少正卯論》之說，見《孫淵如外集》卷一，頁1。參閱《關於孔子誅少正卯問題》，頁28-29。

孔子行刑戮，即孔子亦重刑法。法家以荀況為祖，然荀況出自儒家，為孔裔之一，其學長於禮，亦止於體，乃禮家，非法家也。故孔子所重為禮，荀況所重亦為禮，禮之一面為法，以刑賞示人，使受刑者辱，得賞者榮，亦所以以榮辱維禮而已[18]。倘以此意解誅卯事，亦以此意解《宥坐篇》之記事，或可稍釋然於孔子誅卯之事歟？

予信《荀子》、《史記》，故信卯實有其人，孔子誅卯亦實有其事。《荀子》、《史記》誠不可盡信，諸《經》、《傳》或諸書即可盡信耶？誅卯事不見於《論語》、《左傳》，孔子之事，可盡見《論語》、《左傳》耶？是則未有確據證《荀子》、《史記》所載為必誤，何妨姑存其說而暫信之？語云：「眾疑則從多，今惑則仍古。」[19]予於誅卯事亦云然。

竊嘗思之：時至今日，若仍糾纏於孔子是否有誅少正卯之是非，復陷政治取向言論之辨析，似非明智之舉。予好讀雜書，不以翻檢為煩，偶或忘其所以，隨手札記，稍作非明智之述論，奈何！

二〇一七年六月完稿

18 參閱劉咸炘《子疏定本》上冊《孔裔第二・荀況》，《劉咸炘學術論集》（子學編〔上〕），2007年7月廣西大學出版社（桂林），頁27及31。《荀子・勸學篇》云：「禮者，法之大分，類之綱紀也，故學至乎禮而止矣。」見王先謙《荀子集解》卷一，頁12。

19 語見伍叔儻（俶）先生《談五言詩》之引述。參閱《暮遠樓自選詩》附錄，1968年11月香港中文大學崇基學院、華國學會（香港），頁36之背面。

論東漢的循吏
──《後漢書・循吏傳》讀後

一　引言

范曄（398-445）《後漢書》的列傳有八十卷，除侯王、公卿、將相各有專傳外，也有以類相從的合傳。這些合傳的類別有：《循吏》、《酷吏》、《儒林》、《黨錮》、《宦者》、《文苑》、《獨行》、《方術》、《逸民》、《列女》，前三類是《史記》、《漢書》所本有，後七類有時代、社會的因素，反映了東漢的時代氣息和社會風尚，這是范氏根據實際需要而創立的類傳。不過，《後漢書》的類傳，無疑在體例和作意方面與《史記》、《漢書》有傳承、發展的關係，因此，本文雖以《後漢書・循吏傳》為考察對象來討論東漢的循吏，但在說明「循吏」的概念時，也會引述《史》、《漢》或相關資料的說法以作比較。由於作者不同，時、地、人各異，「循吏」的概念應該也會不盡相同，這是大家可以理解的。

二　何謂「循吏」

（一）《史記》、《漢書》之說

關於「循吏」的概念，《史記・循吏列傳》載：

> 太史公曰：法令所以導民也，刑罰所以禁姦也。文武不備，良民懼然身修者，官未曾亂也。奉職循理，亦可以為治，何必威嚴哉？[1]

司馬貞（唐人，生卒年不詳）《史記索隱》對「循吏」的解釋是：

> 謂本法循理之吏也。[2]

在《索隱述贊》中，他又說：

> 奉職循理，為政之先。恤人體國，良史述焉。[3]

可見「本法循理」或「奉職循理」之吏，就是「循吏」。司馬遷（前135-前87？）在《史記・太史公自序》中說得更為具體：

> 奉法循理之吏，不伐功矜能，百姓無稱，亦無過行。作《循吏列傳第五十九》。[4]

根據上面的引述，可見「奉法」即「奉職」或「本法」，意思是官吏要本乎刑政法令去履行職責。至於「循理」的意思，司馬遷和司馬貞都沒有解說，不過司馬遷在談論道家要旨時這樣說：

---

1 見《史記》卷一一九，1962年5月中華書局（北京）校點本，頁3099。

2 見同上。

3 見同上，頁3103。

4 見同上，頁3317。

> 道家無為，又曰無不為，其實易行，其辭難知。其術以虛無為本，以因循為用。[5]

有學者認為，「此處『因循』兩字即是《史記》『循吏』之『循』的確詁」[6]。所謂「因循」，張守節（唐人，生卒年不詳）《史記正義》的說明是：「任自然也。」[7]我們如果熟知漢初的政治情態和「蕭規曹隨」的典故，大抵會同意這個解說。不過「循理」的「理」，又是甚麼？仍然「其辭難知」。我們試推測這個「理」字，應指「物理」，即所謂「事物之理」，而事物之理中，也該包含人情或民情。顏師古（581-645）為《漢書·循吏傳》作注云：

> 循，順也，上順公法，下順人情也。[8]

顏氏之說，雖以《漢書》為對象，但也近於《史記》「以因循為用」的意見。顏氏釋「循」為「順」，於是「循理」就可以解說為「順事物之理和人情」，加上「奉法」或「順法」的要求，就是我們所理解的西漢循吏。這樣解說，與「因循」之意並不矛盾，但在語意上，似乎多了點「有為」的意味。不過，「以因循為用」，也不見得完全「無為」。

為甚麼「奉法循理」之吏，要「不伐功矜能」，又要「百姓無稱，亦無過行」？這可能與西漢初年文、景時期主張「黃老無為而治」與民休息的政策有關，難怪《史記·循吏列傳》中只舉述春秋、

---

5 見《史記》卷一三〇《太史公自序》，同上，頁3292。

6 參閱余英時《漢代循吏與文化傳播》，《儒家倫理與商人精神》，2004年4月廣西師範大學出版社（桂林），頁61。又，余文亦載《士與中國文化》，1987年12月上海人民出版社（上海）。

7 參閱《史記》卷一三〇《太史公自序》，頁3292。

8 見《漢書》卷八十九《循吏傳》，1964年11月中華書局（北京）校點本，頁3623。

戰國時代的人物而沒有西漢的人物。按照司馬遷的看法，「循吏」不會執法過苛，以威嚴臨民；他們會默默奉法履行職責而不張揚、邀功。如果西漢的官吏公然「伐功矜能」，並有受百姓稱許的治績表現，就算不得是當時的循吏了。由於《史記》所指的，是漢武帝及以前的「循吏」，《漢書》所指的，是整個西漢時期特別是漢武帝以後的「循吏」，因此同時稱為「循吏」，可不會如《史記》所說「百姓無稱」，否則他們的姓名和事跡，就不會明載於史籍，並受到表揚了。也就是說，根據《史記·循吏列傳》所載，司馬遷心目中的西漢「循吏」，是漢初文、景時代黃老無為式的治民之官，《漢書·循吏傳》所載，主要在宣帝之世，人數不多，但顯然是儒家有為式的地方官。可見《史記》中的「循吏」，與《漢書》宣帝以下的「循吏」，名稱雖同，內涵卻不盡相同[9]。

我們試考察《漢書·循吏傳序》的述論：

> 漢興之初，反秦之敝，與民休息……而相國蕭、曹以寬厚清靜為天下帥……孝惠垂拱，高后女主……而天下晏然……。至於文、景，遂移風易俗。是時循吏如河南守吳公、蜀守文翁之屬，皆謹身帥先，居以廉平，不至於嚴，而民從化。[10]

這是漢初至武帝前的循吏，所謂「謹身帥先」，「居以廉平，不至於嚴，而民從化」，基本上是《史記》因循、無為的治理方式。《漢書·循吏傳》又云：

> 孝武之世……時少能以化治稱者……（董仲舒、公孫弘、兒

9 參閱余英時《漢代循吏與文化傳播》，《儒家倫理與商人精神》，頁60-62。

10 見《漢書》卷八十九，頁3623。

> 寬）以經術潤飾吏事，天子器之。……孝昭幼沖，霍光秉政……光因循守職，無所改作。至於始元、元鳳之間，匈奴鄉化，百姓益富。[11]

武帝器重「以經術潤飾吏事」的人，顯然受儒風所影響。昭帝幼齡即位，霍光秉政，仍主張「因循守職」，結果是「百姓益富」。可以推想，這時的「因循」，實已滲入儒學的有為思想和措施，與武帝前的「因循」治民方式並不完全相等。《漢書·循吏傳》又云：

> 及至孝宣……自霍光薨後始躬萬機，厲精為治……常稱曰：「庶民所以安其田里而亡歎息愁恨之心者，政平訟理也。與我共此者，其唯良二千石乎！」以為太守，吏民之本也，數變易則下不安，民知其將久，不可欺罔，乃服從其教化。故二千石有治理效，輒以璽書勉厲……是故漢世良吏，於是為盛，稱中興焉。若趙廣漢、韓延壽、尹翁歸、嚴延年、張敞之屬，皆稱其位，然任刑罰，或抵罪誅，王成、黃霸、朱邑、龔遂、鄭弘、召信臣等，所居民富，所去見思，生有榮號，死見奉祀，此廩廩庶幾德讓君子之遺風矣。[12]

宣帝親政在霍光去世之後，他重用「政平訟理」的「良吏」，使民眾「安其田里」，而且讓這些「良吏」任期較長，使民眾不敢欺罔，「乃服從其教化」。所謂宣帝時期的「良吏」，其實就是「循吏」，只是這些「循吏」，比武帝前以「因循」為主的治民方式，多了些「順事物之理」包括「順人情」的有為成分，而且與《史記》所稱道的漢初循

---

11 見同上，頁3623-3624。

12 見同上，頁3624。

吏不同，那時的循吏是「不伐功矜能，百姓無稱，亦無過行」，標準訂得較低，而宣帝時的循吏，則是「所居民富，所去見思，生有榮號，死見奉祀」，王成、黃霸、朱邑、龔遂、鄭弘、召信臣等是。至於趙廣漢、韓延壽、尹翁歸、嚴延年、張敞等官吏，雖有可議的「過行」，但仍算是為人所知、有表現的循吏。可知《漢書》中的「循吏」概念，宣帝前近於《史記》之說，宣帝及以後，就有自己的解說了。這正顯示時代的推移和社會的發展，循吏治績表現的要求，自不能不作調整，因而「循吏」的概念，也就不得不隨著改變了。字詞概念往往涉及許多重要的事物，研究字詞概念的演變，也就是研究社會、文化在不同時代的演變，這方面的考察，可成為文化史的研究。陳寅恪先生（1890-1969）和楊聯陞先生（1914-1990）在這方面有精闢的論見，可供我們參考[13]。我們對「循吏」概念的解說，也可持有這樣的態度。

談論漢代的循吏，學者大多會辨析《史記》和《漢書》所載的分別，也會指出西漢初「百姓無稱」的循吏與宣帝時「去者見思」的循吏各有不同。但談到東漢的循吏，卻往往兩漢並論，只是在舉述人物事跡時，則以不同時期的人物為代表，而不會引述范曄在《後漢書・循吏傳序》中的論說之見，來與班固（32-92）之說作比較。他們大抵認為，西漢宣帝時與東漢時對循吏治績表現的要求，似乎無大別異。余英時先生在《漢代循吏與文化傳播》一文中說：

> 「循吏」之名始於《史記・循吏列傳》，而為班固《漢書》和

13 參閱陳寅恪「致沈兼士」函，《陳寅恪集・書信集》，2001年6月生活・讀書・新知三聯書店（北京），頁172。此函亦見沈兼士《「鬼」字原始意義之試探》，《沈兼士學術論文集》，1986年12月中華書局（北京），頁202。楊聯陞之說，參閱楊氏《中國文化中報、保、包之意義》的「引言」，1987年香港中文大學出版社（香港），頁3。

> 范曄《後漢書》所承襲。從此「循吏」便成為中國正史列傳的一個典型，直到民國初年所修的《清史稿》仍然沿用不變。但《史記》、《漢書》、《後漢書》三史中的「循吏」，若細加分析，其含義仍各有不同，尤以《史》、《漢》之間的差別最值得注意。[14]

上文指出《史記》、《漢書》、《後漢書》三史的「循吏」「含義各不同」，同時強調《史》、《漢》的差別最值得注意。余先生眼光明銳，從大處著眼，言而有據，是合理的論述。其實《史》、《漢》之間「循吏」含義的差別，就是西漢前後期循吏表現的差別。至於西漢、東漢之間的循吏，有沒有差別呢？《後漢書・循吏傳序》提到東漢循吏有「移變邊俗」的表現，余先生引述這條材料時，曾指出東漢「內地的循吏事實上仍然比邊郡為多。而且西漢循吏也未嘗不以『移變邊俗』為己任」[15]。後來引據余說談論兩漢循吏本質的學者，如楊建祥、徐忠明等，對西漢、東漢循吏之間的差別，似乎就有「求同」多於「求異」的傾向[16]。不過，只要《漢書》與《後漢書》兩史的循吏在含義上確有不同，只要不是有意誇大兩者之間的差別，為了求實，我們倒不必避免辨析同異。因此，在不設下定見的前提下，我嘗試引述范曄《後漢書・循吏傳序》之說，略加疏解、說明如下。

（二）范曄《後漢書》之說

《後漢書・循吏傳序》云：

14 見余英時《儒家倫理與商人精神》，頁58。

15 參閱同上，頁94。

16 參閱楊建祥《儒家官德論》，2007年12月江西人民出版社（南昌），頁373-388；徐忠明《情感、循吏與明清時期司法實踐》，2009年4月上海三聯書店（上海），頁73-82。

> 初，光武長於民間，頗達情偽，見稼穡艱難，百姓病害，至天下已定，務用安靜，解王莽之繁密，還漢世之輕法。……廣求民瘼，觀納風謠。故能內外匪懈，百姓寬息。自臨宰邦邑者，競能其官。若杜詩守南陽，號為「杜母」，任延、錫光移變邊俗，斯其績用之最章章者也。又第五倫、宋均之徒，亦足有可稱談。[17]

光武初定天下，採用「安靜」、「輕法」的管治方式，讓百姓可以「寬息」，因而地方上出現了號稱「杜母」的杜詩和「移變邊俗」的任延、錫光，其他如第五倫、宋均等等，都是治績顯著，表現「有可稱談」的循吏。這時稱得上循吏的地方官吏主要表現在兩方面：一是「為人（民）興利」；二是「移變邊俗」。原來杜詩之所以有「杜母」之稱，是因為他省民役、造水排、鑄農器，又修池拓田，好像西漢的召信臣，能「為人興利，務在富之」，「視事七年，政化大行」[18]。務在富民的「杜母」，也該重視移俗教化，因為這正是愛民的表現。「移變邊俗」，雖不是東漢循吏專有的表現，但應該是當時循吏的典型表現之一。「西漢循吏也未嘗不以『移變邊俗』為己任」，這當然是合理的推斷，但《漢書》倒沒有拿來作為典型的例子。原因究竟是甚麼？可能的解釋是：面對不同環境、不同時勢、不同對象、不同政策，西漢前後期以至西漢和東漢的循吏，在職任範圍和工作重點上，總會有些不同，而且其中又免不了有史家評價的因素。例如范曄認為「移變

17 見《後漢書》卷七十六，1965年5月中華書局（北京）校點本，頁2457。按：范曄對錫光的治績評語是：「教導民夷，漸以禮義。」因此下文在提到任延和錫光的治績表現時，會用上「移變邊俗，漸以禮義」的措詞。參閱同上《循吏任延傳》，頁2462。

18 參閱《後漢書》卷三十一《杜詩傳》及李賢等注，頁1094及1097。按：「為人興利」即「為民興利」，下文提到杜詩的治績表現時，會用上「為民興利，務在富之」的措詞。

邊俗」是東漢循吏很重要的治績之一，班固對西漢循吏不一定也作同等分量的要求。既然各有差異，又何必勉強求同呢？

由東漢初至建武、永平之間，情況有了改變。《後漢書・循吏傳序》云：

> 建武、永平之閒，吏事刻深，亟以謠言單辭，轉易守長。故朱浮數上諫書，箴切峻政，鍾離意等亦規諷殷勤，以長者為言，而不能得也。所以中興之美，蓋未盡焉。[19]

這是說，在光武建武、明帝永平之世，吏事漸趨苛刻，而且常因謠傳變易守長，在這種情況下，地方官吏難有發揮，就談不上有循吏的治績了。不過到了章帝、和帝以後，情況有了改善。《後漢書・循吏傳序》又云：

> 自章、和以後，其有善績者，往往不絕。如魯恭、吳祐、劉寬及潁川四長，並以仁信篤誠，使人不欺；王堂、陳寵委任賢良，而職事自理；斯皆可以感物而行化也。[20]

原來章帝、和帝以後，有良好治績的循吏頗多，代表人物有魯恭、吳祐、劉寬、潁川四長（荀淑、韓韶、陳寔、鍾皓）、王堂、陳寵等等，他們的表現，主要在：「以仁信篤誠，使人不欺」；「委任賢良，而職事自理」。此外，京兆尹和洛陽令是掌治京師地區的官吏，如有良好治績，也屬循吏。因此，《後漢書・循吏傳序》又云：

---

19 見《後漢書》卷七十六，頁2457。

20 見同上，頁2458。

> 邊鳳、延篤先後為京兆尹，時人以輩前世趙、張。又王渙、任峻之為洛陽令，明發姦伏，吏端禁止，然導德齊禮，有所未充，亦一時之良能也。[21]

據說邊鳳、延篤同屬京兆尹，工作表現可以媲美西漢的趙廣漢、張敞，而王渙、任峻治績雖有可議，但亦能「明發姦伏，吏端禁止」，算得上是「良能」之吏。「良能」大抵是東漢循吏治績應有的表現，顯然與《史記》所謂「奉法循理」、「以因循為用」之吏有些分別，而較同於《漢書》「政平訟理」的良吏。

根據《後漢書．循吏傳序》的論述，可知范曄心目中的循吏治績，大致有下列幾方面表現：

	治績表現	代表人物	人數
1	為民興利 務在富之	杜詩	1
2	移變邊俗 漸以禮義	任延、錫光	2
3	仁信篤誠 使人不欺	魯恭、吳祐、劉寬、潁川四長（荀淑、韓韶、陳寔、鍾皓）	7
4	委任賢良 職事自理	王堂、陳寵	2
5	明發姦伏 吏端禁止	邊鳳、延篤、王渙、任峻	4
	有可稱談	第五倫、宋均之徒	2或以上

21 見同上，頁2458。

如上表所列，《後漢書・循吏傳序》提及的循吏治績表現，可約略分為五類，代表人物有十六人，第五倫、宋均等人，表現大抵不出五類範圍，但《傳序》沒有具體點明；其中號稱「杜母」的杜詩，以視民如子著稱，施政務在利民、富民，對各循吏有普遍要求的意義，所以並沒有把《循吏傳》中任何一人列為代表；任延、錫光、王渙、任峻四人，則與《循吏傳》的列載相同。至於邊鳳和延篤，因為曾先後任京兆尹，所以范曄在《循吏傳序》中把他們與曾任洛陽令的王渙、任峻並列，並在《後漢書・延篤傳》中說他們兩人都「有能名」：

> （延篤）舉孝廉，為平陽侯相。……又徙京兆尹。其政用寬仁，憂恤民黎，擢用長者，與參政事，郡中歡愛，三輔咨嗟焉。先是陳留邊鳳為京兆尹，亦有能名，郡人為之語曰：「前有趙張三王，後有邊延二君。」[22]

「趙張三王」，指趙廣漢、張敞、王遵、王章、王駿，他們在西漢時都曾任京兆尹，而且表現良好，郡人以他們與邊鳳、延篤相提並論，當然意在推許。不過談到具體的治績，范書則只評延篤的表現。大抵邊鳳的表現，也是以能幹見稱。他「政用寬仁，憂恤民黎」，與延篤相近。因此論他們的治績，范書雖把他們評為「明發姦伏，吏端禁止」，但也適宜歸入「以仁信篤誠，使人不欺」的一類。其實《後漢書・循吏傳》的治績分類，只是約略界分，不少循吏的表現，往往有兼類的情況。例如第五倫、宋均等人的治績，就只用「有可稱談」一語來概括，而不實指治績的類別。至於所有循吏的治績，都直接或間接涉及利民的措施，因而「為民興利」的要求，不但適用於第二類的

---

22 見《後漢書》卷六十四，頁2103-2104。

「移變邊俗」，也適用於第三、第四、第五類。如果地方官吏的治績中完全沒能「為民興利」，即使他如何有得有能，即使他做了許多工作，能說得上是「循吏」嗎？

三　范書《循吏傳》所列載的人物

《後漢書・循吏傳序》在論述東漢地方上歷來的治績時，舉出十八循吏之名為例，依次為：杜詩、任延、錫光、第五倫、宋均、魯恭、吳祐、劉寬、潁川四長（荀淑、韓韶、陳寔、鍾皓）、王堂、陳寵、邊鳳、延篤、王渙、任峻。但《循吏傳》所列載的循吏，則為十二人，另附五人，與《序》文所提及的循吏數目有出入，依次為：衛颯（附茨充）、任延（附錫光）、王景、秦彭、王渙（附鐔顯、任峻）、許荊、孟嘗、第五訪、劉矩、劉寵、仇覽、童恢（附童翊），其中只有任延、錫光、王渙、任峻四人，是《序》中所提及的循吏[23]。這顯示范曄要讓讀史者知道，《循吏傳》中所列載的，並不是東漢循吏的全部。其實不列名《循吏傳序》和《循吏傳》的官吏，也有不少人有管治地方的良好業績，無愧於循吏的稱謂，但這些官吏可能在其他方面有更佳的表現或更大的功勳，因而沒有在《循吏傳序》提及或列入《循吏傳》中。

趙翼（1727-1814）對《後漢書・循吏傳》所列載的人選頗不滿意，他在《陔餘叢考》中說：

> 卓茂、魯恭、郭伋、杜詩、張堪、廉范，皆以吏績著，而不入之《循吏傳》，或以其官不以吏終也。然班書《循吏傳》黃霸

---

23 參閱《後漢書》卷七十六，頁2457-2482。

> 不嘗為丞相乎？朱邑不嘗為大司農乎？[24]

趙氏所云「以吏績著」六人，除魯恭、杜詩曾在《循吏傳序》提及外，其他四人，的確不見於《循吏傳》。不過趙氏推測這些人不入《循吏傳》，「或以其官不以吏終」，並以《漢書·循吏傳》的黃霸、朱邑為據，質疑《後漢書》去取失當。我們試考察范書《循吏傳》的載述，就知道趙氏的推測不正確。因為《傳》中的劉矩曾為太尉，劉寵曾先後任司空、司徒、太尉，許荊在諫議大夫任上去世，附於《王渙傳》的鐔顯則最後位至長樂校尉，他們的職位都不是「以吏終」。合理的解釋是：二劉在朝廷的政績無可稱談，許荊、鐔顯在中央政府也說不上有甚麼表現，但地方吏績則較為顯著，所以范曄把他們列為「循吏」。至於卓茂、魯恭、郭伋、杜詩、張堪、廉范等雖各「以吏績著」，但在朝廷有可稱談的政績表現，所以范曄特為他們另外立傳，而不把他們歸類為「循吏」。東漢朝廷有不少高官，都因為「以吏績著」而升遷，難道他們都只可入《循吏傳》？其實趙翼不是不明白黃霸、朱邑入《漢書·循吏傳》的理由，他在《廿二史劄記》「《後漢書》編次訂正」條中說：

> 《漢書》黃霸為丞相，朱邑為大司農，而皆入《循吏傳》，以其長於治郡也。[25]

「長於治郡」的官吏，不一定在升遷後有更好表現。如果黃霸、朱邑在丞相、大司農的任上有優良表現，班固又怎會以「長於治郡」的理由把他們列入《循吏傳》？在史家心目中，歷史人物在專傳中的地

---

24 見《陔餘叢考》卷五《後漢書一》，1990年11月河北人民出版社（石家莊），頁105。

25 見王樹民《廿二史劄記校證》上冊，2001年11月中華書局（北京），頁80。

位，實高於類傳中只佔其一的地位。范曄沒有把一些「以吏績著」的官吏列入《循吏傳》而把劉矩、劉寵等朝廷高官列入《循吏傳》，應該也是同樣的理由。不過，既然列名《循吏傳》，這些人物，應屬東漢循吏的典型代表，因此我們在討論東漢的循吏時，這些人物的行事和治績，應該不能忽略。

劉咸炘（1896-1932）在《後漢書知意》中，對《後漢書・循吏傳》所列載的人物有些說法，可供我們參考。他這樣說：

> 東漢循吏之原，起於光武躬行勤約，故先舉論之。杜詩、第五倫、魯恭、吳祐、劉寬、潁川四長、王堂、陳寵、延篤皆已見他傳，此傳則皆止著績於州郡縣者也。惟劉矩、劉寵皆為公，而仍入此，此班書黃霸入《循吏》之例也。仇覽、童恢止亭長、縣令，而亦入此，亦後史所不及。二劉可類諸名公，仇覽可儕之黃憲，而必入此者，范意貴誠恕教化，舉以為治民之準也。[26]

劉氏指出，東漢循吏的出現，與光武的「躬行勤約」有密切關係。這個意思，《後漢書・循吏傳序》已有清楚的表達。劉氏還指出，《循吏傳》所載，止限「著績於州郡縣」的官吏，不過已另立傳的官吏，雖有州郡縣的治績，如杜詩、第五倫、魯恭等等，仍不會列入《循吏傳》中。這說明不少不列名《循吏傳》的官吏，不一定沒有地方治績。劉矩、劉寵位列三公，而竟列名《循吏傳》，因為他們的治績，主要在地方而不在中央，班固的《漢書》，也有相同的例子。仇覽、童恢職位不高，二劉職位很高，但同列《循吏傳》，因為有典型的意義，這是范曄撰作的用心，也就是劉咸炘所謂「舉以為治民之準也」。

26 見《劉咸炘學術論集》史學編上冊，2007年7月廣西師範大學出版社（桂林），頁290。

劉氏在《後漢書知意》中又說：

> 衛颯、茨充同傳，任延、錫光同傳，王渙、任峻同傳，因書洛陽令之難其任，皆能綜合。[27]

所謂「同傳」，指茨充附於衛颯、錫光附於任延、任峻附於王渙的三組情況（劉氏文中省略了鐔顯），他們都是以類相綜合。如王渙、鐔顯都曾是陳寵所稱許的屬吏，王渙、任峻兩人則曾任京師的洛陽令，在天子、大臣眼底下都能有所表現，這很難得。但其他兩組為甚麼會相合？劉氏沒有說明。大抵衛颯、茨充治下重視民生，百姓都能安居蒙利，任延、錫光管治邊地，都能移變邊俗，有教化之功，所以范曄才把他們合在一起。有關上述各循吏的表現，暫時只略作交代，下文會有進一步述論。

下表所列，是《後漢書·循吏傳》所載的人物職任，共十七人，內含附傳五人，現簡述如下[28]：

循吏	職任要略	備註
衛颯	王莽時，任郡歷州宰。光武時歷官侍御史、襄陽令，以桂陽太守歸家，卒於官。	
茨充	代衛颯為桂陽太守。	附於《衛颯傳》。
任延	少為諸生。光武建武初，為九真太守。後因病轉睢陽令，又任武威太守。明帝即位，拜潁川太守。永平二年（59），為河內太守，病卒。	任、錫二人，《序》有提及。

（續）

27 見同上。按：王渙的一組，其實也有鐔顯，劉咸炘沒有提到，可能因為王渙、任峻都曾任洛陽令，而鐔顯沒有，為了遷就下文，只好略而不提。

28 詳見《後漢書》卷七十六《循吏傳》，頁2475-2483。

循吏	職任要略	備註
錫光	西漢平帝時，為交阯太守。建武初，封鹽水侯。	治績主要在平帝時，與任延同有移變邊俗之功，故附於《任延傳》。
王景	明帝時，以修治河渠，功拜河堤謁者。章帝建初七年（82），任徐州刺史。明年，遷盧江太守，卒於官。	
秦彭	妹為明帝貴人，初拜都騎尉。章帝建初元年（76），為山陽太守。在職六年，轉潁川太守。章和二年（89）卒。	
王渙	舉茂才，除溫令。在溫三年，遷兗州刺史，後任侍御史。和帝永元十五年（103），為洛陽令；元興元年（105）病卒。	王、任二人，《序》有提及。
鐔顯	安帝時為豫州刺史，後位至長樂校尉。	附於《王渙傳》。
任峻	順帝永和中，為劇令，後繼王渙為洛陽令。終於太山太守。	附於《王渙傳》。
許荊	少為郡吏，舉孝廉。和帝時，為桂陽太守，以病自上。徵諫議大夫，卒於官。	曾任諫議大夫，屬光祿勳。
孟嘗	初任郡吏，後舉茂才，拜徐令。遷合浦太守，以病自上。桓帝時，卒於家。	
第五訪	仕郡為功曹，察孝廉，補新都令。遷張掖太守，於災年未上報即開倉賑飢，受順帝嘉獎。後歷任南陽太守，護羌校尉，卒於官。	
劉矩	舉孝廉，遷雍丘令。後舉賢良方正，四遷為尚書令，以失梁冀意，出為常山相。後復為尚書令，遷宗正、太常。桓帝延熹四	曾任尚書令、宗正、太常、太尉。

（續）

循吏	職任要略	備註
	年（161），代黃瓊為太尉。靈帝初，代周景為太尉，以日食免，卒於家。	
劉寵	以明經舉孝廉，除東平陵令。後為豫章太守、會稽太守。桓帝延熹四年（161），代黃瓊為司空。靈帝建寧元年（168），代王暢為司空，頻遷司徒、太尉。二年（169），因日食策免，老病卒於家。	曾任司空、司徒、太尉。
仇覽	年四十補縣吏，選為蒲亭長，考城令署為主簿。入太學，為名士符融、郭林宗所重。後徵方正，遇疾而卒。	東漢縣下有鄉、亭、里，亭長屬小吏。
童恢	少仕州郡為吏，辟公府，除不其令。遷丹陽太守，暴疾而卒。	
童翊	舉孝廉，除須昌長。棄官後再舉茂才，不就。卒於家。	恢弟，附於《童恢傳》。

上列人物，在范書《列傳》中應有循吏典型的意義，因此本文在討論東漢循吏的治績時，就以這十七名人物為對象。

四　東漢循吏治績析論

談論東漢的循吏，不能不看他們的治績。現試根據《後漢書·循吏傳序》提及循吏的幾方面表現，考察《循吏傳》中所列人物的治績。

（一）衛颯（附茨充）

《後漢書·循吏衛颯傳》云：

> 建武二年（26），辟大司徒鄧禹府。舉能案劇，除侍御史，襄城

> 令。政有名跡，遷桂陽太守。郡與交州接境，頗染其俗，不知禮則。颯下車，修庠序之教，設婚姻之禮。朞年間，邦俗從化。[29]

衛颯有「舉能案劇」的能力，治績卓著，於是得以升遷。他初任桂陽太守，即「修庠序之教，設婚姻之禮」，進行移變地區風俗的措施。

《循吏衛颯傳》又云：

> 先是，含洭、湞陽，曲江三縣，越之故地，武帝平之，內屬桂陽。民居深山，濱溪谷，習其風土，不出田租。去郡遠者，或且千里。吏事往來，輒發民乘船，名曰「傳役」。每一吏出，傜及數家，百姓苦之。颯乃鑿山通道五百餘里，列亭傳，置郵驛。於是役省勞息，姦吏杜絕。流民稍還，漸成聚邑，使輸租賦，同之平民。[30]

衛颯上任之後，為了革除越故地百姓「傳役」的苦差，做了一系列開闢建設工作，並且杜絕了貪官污吏的作弊，於是流散在外的人逐漸回歸，並跟從其他百姓繳納租賦。這既解決了地區的民困，又增加了政府的收入。

《循吏衛颯傳》又云：

> 又耒陽縣出鐵石，佗郡民庶常依因聚會，私為冶鑄，遂招來亡命，多致姦盜。颯乃上起鐵官，罷斥私鑄，歲所增入五百餘萬。[31]

---

29 見同上，頁2459。

30 見同上。

31 見同上。按：「出鐵石」的「出」，原作「山」。現據中華書局（北京）校點本改正。

「私鑄」引來亡命之徒，造成了嚴重的治安問題，而且損害國家經濟。設鐵官、罷私鑄，對治安和國庫收入都有大利。因此，范曄總結衛颯的治績是：

> 颯理卹民事，居官如家，其所施政，莫不合於物宜。視事十年，郡內清理。[32]

可見衛颯管理的貢獻，主要在教化移俗和革弊安民。所謂「居官如家」，意思是他有親民、愛民之心；所謂「合於物宜」，意思是他的施政都能順平人情、物理。

茨充繼衛颯為桂陽太守，有關他的記事附見於《後漢書·循吏衛颯傳》：

> 南陽茨充代颯為桂陽。亦善其政，教民種殖桑柘麻紵之屬，勸令養蠶織屨，民得利益焉。[33]

《東觀漢記·茨充傳》記事相近而較詳：

> 茨充為桂陽太守，俗不種桑，無蠶織絲麻之利，類皆以麻枲頭縕著衣，民墮窳，少麄履，盛冬皆以火燎。充令屬縣教民益種桑柘，養蠶織履，復令種紵麻，數年之間，人賴其利，衣履溫煖。[34]

32 見同上。

33 見同上，頁2460。

34 見劉珍等《東觀漢記》，吳樹平《東觀漢記校注》卷十八，1987年3月中州古籍出版社（鄭州），頁770。

《茨充傳》又載，元和中荊州刺史上奏時引述他人之言：

> 建武中，桂陽太守茨充教人種桑蠶，人得其利，至今江南頗知桑蠶織履，皆充之化也。[35]

茨充的治績，主要在延續衛颯的德政，以化民易俗和安民利民為目的。

（二）任延（附：錫光）

《後漢書・循吏任延傳》云：

> 建武初……詔徵為九真太守。……九真俗以射獵為業，不知牛耕，民常告糴交阯，每致困乏。延乃令鑄作田器，教之墾闢。田疇歲歲開廣，百姓充給。又駱越之民無嫁娶禮法，各因淫好，無適對匹，不識父子之姓，夫婦之道。延乃移書屬縣，各使男年二十至五十，女年十五至四十，皆以年齒相配。其貧無禮娉，令長吏以下各省奉祿以賑助之。同時相娶者二千餘人。是歲風雨順節，穀稼豐衍。其產子者，始知種姓。[36]

九真民俗以射獵為業，生治困乏而不穩定。任延教民牛耕，製作農具，墾闢田土，改善了百姓的生活，達致移俗富民的效果。他又設立嫁娶禮法，促令適齡男女匹配，讓百姓懂得禮教中的父子夫婦關係。

任延在位九真太守四年，因病轉睢陽令，後又拜武威太守[37]。《循吏任延傳》又云：

---

35 見同上。按：此條亦為李賢等注所引述。

36 見《後漢書》卷七十六，頁2462。

37 見同上。

> 既之武威，時將兵長史田紺，郡之大姓，其子弟賓客為人暴害。延收紺繫之，父子賓客伏法者五六人。紺少子尚乃聚會輕薄數百人……夜來攻郡。延即發兵破之。自是威行境內，吏民累息。郡北當匈奴，南接種羌，民畏寇抄，多廢田業。延到……其有警急，逆擊追討。虜恆多殘傷，遂絕不敢出。[38]

在武威太守任內，任延既收治地方大姓豪強，又擊討外族寇抄，對內對外，都有作為，使境內百姓不受滋擾，得以安居。

《循吏任延傳》又云：

> 河西舊少雨澤，乃為置水官吏，修理溝渠，皆蒙其利。又造立校官，自掾史子孫，皆令詣學受業，復其徭役。章句既通。悉顯拔榮進之。郡遂有儒雅之士。[39]

為了河西的乾旱，任延置水務官吏，修理溝渠，改善灌溉系統，為民興利。他又設立學校，任命教官，督令當地官吏的子孫都要接受教育。在這種栽培、教化政策的推行下，逐漸為當地培育了不少「儒雅之士」。可見無論在九真或武威，任延都沒有忽略移變邊俗的工作。

交阯太守錫光的事，附記在《後漢書・循吏任延傳》中：

> 初，平帝時，漢中錫光為交阯太守，教導民夷，漸以禮義，化聲侔於延。王莽末，閉境拒守。建武初，遣使貢獻，封鹽水侯。領南華風，始於二守焉。[40]

---

38 見同上，頁2463。

39 見同上。按：「掾史」原作「掾吏」。現據中華書局（北京）校點本改正。

40 見同上，頁2462。

錫光漸以禮義移變邊俗的表現，主要在西漢平帝時，到了東漢初，才向光武歸順，但范書仍然在《任延傳》中提到他，主要因為他在邊地的教化工作，做得很好，而且一直維持下來，以致聲譽可與東漢時代的任延相等。范曄認為，南方華化之風，實由錫光、任延開始。

（三）王景

《後漢書·循吏王景傳》云：

> （景）沈深多伎藝。……時有薦景能理水者，顯宗詔與將作謁者王吳共修作浚儀渠。吳用景墕流法，水乃不復為害。……永平十二年（69），議修汴渠，乃引見景，問以理水形便。……夏，遂發卒數十萬，遣景與王吳修渠築堤……十里立一水門……無復潰漏之患。……景由是知名。[41]

王景擅長水利工程，先後修築渠隄有功，使百姓免除水患之害，有為民興利的治績，無愧乎「循吏」的稱號。

《循吏王景傳》又云：

> 建初七年（82），遷徐州刺史。……明年，遷廬江太守。先是，百姓不知牛耕，致地力有餘而食常不足。……景乃驅率吏民，修起蕪廢，教用犁耕，由是墾闢倍多，境內豐給。……又訓令蠶織，為作法制……。[42]

在廬江太守任內，王景教民牛耕，致力開墾荒廢的土地為農田，又訂

41 見同上，頁2464-2465。

42 見同上，頁2466。

立法制，訓令蠶織，使境內百姓生活得以改善。這都是有利民生的化導舉措。王景的徐州刺史任期不長，但他大抵也會儘量做為民興利的事情。

（四）秦彭

《後漢書・循吏秦彭傳》云：

> 建初元年（76），遷山陽太守，以禮訓人，不任刑罰。崇好儒雅，敦明庠序。每春秋饗射，輒修升降揖讓之儀。乃為人設四誡，以定六親長幼之禮。有遵奉教化者，擢為鄉三老，常以八月致酒肉以勸勉之。吏有過咎，罷遣而已，不加恥辱。百姓懷愛，莫有欺犯。[43]

秦彭崇尚儒學，他在山陽太守任內，主要用禮制來教化百姓，內容包括：「修升降揖讓之儀」、「定六親長幼之禮」，又以具體方式，獎勵「遵奉教化者」；對犯錯的官吏，只罷免而不施刑處分。可說是「通經致用」的實踐者。

《循吏秦彭傳》又云：

> 興起稻田數千頃，每於農月，親度頃畝，分別肥塉，差為三品，各立文簿，藏之鄉縣。於是姦吏跼蹐，無所容詐。彭乃上言，宜令天下齊同其制。詔書以其所立條式，班令三府，並下州郡。在職六年，轉潁川太守……。[44]

---

43 見同上，頁2467。

44 見同上。

秦彭又大力發展當地農業，以利民生，而且將田土作有效而系統的管理，並訂立條式，讓人易於遵從，使貪官污吏無法上下其手。他的措施，不但實行於當地，而且因他向中央政府建議，也影響了其他州郡。我們如果用《後漢書・循吏傳序》的循吏範式來衡量，秦彭確能以禮化民，符合「仁信篤誠，使人不欺」的要求，同時又能積極「為民興利」。

（五）王渙（附：鐔顯、任峻）

《後漢書・循吏王渙傳》云：

> 州舉茂才，除溫令。縣多姦猾，積為人患。渙以方略討擊，悉誅之。境內清夷，商人露宿於道。……在溫三年，遷兗州刺史，繩正部郡，風威大行。[45]

溫縣多姦猾之徒為患，治安不良，王渙在溫令任內，把這些不法分子誅除，改善了境內治安；升職兗州刺史後，他又能糾正地方屬吏的不端行為，樹立了良好的管理風氣。根據治績，王渙稱得上是「良能」之吏。

《循吏王渙傳》又云：

> 永元十五年（103），從駕南巡，還為洛陽令。以平正居身，得寬猛之宜。其冤嫌久訟，歷政所不斷，法理所難平者，莫不曲盡情詐，壓塞群疑。又能以譎數發擿姦伏。京師稱歎，以為渙有神算。[46]

---

45 見同上，頁2468。

46 見同上，頁2468-2469。

洛陽令是管治京師的長官，一切工作都在天子、公卿大臣眼底下，皇室親貴又多，做甚麼和怎樣做都難以討好。王渙行事平正，寬嚴得宜，是一位稱職的洛陽令。更可注意的，是他的斷案能力很高，能透入不實的欺詐，清理久訟不斷的疑案。他有時又會借用術數來揭發隱藏的罪行，讓人以為他有「神算」的能力。不過，王渙的治績中似乎沒有做「導德齊禮」的教化工作，因此范曄在《循吏傳序》中對他稍有疵議。

《循吏王渙傳》又云：

> 渙喪西歸，道經弘農，民庶皆設槃案於路。吏問其故，咸言平常持米到洛，為卒司所鈔，恆亡其半。自王君在事，不見侵枉，故來報恩。其政化懷物如此。……永初二年（108），鄧太后詔曰：「夫忠良之吏，國家所以為理也。……故洛陽令王渙，秉清修之節，蹈羔羊之義，盡心在公，務在惠民……。」[47]

王渙身後仍為百姓所愛敬，主要在他能禁止吏卒侵枉貪污；鄧太后也下詔稱許他廉潔有度，「盡心在公，務在惠民」。因此范曄既把他列入《循吏傳》，又在《序》中以他作為循吏典範的示例。在范書中，《傳》和《序》都提及的循吏，除了上面提過的任延和錫光，就只有王渙和任峻。

在《後漢書．循吏王渙傳》中，附有鐔顯、任峻二人。關於鐔顯的記事如下：

> 鐔顯後亦知名，安帝時為豫州刺史。時，天下飢荒，競為盜

47 見同上，頁2469-2470。

> 賊，州界收捕且萬餘人。顯愍其窮困，自陷刑辟，輒擅赦之，因自劾奏。有詔勿理。後位至長樂衛尉。[48]

當王渙是太守陳寵的功曹時，鐔顯是文簿，兩人都是陳寵所稱道的能吏；陳認為王的長處是「簡賢選能」，鐔的優點是「拾遺補闕」[49]。不過上文記述鐔顯任豫州刺史時的治績只有一項，就是多次擅自赦免因飢荒而淪為盜賊的百姓，這可見他能以仁信篤誠、同情了解之心去愛民。而且，他更能自我彈劾，足見他是一位有承擔、肯負責、不戀棧權位的地方官。由此推想，他的治績，應包括有體恤安民、為民興利的措施。「拾遺補闕」，只是鐔顯身為太守主簿時職分內的工作，到了身為刺史時，他就有更大的工作表現了。

任峻的記事，也附見於《後漢書．循吏王渙傳》：

> 自渙卒後，連詔三公特選洛陽令，皆不稱職。永和中，以劇令勃海任峻補之。峻擢用文武吏，皆盡其能，糾剔奸盜，不得旋踵，一歲斷獄，不過數十。威風猛於渙，而文理不及之。……終於太山太守。[50]

任峻繼王渙為洛陽令，真能發揮陳寵對他的評語——「簡賢選能」，擢用了不少幹練員吏。他治姦盜、斷刑獄，都很有效率。他的治績，以實效著稱而不以「文理」得譽，而且也像王渙一樣，沒有著重「導德齊禮」的教化工作。在太山太守任內，他大抵也沿承這樣的管治作風。

---

48 見同上，頁2470。

49 參閱同上，頁2468。

50 見同上，頁2470。

（六）許荊

《後漢書．循吏許荊傳》云：

> 荊少為郡吏……太守黃兢舉孝廉。和帝時，稍遷桂陽太守。郡濱南州，風俗脆薄，不識學義。荊為設喪紀婚姻制度，使知禮禁。[51]

許荊以孝廉出身，應該是位重視儒學教化的地方長官。他任桂陽太守時，針對當地風俗淺薄、不懂文化禮義的缺點，為百姓訂立了婚喪制度，讓他們認識禮制的規矩。

《循吏許荊傳》又云：

> （蔣均）兄弟爭財，互相言訟。荊對之歎曰：「吾荷國重任，而教化不行，咎在太守。」乃顧使吏上書陳狀，乞詣廷尉。均兄弟感悔，各求受罪。在事十二年，父老稱歌。以病自上，徵拜諫議大夫，卒於官。[52]

因治下有兄弟爭財，許荊竟上書求往廷尉受罰，可謂自律嚴苛，但他好儒禮、重教化之情，或可約略推想。他的治績，主要表現在移俗教化工作的實施，這與東漢儒風之盛，應有密切關係。

（七）孟嘗

《後漢書．循吏孟嘗傳》云：

---

51 見同上，頁2472。

52 見同上。

> 少修操行，仕郡為戶曹史。……嘗後策孝廉，舉茂才，拜徐令。州郡表其能，遷合浦太守。……先時宰守並多貪穢……於是行旅不至，人物無資，貧者餓死於道。嘗到官，革易前敝，求民病利。曾未逾歲，去珠復還，百姓皆反其業，商貨流通，稱為神明。[53]

孟嘗初為郡戶曹史，後由孝廉、茂才而為徐令，顯然以德操見稱，又有秀異之才。由徐令而升職合浦太守，則因為「州郡表其能」，可知他在徐令任內有很好的工作表現。他任太守後，即改革以往官吏貪污瀆職的弊端，了解民間疾苦，儘量多做有利百姓的事。不到一年，改善了合浦就業和貨運的情況。

《循吏孟嘗傳》載尚書楊喬上奏朝廷，對孟嘗甚為稱許。他這樣說：

> 嘗安仁弘義，耽樂道德，清行出俗，能幹絕群。前更守宰，移風改政，去珠復還，飢民蒙活。[54]

孟嘗的德操，固然值得稱道，但作為循吏，「能幹絕群」，「移風改政」，則是切中要點的評價。

（八）第五訪

《後漢書・循吏第五訪傳》云：

53 見同上，頁2472-2473。

54 見同上，頁2474。

> 仕郡為功曹，察孝廉，補新都令。政平化行，三年之間，鄰縣歸之，戶口十倍。[55]

作為新都令，第五訪使境內政治清明，教化大行，因而在三年內，鄰縣百姓都來投附，人口增加不少，顯示這是個吸引人來定居的良好環境。

《循吏第五訪傳》又云：

> 遷張掖太守。歲飢，粟石數千，訪乃開倉賑給以救其敝。吏懼譴，爭欲上言。訪曰：「若上須報，是弃民也。太守樂以一身救百姓！」遂出穀賦人。順帝璽書嘉之，由是一郡得全。歲餘，官民並豐，界無姦盜。[56]

張掖歲飢嚴重，第五訪不待上報，不管是否違規，即迅速開糧倉賑濟飢民，並表示「樂以一身救百姓」，真是能「急民之急」的地方官。稍後他必然實施了不少有利民生和改善治安的措施，才會在短期內「官民並豐，界無姦盜」。

（九）劉矩

《後漢書．循吏劉矩傳》云：

> 舉孝廉。稍遷雍丘令，以禮讓化之，其無孝義者，皆感悟自革。民有爭訟，矩常引之於前，提耳訓告，以為忿恚可忍，縣

---

55 見同上，頁2475。

56 見同上，頁2475-2476。

> 官不可入，使歸更尋思。訟者感之，輒各罷去。其有路得遺者，皆推尋其主。[57]

劉矩在雍丘令任內，主要的治績在：重禮讓教化，使無孝義者感悟；調解爭議，使訴訟罷息。至於路不拾遺之風，則顯然是教化之功。

值得留意的是，劉矩的仕途，並不限於縣令。他曾受太尉胡廣舉薦為賢良方正，四遷為尚書令，又曾遷職宗正、太常；桓帝延熹四年（161）及靈帝初，又先後代黃瓊、周景為太尉，位居三公之一；加以他性格「亮直」，「不能諧附貴埶」，因而「失大將軍梁冀意」[58]。以這樣的資歷和行事表現，完全有條件在《後漢書》中為他立專傳。范曄沒有這樣做，大抵因為他在雍丘縣的教化治績，有足為後世範式的意義，所謂「舉以為治民之準也」[59]。而劉矩貴為三公時，雖有「賢相」、「良輔」之稱[60]，但卻缺乏有關政績的具體史料可資引述或評論，於是作了不立專傳而入《循吏傳》的選擇。關於范書《循吏傳》人物編次的用心，上文已有辨析，這裏就不再詳說了。

（十）劉寵

《後漢書．循吏劉寵傳》云：

> （寵）博學，號為通儒。寵少受父業，以明經舉孝廉，除東平陵令，以仁惠為吏民所愛。[61]

---

57 見同上，頁2476。

58 參閱同上，頁2476-2477。

59 語見劉咸炘《後漢書知意》，《劉咸炘學術論集》史學編上冊，頁290。

60 參閱《後漢書》卷七十六《循吏劉矩傳》，頁2477。

61 參閱《後漢書》卷七十六，頁2477。

劉寵繼承父親通儒之學，以明經舉孝廉，任職東平陵令。在任期中，他施行仁惠之政，普遍得到吏民的愛戴，不失為儒者從政的本色。

司馬彪（246？-306？）《續漢書・循吏劉寵傳》云：

> （寵）以經明行修舉孝廉……除東平陵令。是時民俗奢泰，寵到官躬儉，訓民以禮，上下有序，都鄙有章。視事數年，以母病棄官。百姓士民攀輿拒輪，充塞道路，車不得前……。[62]

劉寵剛履任東平陵令，就以身作則，提倡節儉，遏制當時浮奢的民風。他又以儒家之禮教導百姓，端正人倫之序，使人人遵循規章行事。在東漢時代，凡屬孝廉出身的官吏，大多會以禮為用作移俗正風的教化工作。

《後漢書・循吏劉寵傳》又云：

> 後四遷為豫章太守，又三遷拜會稽太守。山民愿朴，乃有白首不入市井者，頗為官吏所擾。寵簡除煩苛，禁察非法，郡中大化。[63]

劉寵任職太守時，能針對民困，「簡除煩苛，禁察非法」，可見他的治績，不但屬「委任賢良，職事自理」的循吏，而且在「明發姦伏，吏端禁止」方面也頗有表現。所謂「郡中大化」，表示受化導的，不只限屬吏，也包括百姓。後來劉寵轉任中央政府的宗正、大鴻臚，又先

62 見周天游《八家後漢書輯注》，1986年12月上海古籍出版社（上海），頁483。按：由「是時民俗」至「都鄙有章」，周氏據《藝文類聚》卷五十補入。

63 見《後漢書》卷七十六，頁2478。

後升遷為司空、司徒、太尉[64]。可知他像劉矩一樣，曾位居三公要職，范書把他列入《循吏傳》而不另立專傳，編次的理由大抵也與劉矩相同。

我試這樣推想：范曄特別舉二劉為例，強調他們過往的地方治績，用意似乎向讀史者提示：不少高官的升遷，所憑藉的其實也是地方治績的表現；而從未躋身高位的循吏，他們在歷史上也可得到與高官同等的重視。這對久滯下位的官吏，或許有鼓勵的作用罷？

（十一）仇覽

《後漢書・循吏仇覽傳》云：

> 年四十，縣召補吏，選為蒲亭長。勸人生業，為制科令，至於果菜為限，雞豕有數，農事既畢，乃令子弟群居，還就黌學。其剽輕游恣者，皆役以田桑，嚴設科罰。躬助喪事，賑恤窮寡。朞年稱大化。[65]

東漢縣下有鄉、亭、里，亭長是地方上不高的職位。仇覽以不高的身分，鼓勵百姓從事農業生產，為他們制訂條例，具體規定蔬果的生產和雞豬的飼養；又下令農家子弟在農事完畢後，須往學校接受教育。此外，他對那些游手好閒的滋事分子，嚴設懲罰制度，而對家有喪事和窮困孤寡的百姓，他更提供切實幫助。他在民生、教育、治安、扶貧方面，做了不少具體工作。他的工作，不限利民，也在教化。其中廣為人知以德化人的例子，是當地人陳元被母親投訴不孝，母子在仇

---

64 參閱同上，頁2478-2479。

65 見同上，頁2479-2480。

覽介入調解後互相諒解和好，而陳元最後成為真正的孝子[66]。

史載仇覽最高只做過考城令的主簿，而且上司很快就推薦他到太學進修，學行為名人符融、郭泰（林宗）所重[67]，可見仇覽的循吏治績，只在浦亭長任內。看來范曄有意向人表示：無論職位高或低，只要對地方管治有具體貢獻，都得以成為可入史冊的循吏！

（十二）童恢（附：童翊）

《後漢書・循吏童恢傳》云：

> 恢少仕州郡為吏，司徒楊賜聞其執法廉平，乃辟之。及賜被劾當免，掾屬悉投剌去，恢獨詣闕爭之。及得理……恢杖策而逝。由是論者歸美。[68]

童恢為州郡吏，已能以「執法廉平」著稱，表現符合良能之吏的要求。上司被彈劾，他獨自去朝廷代為申辯，上司脫罪後他卻引退不居功。他的行為，頗合於當時儒風所重視的忠義，雖然史書並沒有說他好儒學。

《循吏童恢傳》又云：

> 復辟公府，除不其令。吏人有犯違禁法，輒隨方曉示。若吏稱其職，人行善事者，皆賜以酒肴之禮，以勸勵之。耕織種收，皆有條章。一境清靜，牢獄連年無囚。比縣流人歸化，徙居二萬餘戶……遷丹陽太守，暴疾而卒。[69]

66 參閱同上，頁2480。

67 參閱同上，頁2480-2481。

68 見同上，頁2482。

69 見同上。

任職不其令時，童恢對稱職、行善、違法的吏人，分別採用「勸勵」或「曉示」的辦法。耕作、紡織、播種、收穫，都有管理的規章。論刑獄則往往從輕，甚至連年獄無囚犯。他的管治作風，使境外的流散者都來歸化。綜觀童恢的治績，他明獎賞、重農業、輕刑罰，端正了吏治，又促進了農業，在較寬鬆的刑法規管下，百姓可以安心生活。

童翊是童恢的弟弟，《後漢書》記述他的文字不多，附於《循吏童恢傳》：

> （翊）名高於恢，宰府先辟之。翊陽喑不肯仕，及恢被命，乃就孝廉，除須昌長。化有異政，吏人生為立碑。聞舉將喪，弃官歸。後舉茂才，不就。[70]

童翊的行為表現，完全是儒者的修養，難怪受舉薦為孝廉。他任須昌長，治績雖只有「化有異政」一語，但足以顯示他在教化方面有出色表現；「吏人生為立碑」，可知他甚得同事、百姓愛戴，應該是一位能愛民、有善政的官吏。范書把他附入《循吏傳》，固然因為他是童恢的弟弟，同時也因為他是有治績表現的循吏。

五　略論兩漢循吏的同異

上面有關東漢循吏治績的述說，主要根據范書《循吏傳》包括《傳序》的內容，也從劉珍（？-26）等的《東觀漢記》和司馬彪的《續漢書》各找到一條有關記事。至於西漢循吏的討論，當然會以《史記》、《漢書》為據，不過兩者所指的「循吏」，內涵不盡相同。

---

70 見同上。

例如《史記》所指，是漢初文、景時期黃老無為式的治民之官，所以「百姓無稱」，司馬遷也不提西漢循吏的姓名，貫徹「無稱」的原則；《漢書》所指，主要是武帝至宣帝之世有為式的治民之官。可知西漢循吏的治績表現，前後期就已不能一概而論。到了東漢，儒風較前代為盛，顧炎武（1613-1682）則認為，當時「雖人才之倜儻不及西京，而士風家法似有過於前代」[71]。如光武時期，不少地方官吏已有儒生背景，由明帝、章帝、和帝以至東漢後期，儒生經由察舉入仕，竟成為地方官吏的主流[72]。因此當時的循吏，不少由孝廉出身，他們不但積極有為，而且重視移俗教化，以禮導民。他們的治績，往往為百姓所稱頌，甚至為他們立祠、立碑。史書明載：任延曾任九真太守，「左轉睢陽令，九真吏人生為立祠」[73]；王渙去世，「百姓追思，為之立祠」[74]；許荊去世，「桂陽人為立廟樹碑」[75]；童翊「化有異政，吏人生為立碑」[76]等等。可見時代不同，社會不同，風氣不同，同是循吏的治績，西漢前後期固然各有不同，西漢與東漢的要求，更不可能沒有分別。如果大家接受這個前提，我們在討論兩漢循吏的治績時，就不妨稍作比較，既談「同」，也談「異」。

作為循吏，無論西漢或東漢，都要「奉職循理」或「因循守職」，即所謂「本法循理」，只不過西漢初年的「循」是以「因循為用」，而漢武帝至宣帝之世，則要「政平訟理」，這頗近於東漢「職事

71 參閱黃汝成《日知錄集釋》卷十三「兩漢風俗」條，2006年12月上海古籍出版社（上海），頁754。

72 參閱周長山《漢代地方政治史論》第一章，2006年7月中國社會科學出版社（北京），頁34-39。

73 參閱同上，頁2462。

74 參閱同上，頁2470。

75 參閱同上，頁2472。

76 參閱同上，頁2482。

自理」、「吏端禁止」的要求。至於「仁信篤誠」，本來是所有官吏該有的操守，也該是對循吏的基本要求，不過即使是循吏，也不一定人人可以有這樣的操守，在東漢是如此，在西漢大抵也不例外。

「利民」或「富民」，是兩漢循吏治績的共同指標，所以「百姓益富」、「安其田里」、「為民興利」，都是兩漢循吏要做的工作，只是西漢初年會用與民休息、無為之治來達到目的，而漢武帝至宣帝之世，就會以有為的方式來進行。在東漢時代，地方官吏就更會用積極甚至較張揚的方式來實施，讓治績獲得百姓的稱頌和朝廷的表揚。

還可一說的，是「移變邊俗」一語。究竟「邊俗」的「邊」，怎樣理解？我們如果理解為與外族所居接壤的邊疆之地——「邊郡」，在概念上與「內地」相對，那「移變邊俗」所指的地區就會有限。的確，任何時代（包括兩漢），內地的循吏一定比「邊郡」為多，而西漢的循吏，「也未嘗不以『移變邊俗』為己任」[77]。不過，可留意的是，《後漢書・循吏傳》所舉述的循吏，竟然不少與「移變邊俗」有關，而且較西漢為多。先舉顯著的例子。如桂陽在今湖南地區，衛颯、茨充、許荊都曾任桂陽太守，范書既以衛颯、茨充為例，作為「移變邊俗」的代表，可知「邊俗」的「邊」，必然包括湖南地區的桂陽。九真、武威、交阯、張掖、合浦在邊遠的安南、甘肅、廣東等地區，新都在今四川，任延曾任九真、武威太守，錫光曾任交阯太守，孟嘗曾任合浦太守，第五訪曾任新都令、張掖太守，他們都做過「移變邊俗」的教化工作，其中更有非常積極實施教化的。以上述各循吏的治績為據，已可說明「移變邊俗」是東漢朝廷所重視的措施，也是評量管治「邊」地官吏是否屬於循吏的標準之一，所以才在《循吏傳序》中成為循吏各類治績表現中的較前列。

77 語見余英時《漢代循吏與文化傳播》，《儒家倫理與商人精神》，頁61。

此外，劉寵曾先後任豫章太守、會稽太守。豫章、會稽在今江西、浙江地區，前者鄰接湖南，後者靠近東海，與地處河南的首都洛陽頗有距離，如果我們不局限於理解「邊俗」的「邊」為與外族居地接壤的邊疆之地，而是遠離首都的邊鄙之地，劉寵在豫章、會稽所做的教化工作，大抵也可解說為「移變邊俗」。又徐州、山陽、不其、須昌都在今山東地區，王景曾任徐州刺史，秦彭曾任山陽太守，童恢曾任不其令，童翊曾任須昌長，他們都曾在所治地區做了不少移俗的教化工作，而且頗有成效。山東地近河南，當然不能視為與外族居地接壤的邊疆之地，而且本身有深厚的傳統文化積蘊，但山東瀕海，有些地方在當時仍待開發和移俗教化，則是事實。例如秦彭在山陽太守任內，就常要「以禮訓人」。把這地區中一些較偏遠的地方視為邊鄙之地，似乎也未嘗不可。無論怎樣，據《後漢書·循吏傳》所述，移俗教化，往往是東漢朝廷對「邊」地管治者的期望，也是東漢較多循吏所要做的重要工作。

再要討論的，是《後漢書·循吏傳序》提及東漢循吏的五類治績。第一類是「為民興利，務在富之」，這應該是東漢所有循吏管治地方的共同目標。第二類是「移變邊俗，漸以禮義」，顯然是東漢不少循吏的重要工作之一。第三類是「仁信篤誠，使人不欺」，話是兩句，後句是結果，所重其實在前句，即循吏的個人修養最重要。第四類是「委任賢良，職事自理」，這是說，任用賢良之士，管理才不會出亂子，指的仍屬一事。第五類是「明發姦伏，吏端禁止」，說的是循吏須能揭發、禁制下屬貪污瀆職，兩句話所指仍是一事。據《後漢書·循吏傳》所列載的循吏，可知當時從事「移變邊俗」的循吏頗多，而且往往與「為民興利」並重；即使不是管治邊地的循吏，也會特別看重移俗教化的工作。我們或許可以這樣說，「利民」或「富民」和「教化」都是兩漢循吏的主要工作，而循吏的個人修養和用人之道，也是兩漢循吏必須具有的修養和能力，只不過為了當時實際的需要，東漢循吏在移俗教化中，多要求「邊俗」的「移變」。這大抵是東漢循吏治績較受重視的一面，與西漢循吏的要求重點稍稍有別，其中有時代、社會的因素。時代不同，社會不同，朝廷和百姓對循吏的要求也會不同，因此「循吏」的概念，固然有前後的改變，而循吏的工作範圍和重點，也會作相應的繼承和調整，這是很自然的事。談兩漢循吏的治績，我們從中看到不少「同」，也看到一些「異」，其實是不足詫怪的。

談到移俗教化，有人認為余英時先生主張文化單向下沈，於是引述英國史學家 Peter Burke 的意見，貶斥「文化下沈說」的不足，指出代表上層菁英文化的「大傳統」，對代表下層通俗文化即「小傳統」的影響，並不是單向的，因此從文化傳播的效益來說，固然不該忽視「小傳統」對「大傳統」的吸納，也不該忽視「小傳統」對「大傳統」的影響[78]。的確，東漢循吏的「移變邊俗」，並不會因管治者的想法和行動，地方上的下層文化即隨之改易，而且會完全傾向於上層文化，所以余英時先生在《漢代循吏與文化傳播》一文中說：

> 漢代循吏雖是大傳統的「教化之師」，然而這並不表示他們可以隨心所欲地用大傳統來取代各地的小傳統，或以上層文化來消滅通俗文化。……中國的大傳統和小傳統之間或上層文化和通俗文化之間是互相開放的，因而彼此都受對方的影響而有所變化。其結果是一方面大傳統逐漸在民間擴散其移風易俗的力量，而另一方面小傳統中某些成分也進入了大傳統，使它無法

78 參閱盧建榮《以公心評余英時的史學研究》，《社會／文化集刊（8）：百年建國專輯》，2011年6月新高地文化事業公司（臺北），頁166-167。

保持其本來面目。……大傳統也不能免於小傳統的侵蝕。[79]

余先生所說情況，應可適用於西漢和東漢的循吏教化，同時可證他並不是一位主張文化單向下沈之說的史學研究者。不過，我們雖不必根據史籍所載全盤接受循吏的治績，也不必毫不約制地誇大循吏的移俗教化表現，但管治者的想法和行動，特別是他們在職權範圍內所推行的具體措施，仍然對管治地區有較大的移變影響，促使下層文化逐漸改變，這是不必諱言的。由於本文討論的重點，只限於東漢循吏的治績，因此不會在大小傳統之間的互相影響和客觀的文化傳播效益方面，作進一步的討論。

六　結語

東漢的循吏，指「著績於州郡縣」的良能之吏，與西漢循吏在治績上有不少相同要求，例如利民和教化。但對「移變邊俗」的工作，東漢的循吏似乎關注較多，范書《循吏傳》所載循吏的治績可以為證，其中衛颯、茨充、任延、錫光、許荊、孟嘗、第五訪等，是較顯著的代表。其他管治邊鄙之地的循吏，一般也會重視移俗教化的工作；例外的也有，但不多。至於東漢循吏積極有為的態度，則頗同於西漢後期而不同於西漢前期的循吏。本文主要以范書《循吏傳》內容為考察對象，析論東漢循吏的治績，並以析論結果為根據，比較兩漢循吏的異同，藉供讀史者參考。至於《循吏傳》和《酷吏傳》後的「贊」語，在下面也嘗試稍作引述和討論。

讀過范曄《獄中與諸甥姪書》的人都知道，范曄對自己的《後漢

79　見余英時《儒家倫理與商人精神》，頁94-95。

書》滿有信心，認為與班固的《漢書》相比，「博贍不可及之，整理未必愧也」[80]。他對自己撰作的「贊」語，更是自許甚高，說：

> 贊自是吾文之傑思，殆無一字空設，奇變不窮，同含異體，乃自不知所以稱之。[81]

我們不妨細讀《後漢書．循吏傳》後的「贊」語，看看范氏怎樣評說東漢的循吏：

> 政畏張急，理善亨鮮。推忠以及，眾瘼自蠲。一夫得情，千室鳴弦。懷我風愛，永載遺賢。[82]

范氏認為，地方官吏管治地方，要寬容、謹慎，要盡心、愛民，這樣才能革除吏弊，消解百姓的困苦。可以說，稱得上循吏，大多能以利民為先，不輕易擾民，同時須重視教化、勸導而輕刑罰。在「移變邊俗」的過程中，循吏所表現的，更要寬容、謹慎，盡心和愛民。而兩漢的酷吏，特別是東漢的酷吏，他們也有值得肯定的治績，不能一筆抹殺，但他們所缺乏的，往往是寬容和愛民。他們不耐煩多費時日做移俗教化的工作，因此在管治過程中，不免「張急」嚴苛。大抵東漢的循吏和酷吏，都是「能吏」，不過循吏是「去殺由仁，濟寬非虐」[83]，即所謂「良能」之吏，而酷吏則是「以暴理姦，倚疾邪之公直，濟忍

---

80 見范曄《獄中與諸甥姪書》，《後漢書》附錄，頁2。

81 見同上。

82 見《後漢書》卷七十六，頁2483。按：《老子》云：「理大國若亨小鮮。」「亨」、「烹」，古今字，今通作「烹」。

83 語見《後漢書》卷七十七《酷吏傳》的「贊曰」，頁2503。

苛之虐情」[84]。總之，范曄在《循吏傳》「贊」語中對東漢循吏治績的概括，在當時無疑有典型的意義，而對劉宋以至後世的地方治民之官，也該有提示或啟發的作用。

──原載《新亞學報》第三十二卷，新亞研究所（2015年5月）

84 語見同上的「論曰」，頁2502。

嚴耕望先生治史之說蠡探

一 前言

嚴耕望先生（1916-1996）治史，以考辨、析論具體問題為主，少作長篇治史理論的述說，例外的是他的《治史經驗談》和《治史答問》。前者由九篇文字組成，內容主要從治史的角度，談原則、方法、目標、修養，而探索問題的具體技術，則涉及不多。至於撰作原則，不外：大處著眼，小處入手，以具體問題為先著，從基本處下功夫；固守一定原則，不依傍，不斥拒，能容眾說，只求實際合理，不拘成規。目標在：真實、充實、平實、密實，無空言，少皇論，務期對治史的後者有切實的幫助[1]。《治史答問》則刊出二十一項設問及答案，內容是嚴先生自述個人的治史經驗和意見，其中有《經驗談》所未涉及的看法，可視為《經驗談》的補編或續編[2]。可以說，嚴先生治史的主要意見，大抵都在這兩書裏。因此，談論嚴先生治史之說的人，大多會舉述這兩書的內容或摘引這兩書的語句來作為依據。

不過，嚴先生其他方面的論著，或多或少，總會出現些治史之說，其中有些或已見於《經驗談》和《答問》，也有些不一定明顯地見於這

1 參閱嚴耕望《治史經驗談．序》，《怎樣學歷史——嚴耕望的治史三書》，2006年1月遼寧教育出版社（瀋陽），頁4-5。又《治史經驗談》初版於1981年4月，由臺灣商務印書館（臺北）出版。

2 參閱嚴耕望《治史答問．序言二》，《怎樣學歷史——嚴耕望的治史三書》，頁128。又《治史經驗談》初版於1981年6月，由臺灣商務印書館（臺北）出版。

兩書。無論怎樣，這些意見都不是系統的述說，需要有人從中勾稽、整理、探析；嚴先生還有些治史之說，寓言外之意或言未盡意的，似乎也需要有人作進一步的闡釋或引伸。本文的撰作，大抵嘗試整合嚴先生散見於各篇或各書的治史意見，並稍解說，使略成系統；如有需要，當然也會稍引述《經驗談》和《答問》的語句，藉資印證。這樣處理，不免會招來「以蠡測海」之譏，也可能會有解讀的偏差。期望本文的意見，或會有助於他人繼續探尋、述釋嚴先生的治史之說。

二　嚴先生治史之說探析

我們要較系統地了解、談論嚴耕望先生的治史之說，除了他的《治史經驗談》和《治史答問》，似可不必再作他想。不過，嚴先生有時也會為了涉及討論具體問題的需要，在他的史學專著內，插入一些治史意見。這些意見，對上述兩書的內容，大抵會有呼應、強調、增補的作用。下面就是這些意見的摘引和探析，如有需要，也會稍作引伸的說明。

（一）專精與博通

嚴先生在《錢穆賓四先生與我》中引述，一九七三年二月二十三日錢先生寄信給嚴先生，談到一次以《理學與藝術》為題的講演，說：

> 學問貴會通。若只就書論書，就藝術論藝術，亦如就經論經，就文史論文史，凡所窺見，先自限在一隅，不能有通方之見。[3]

3　見嚴耕望《怎樣學歷史——嚴耕望的治史三書》，頁292。

嚴先生在這段引文後表示：

> 近代治學過分在狹小範圍內用功，以為可獲專精成就，其實往往緣木求魚，背道而馳，很難達到精深成果。……治史既要專精，也要博通。只能博通，固必流於膚淺；過於專注精深，實亦難以精深，且易出大毛病，而不自知。[4]

嚴先生指出，偏於專精或偏於博通，都有問題。他的治史表現，向以專精見稱，但他常不忘博通的要求。他就曾憶述楊聯陞（蓮生）先生（1914-1990）轉述錢賓四先生之言來自勵：

> （楊）告訴我說，「我去看了錢先生，談到你。先生說你是專家之學，我說你現在不只是專家了。」……蓮生以現在一般標準論人，我誠然已相當博通，不守一隅。先生一向標準極高，希望我更上層樓，故持論不同。[5]

可知嚴先生注目的是更上層樓、極高標準的博通，而不是一般標準的博通。

關於如何博通，嚴先生認為須留意兩方面：其一是史學本身的博通，即對於上下古今都要有相當的了解，尤其是對於自己研究範圍的前後時代特別是前一個時代，要有很深入的認識；如果研治專史，同時對其他專史也要有很好的了解。其二是史學以外的博通，主要是對各種社會科學知識也要吸收一些，並可能作有效的應用；這樣做，最

---

4 見同上，頁292-293。

5 見同上，頁312。

低限度可使自己的治史態度較為開明[6]。

為了從事唐代人文地理的研究，嚴先生就曾詳密地搜集參考資料，可說是博通的一種具體表現。他在《唐代交通圖考‧序言》中這樣自述：

> 決定從事唐代人文地理之研究，視野所屆，除一般政區沿革外，泛及經濟、社會、文化、民族各方面，凡涉區域分布發展者，皆在搜討之列，而特置重要交通路線一課題，諸凡正史、《通鑑》、政書、地書、別史、雜史、詩文、碑刻、佛藏、科技、雜著、類纂諸書，及考古資料，凡涉及中古交通，不論片紙巨篇，搜錄詳密，陳援庵先生謂「竭澤而漁」，余此項工作庶幾近之。[7]

可見研治任何某一專門，仍當通解其他方面的知識，並廣搜可用資料，而且須懂得會通。治史如是，治其他學問也應如是，否則易出毛病，也難以取得精深的成果。

（二）史學的骨幹

嚴先生在《錢穆賓四先生與我》中，提到一九四一年三月二十三日錢先生在武漢大學的講課，課題是《中國政治制度史導論》。嚴先生這樣記述：

---

6 參閱嚴耕望《治史經驗談》第一節「原則性的基本方法」，《怎樣學歷史——嚴耕望的治史三書》，頁8及10。

7 見嚴耕望《唐代交通圖考》（中研院史語所專刊之十三），1985年5月中央研究院歷史語言研究所（臺北），頁2。《序言》又收錄於《治史經驗談》「附錄二」，文字則稍有出入，未知是嚴先生生前的修訂還是出版社的改動。參閱《怎樣學歷史——嚴耕望的治史三書》，頁229。

> 先生一開講，就說歷史學有兩隻腳，一隻腳是歷史地理，一隻腳就是制度。中國歷史內容豐富，講的人常可各憑才智，自由發揮；只有制度與地理兩門學問都很專門，而且具體，不能隨便講。但這兩門卻是歷史學的骨幹，要通史學，首先要懂這兩門學問，然後自己的史學才有鞏固的基礎。[8]

錢先生對武漢大學學生的提示是：地理與制度是史學的兩隻腳，也是骨幹和基礎。

嚴先生自述聽了錢先生這番話，感到非常興奮，因為他當時對這兩門學問產生濃厚興趣。而往後幾十年，他的歷史研究，的確堅定不移地偏向這兩方面發展。不過嚴先生指出：一般所謂歷史地理，主要就沿革地理（政治地理）而言。而嚴先生後來的研究，則推展到經濟、社會、宗教、文化各方面，他是想從人文地理的角度去窺探全史，這可說是舊歷史地理學的延伸。至於制度的研究，則是嚴先生與同門好友錢樹棠（1918-2014）相約分工，以便兩人可在不同園地各自發展。結果嚴先生在專心轉向歷史地理研究之前，制度方面的研究，也有很好的成績[9]。錢賓四先生視為骨幹的兩門學問，嚴先生經過一段時間的努力，都有出色的表現，無負老師的期許。

可補充說明的是，重視史學的骨幹——地理和制度，並不表示我們可不重視史學其他各門的研究，否則史學研究的類別可能不多，而研究的成果也可能單薄了些。我們試考察古代和現代有成就的史學名家，他們不一定人人都是研究地理和制度的頂尖專家。錢先生和嚴先生的意見，只是提示治史者不能忽略地理和制度的認識，因為這是史學的骨幹，否則在研究過程中，不時會面對不能解決的困難，或攀越

8 見嚴耕望《怎樣學歷史——嚴耕望的治史三書》，頁265。

9 參閱同上，頁265-266及273。

不了攔路的障礙。至於嚴先生全力投入地理和制度的研究，而且成果驕人，那是學術研究取向的選擇和堅持，值得我們學習、尊敬。今次研討會的副題：《中古政治制度與歷史地理》，就是要特別彰顯嚴先生研究地理和制度的成就。

(三) 時間與空間

嚴先生在《我撰唐代交通圖考的動機與經驗》一文中表示：

> 歷史是人類在縱的時間上與橫的空間中活動的總現象，是一個總體，所以歷史各方面有其縱的連貫性，也有橫的聯繫性。研究歷史要注意時間性，這是人人所深知的，但一般都比較忽略空間性。就空間言，大家只注意到國與國之間的問題；但研究一國的歷史多不大注意本國內的區域問題。此在小國猶可，但在中國這樣大的國家就必須注意區域問題。[10]

嚴先生指出，歷史各方面有縱的連貫性，這是時間問題；也有橫的聯繫性，這是空間問題。研究歷史，人多注意縱的時間而忽略橫的空間。因此，嚴先生特別在空間方面強調：我們不要只注意國與國之間的問題，更須注意本國內各區域的問題，中國幅員廣大，更應如此。

為了要讓讀者有具體的印象，嚴先生更現身說法，以自己的唐代交通研究為例：

> 研究斷代史，必須注意各個地區的情況，纔能真正算是這一時代的全史，而各地區關係的聯繫就涉及交通問題。各種專

10 見《嚴耕望史學論文集》下冊，2009年10月上海古籍出版社（上海），頁1487。

> 史，各個地區也不一樣，必須注意各地區實際情形及其相互間的交流與影響，這種交流與影響，也藉交通發生作用。所以交通對各方面都有聯繫的作用，交通可說是歷史研究的樞紐問題之一。……所以我研究歷史地理，特別注意交通問題……。[11]

這是說，研究唐代各地區的交通，就是要了解唐代各地區的實際情況及其相互的交流與影響。交通，對唐代各地區有橫的聯繫作用，了解這種聯繫，就可對唐代區域的情況有較清晰的印象。

由於《唐代交通圖考》集中於空間的考察和析論，所以嚴先生在《圖考・序言》並沒有多提時間方面的意見。不過，他在談到自己的治史經驗時，則不忘提示我們要注意歷史的時間和空間。他鄭重指出：研究問題，搜集證據，在腦中要時時記住縱的時間與橫的空間，即時序年代與地理區域；時代、地域不同，只能比較參考，不能混為一談[12]。雖說研究歷史要注意時間是「人人所深知的」，但忽略的人仍然不少，甚至賢者不免。例如清代著名學者章學誠（1738-1801）批評范曄（398-445）《後漢書》敘事牴牾，並舉虞詡、傅燮兩《傳》為例，就因為忽略了敘事時間的先後，以致出現誤評的情況。章氏之誤，我在《後漢書虞傅兩傳敘事牴牾考》一文中已有辨析[13]，這裏就不詳論了。

11 見同上，頁1487-1488。

12 參閱嚴耕望《治史經驗談》第一章「原則性的基本方法」，《怎樣學歷史——嚴耕望的治史三書》，頁28。

13 參閱李學銘《東漢史事述論叢稿》，2013年7月萬卷樓圖書公司（臺北），頁121-128。

（四）史料是基礎

嚴先生在《佛藏中之世俗史料》一文的開篇就說：

> 研究歷史，無論採取甚麼方法，都要以史料為基礎；不能充分掌握史料，再好的方法，都不能取得真實的成果。[14]

嚴先生於是以佛藏為例，指出其中史料極為豐富，對中古史的研究幫助極大。例如魏晉南北朝時代，除兩史八書外，其他史料可說寥寥無幾，研究政事政制的人，尚可憑正史得到可觀成果，但在其他有些方面就諸多困難，而這一時代的佛家書籍卻不少，若摒而不用，自是一大損失[15]。據嚴先生的考察，佛家書籍中的史料，竟廣及政治、外交、人口、產業生計、交通與都市、商業、社會生活與禮俗、道教、人物品題、魔術雜技、癘疾藥物、古書輯佚、聲樂唱導、稽胡地理分布、大地球形說等方面[16]。

佛家書籍只是其中的一例。除了佛家書籍，治史者更應循多途徑去搜尋、掌握史料，同時也不能忽略正史的脫譌。能夠這樣，才可使歷史研究有廣博堅實的史料基礎，只有在這種基礎上所取得的研究成果，才是真實而可靠的。下面試進一步引述嚴先生的意見並說明：

1 筆記小說

嚴先生的史學論著，大多有極豐富的史料作為述論的基礎，這是人所共知的事。例如《唐人習業山林寺院之風尚》一文，嚴先生所掌

14 見《嚴耕望史學論文集》下冊，頁1004。

15 參閱同上，頁1032。

16 參閱同上，頁1004-1032。

握的史料，除正史外，更廣涉《全唐詩》、《全唐文》、佛教書籍、敦煌文書、詩話，以至筆記小說等等。嚴先生在這篇論文的「附記」中說：

> 本文取材，頗多唐五代筆記小說家言。此類記事或不無失實之處；然本文主旨不在考證個別事項之準確性，而在闡明當時社會之一般風尚。稗官所記容有失實，然仍足反映當時社會風氣，此無可否認者，故取之不礙。[17]

嚴先生同意，筆記小說家言的「記事或不無失實」，但只要不是用來考證個別事項的準確性，而足以反映當時社會的一般風尚，則筆記小說仍可「取之不礙」。試略作檢視，嚴先生在討論唐人習業山林寺院的風尚時，引用的筆記小說就有不少，如：《摭言》、《雲溪友議》、《唐才子傳》、《太平廣記》、《北夢瑣言》、《南部新書》、《酉陽雜俎》、《雲笈七籤》、《唐語林》、《雅言雜載》等等[18]。他的引述，的確為自己研究的論題，提供了不少有用的輔佐史料。

2　石刻史料

一九六六年，嚴先生曾為新亞研究所的學生講授有關「史料」的課題，內容重在「考古器物」與「石刻文字」，並涉及佛藏、本草、方志、族譜、小說各方面，目的在促使研究生於一般史料外能擴大眼界於其他方面。而於石刻史料應用的重要，嚴先生更表達了很大的關心[19]。他在《石刻史料叢書·序》中說：

---

17 見同上，頁931。

18 參閱同上，頁886-931。

19 參閱嚴耕望《石刻史料叢書·序》，同上，頁1331。

> 民國以來，金文考史大行於時；誠以先秦史料闕略殊甚，治古史者有待取證於鼎彝銘文也。然於石刻史料之應用，則殊寥落。……然石刻內容實極繁富，儒佛道經、公文、章約、盟誓、圖繪、界至、醫方、書目、詩文、行狀、題記、紀功，以及各種興建之紀事等等，悉有之。若以今日之史學領域言，秦漢以降，諸凡政治、經濟、宗教、學術各方面之研求，亦莫不可取資於石刻，固不限於邊疆民族之文字與史事也！[20]

在同一篇《序》中，嚴先生又說：

> 以上所論皆就石刻內容所表現之史料而言也。至若石刻本身即為最寶貴最可信之藝術史料，研治中古繪畫、書法、雕刻之藝術，捨石刻外，可用之資料當無多矣！[21]

正因為有這樣的認識，所以嚴先生在一九六四年已向臺灣藝文印書館的主事人嚴一萍建議出版《石刻史料叢書》，並為《叢書》擬訂目錄[22]；稍後嚴先生更為《叢書》撰寫序文，扼要說明石刻史料的繁富和價值。現代治史的學者，能認識石刻史料的重要，並應用石刻史料作為論據，為歷史研究開出新路，實有賴嚴先生的倡導和《石刻史料叢書》的出版。

3　正史脫譌

研究歷史的人，一般都會以正史為基本史料，然後再去考尋正史

---

20 見同上，頁1328-1329。

21 見同上，頁1331。

22 參閱同上。

以外的典籍和其他資料。不過正史的記述，有真有偽，有可信有不可信，其中或有人存心造假，或對文獻資料誤讀，或所據史料有誤，因此在引用時，必須仔細審定考核，這當然是複雜、艱巨的工作。相對來說，正史中文字語句的脫譌，就似乎較為簡單，但仍不可輕忽，因為一些脫譌，可能會誤導我們對人對事的論斷。嚴先生在《正史脫譌小記》一文中說：

> 正史部數甚多，卷帙浩繁，傳世既久，頗多脫誤。……我無意校訂古籍，但在研究中古政治制度與人文地理之過程中，往往發現古籍傳刻致誤之處頗多。三十年餘前撰《唐僕尚書丞郎表》，發現《舊唐書》之誤書或傳刻脫譌者約近六百條，《唐會要》、《新唐書》及《通鑑》等亦各有若干條……故友嚴一萍檢示拙作《梁書盧陵王續傳脫譌》一短札……意在引發我對於校訂古籍之興趣……乃就往往所發現隋代以前諸正史之傳刻脫譌處綴合為此文，共凡六十條，聊備他日重校正史者之採擇。[23]

嚴先生的舉述，可見隋以前諸正史、兩《唐書》以至《唐會要》、《通鑑》脫譌的嚴重。

嚴先生又說：

> 今應青年學人美意，選刊拙作，爰就舊稿刪去十條，而選取《舊唐書本紀拾誤》八條，並另撰《舊唐書德宗紀》建中元年戶數脫文一條、《新唐書地理志》戶口數字脫譌一條若干

23 見《嚴耕望史學論文集》下冊，頁1178。

> 事，都計仍為六十條，俾青年讀者略窺正史奪譌之面目，提高警覺，喚起戒心，期能儘量避免為古史脫譌所誤導耳！[24]

嚴先生自言撰述《正史脫譌小記》的目的，在使後學認識正史脫譌的面目，並知提高警覺，喚起戒心，以免為正史的字句脫譌所誤導。嚴先生在文中所校訂脫譌的正史，包括：《史記》、《漢書》、《三國志》、《晉書》、《宋書》、《南齊書》、《梁書》、《陳書》、《魏書》、《北齊書》、《周書》、《隋書》、《北史》、《舊唐書》、《新唐書》[25]。以此為例，我們對唐以後各代正史的脫譌，在引用時，又怎能掉以輕心，不記取嚴先生的提示？

4　《通鑑》的史料價值與局限

六十年代我在香港中文大學文科研究院進修時，論文導師之一是嚴耕望先生（另一位導師是牟潤孫先生，1908-1988）。我記得嚴先生最初對我的教導是：研究東漢史，不要只讀范曄（398-445）《後漢書》和諸家有關東漢的史籍，還要讀《史記》、《漢書》、《三國志》；此外，更要先讀《資治通鑑》有關漢史部分的記事。為甚麼要先讀《通鑑》？嚴先生當時沒有進一步說明，我也沒有提問，其實他在《中國中古史入門書目》這篇短文中，已有簡要的說明：

> 司馬光《資治通鑑》：此為中古時代一部最完善的政治通史，歷代興亡利弊得失，都經精心剪裁綜述。治中古史者，可先仔細研讀此書，對於中古史事自能有個基本認識。[26]

---

24 見同上，頁1178-1179。

25 參閱同上，頁1179-1209。

26 見同上，頁1345。

嚴先生囑咐我要先讀《通鑑》的原因，上述文字，可算是個言簡意賅的答案。

嚴先生重視史料，對《通鑑》的史料價值，他在《資治通鑑的史料價值》一文中就有具體的述說：

> 若從史料觀點言，可依時代先後分為戰國秦漢、魏晉南北朝與隋唐五代三個時段。戰國秦漢時代，所據史料，除正史之外或許不多，故史料價值可能不高（此待進一步認識）；魏晉南北朝時代，所採正史以外之史料已很不少；隋唐五代時期，所採正史以外之史料極為豐富；而被採錄之原書絕大多數都已失傳，僅能在《通鑑》中留其內容之蹤跡，故《通鑑》之史料價值乃不得不大為提高。[27]

嚴先生指出，《通鑑》中的魏晉南北朝、隋唐五代時期所採正史以外的史料，後者「極為豐富」，前者也「很不少」；相對而言，戰國秦漢時期所據史料，除正史外「或許不多」，因此「史料價值可能不高」。嚴先生是位矜慎的學者，他在文中既用了「或許」和「可能」的措詞，又附註云「此待進一步認識」。可以推想，嚴先生所謂「史料價值可能不高」，只是與魏晉南北朝和隋唐五代這兩個時期比較而言。要是專就戰國秦漢來說，《通鑑》所據正史以外的史料，到了後來，有不少已經湮沒難尋，因此這個時期的歷史記述，仍有正史以外的史料價值，可供治史者參考。據崔萬秋《通鑑研究》列舉《通鑑》所用史料書目，除今存正史外，凡二百數十種，其中包括各朝實錄及各種雜書；張須的《通鑑學》，考出《通鑑》引用的書目就更多；而且，

27 見同上，頁1163。

引用之外，《通鑑》的編撰者應還參考了不少資料，書目之數，就更難估計了。可見《通鑑》採集史料的繁富[28]。此外，嚴先生又多舉實例，指出「《通鑑》之文遠詳於正史而當別出於已失傳之更原始史料者」。除了《通鑑》本文的史料價值，嚴先生又提到《通鑑考異》和胡三省（1230-1302）的註也要留意，因為其中也保存了不少重要而有用的史料[29]。

不過，嚴先生在充分肯定《通鑑》史料價值的同時，還不忘向後學提示：

> 《通鑑》史料豐富，考證著墨亦極謹嚴。然改編前人陳篇，且加濃縮，照例不免有誤解誤書處。溫公修《通鑑》，亦不免有此毛病。故利用《通鑑》史料，亦當時加警惕。若其所採之原書尚見行於世者，最好隨時取與比勘，免為《通鑑》改編之文所誤導。[30]

在上述提示後，嚴先生跟著舉了好幾個例子，證明「《通鑑》作者因誤讀正史而作出錯誤之編錄」[31]。從史料價值看，《通鑑》到底是由編寫或改寫原始史料而成的史籍，如果所載與尚見行於世的原書（包括正史）相同或非常相近，就不適宜視為第一手史料。除非載述的內容

---

28 參閱同上，頁1163-1164。又參閱崔萬秋《通鑑研究》中之「通鑑之藍本參考資料」一節，1965年2月臺灣商務印書館（臺北），頁38-62。按：張須《通鑑學》一書，根據《通鑑》及《通鑑考異》所引書列成目錄，分為十類，總計凡三百零一種，較崔書所列為多。不過張書所列，仍有錯誤及遺漏，但已足可證明《通鑑》所據史料的繁富。參閱張須《通鑑學》，1958年9月臺灣開明書店（臺北），頁45-85。

29 參閱《嚴耕望史學論文集》下冊，頁1175。

30 參閱同上，頁1169。

31 參閱同上，頁1169-1175。

或語句與原書有差異，而這些差異可供辨析或討論，這就需要治史者作「考史尋源」和「比勘」的工作。總之，《通鑑》的史料價值很高，治史者應善加利用，但它也有局限和譌誤。嚴先生對我們的提示已很清楚了。

還須補充說明的是，《通鑑》以「資治」為目的，讀者對象是君主和大臣，因此史料去取和行文措詞，往往有既定的立場和取向。通過它的載述，有助於我們了解司馬光的撰作用心，但也的確影響了它的史料價值。嚴先生在這方面沒有顯著的評論或說明，但我相信他大抵也會認同這樣的看法。

三　史學論著的撰作

從事史學以至其他學術範圍的研究，總得要有論著的撰作和發表，否則研究工作不算完成，而研究成果也難以為人所知。嚴耕望先生長期從事歷史研究，也不斷有長篇短篇的論著發表，所以他對論著撰作的種種問題，常表露關注之情。所謂論著，既包括較短篇的論文，也包括較長篇的大著作。下面試就兩項說明他的意見：

（一）述證與辯證

凡屬學術論著，都會涉及問題的論證。只「述」而不「論證」的撰作，固難以稱為真正的學術論著，只「述論」而不提供足夠的論據為證，恐怕也不足稱為良好的學術論著。關於如何撰作史學的「論證文字」，嚴先生在《我撰唐代交通圖考的動機與經驗》一文中說：

> 我常說論證文字，有述證與辯證兩類。述證文章的寫作比較容易，主要工作在搜集資料，資料準備好了，排比材料

> 即可成文，較為省事，但述證文的寫作實際上等於較高級的編輯工作，在論文寫作上，是比較低層次的；辯證性的論文，纔是比較高層次的論文，在寫作技術上，寫作過程上，比較難得多。但純辯證性的論著只限於較短的論文，長不過幾萬字，大著作大都是參合兩種性格的論著，而述證的分量總比較多。[32]

看來嚴先生評價較高的，是辯證性的論著，而不是述證性論著，雖然他也指出，篇幅較大的大著作，大都兼有述證與辯證的性格，而述證的分量總是比較多。他跟著以《唐代交通圖考》為例，說明自己的撰作過程和經驗：

> 我這部書有些處是述證性的，有些處是辯證性的，遇到……種種困難情形，就必須用辯證方式來解決，運用縝密思考，在繁雜中尋出頭緒，在衝突中辨其是非……化衝突為融合，在不合理中說明其何以不合理，有錯誤，甚至要說明其錯誤之故……尋查相關史料，大多要憑聯想力，有時也利用工具書。[33]

上述解決問題的辯證方式，就是所謂「無孔不入，有縫必彌」。我們試細讀嚴先生的各種論著，就可時時看到他這方面的辯證表現[34]。

除了歷史地理，嚴先生在政制史方面的論著，也採用述證和辯證

32 見同上，頁1491-1492。

33 見同上，頁1492。

34 參閱嚴耕望《治史答問》之十三，《怎樣學歷史——嚴耕望的治史三書》，頁167-179。

的方式來解決問題。余英時先生在一篇悼念嚴先生的文章這樣說：

> 以《中國地方行政制度史》而言……表面上看來以為一種概括式的專史。但認真的讀者一定會發現，書中每一章每一節都有精密考證的創獲。不過他所做的是地毯式的全面考證，而不像多數考證那樣，衹是蜻蜓點水式的。全面考證必須建立在兩個先決條件之上：第一、事前有周密的通盤計畫；第二、從計畫到執行需要長時期的持續努力。[35]

文中所謂「考證」，照嚴先生的說法，就是「論證」。「論證」有述證和辯證兩種。余先生認為書中每一章每一節都有精密考證的創獲，由於篇幅較大，創獲頗多，可以肯定，其中應有不少考證，是用了辯證方式來解決問題的。至於事前有周密的通盤計畫，執行計畫時能長久堅持、努力，那確是嚴先生慣常對待大型研究工作的態度，在史學界已早為人所知了。

嚴先生似無意要求人人都去撰寫純辯證性的論著，但他自己的撰作，則根據需要，大多參合述證和辯證的方式。我們或可這樣推想：嚴先生對後學的期望，是儘量多寫些參合述證和辯證成分的論著，如有可能，也可試寫難度較大的純辯證論著。層次較低的純述證論著，也可以寫，但不宜多寫，更不宜全部論著都這樣寫。

（二）治史不必輕文

嚴先生在《治史答問》中，有這樣的設問：

---

35 見余英時《中國史學界的樸實楷模——敬悼嚴耕望學長》，《充實而有光輝——嚴耕望先生紀念集》，1997年12月稻鄉出版社（臺北），頁40。

> 研究中國歷史，先從中文方面入手，或者先進中文系，打好中文基礎如何？[36]

嚴先生的答案是：

> 中國語文為治中國史的一項基本條件，因為治史必須有看得懂古書的能力，又要有寫作表達的能力，所以研究歷史的人必須要有適當的中文程度，這是毫無疑問的。但專從中文入手，卻有毛病。……中途轉到歷史園地中來，他的史學基礎既薄弱，對於史學有關的各種社會科學並無一點概念。[37]

這個答案，平實易明。哪有研究中國歷史，必「專從中文入手」？當然更不必「先進中文系」。所以《治史答問》這一則的標目是：「研究中國歷史不必要從中文入手」。「不必要」，似不能也不應解讀為「必須不要」。強調「中國語文為治中國史的一項基本條件」的嚴先生，又怎會輕忽中文？他顧慮的，是中文系學生的史學基礎。據我所知，在五、六十年代的香港，大專院校多設文史系，即使後來有中文系和歷史系的分別，中文系的學生大多兼修中文、中史，甚至有修讀較多中史課程的。至於往日以至今天的香港大學，無論稱中文系或中文學院，都把中史課程包納在課程內。可以說，即使是中文系的學生，似乎甚少有人「專從中文入手」的問題。再說，有志專研中國古今文學的中文系學生，大抵也不會突然轉而專治中史；而有興趣治中史的中文系學生，大抵也會爭取機會，多選修中史或多研讀中史的著作，然

36 見嚴耕望《怎樣學歷史——嚴耕望的治史三書》，《嚴耕望史學論文集》，頁160。

37 見同上，頁160-161。

後才轉而專治中史，因此史學基礎一般不太薄弱，對各種社會科學概念也不會全無概念。

有人根據嚴先生在《治史答問》中的答案，因而推論嚴先生主張對中國文學有濃厚興趣的人不要研治中史，也不鼓勵中文系的學生研治中史，因為嚴先生舉姓錢的同門好友為例，指出「他以中文見長來讀歷史系，在大學中也特嗜中文系的課。他文章寫得好，治史也很努力，但終於不能有所發展」。其實嚴先生的好友之所以在中史發展不如理想，正如錢賓四先生所評，主要是「個性執著，程度雖好，但很難發展開」[38]。除了個性會影響學術取向和研究態度，我以為社會環境、工作環境和學術環境，有時也會限制或影響了一個人的研究發展。我這樣說，並無意與嚴先生的意見立異，因為我完全同意他的「慎戒執著」[39]之說。「執著」，表示過分執泥於某一或某些事物而不超脫，這就不能沒有所蔽。同樣的理由，如果研治中史的人，由一開始以至後來都只知中史、執著於中史的種種而不知或不理其他，我相信嚴先生也是不同意的。嚴先生屢次強調治史「既要專精，也要博通」[40]，論著取材、參考所及，更廣至史籍以外多方面資料，包括文學總集、個人詩文集、筆記小說等等，就可以作為證明。

嚴先生一生全心奉獻於史學，那不用多說。上面引文提到他認為治中史的人「必須要有適當的中文程度」，包括「看得懂古書的能

38 參閱嚴耕望《錢穆賓四先生與我》，《怎樣學歷史——嚴耕望的治史三書》，頁273。又《治史經驗談》也有類似記述，參閱同上，頁123-124。錢賓四先生評錢樹棠「很難發展開」，我以為主要指歷史研究特別是歷史地理方面的研究。錢樹棠的學問表現包括文字學、訓詁學、史學、古典文學等方面，尤其是《楚辭》研究，他有《離騷四繹》和《九歌析論》的出版，據說頗為學界所推許。因此，他的歷史地理研究，未能專注，自難與嚴耕望先生有相匹的表現。

39 語見嚴耕望《治史經驗談》，同上，頁123。

40 語見嚴耕望《錢穆賓四先生與我》，同上，頁292。

力」和「寫作表達的能力」，這就是所謂「適當的中文程度」。有這樣想法的人，怎會不留意自己的中文？嚴先生在談及影響自己一生最深的五本書時，提到《史記》：

> 此書不但使我對於中國古代文化有了基本認識，並且啟示我，研究歷史應該關顧到社會各層面，附帶的，也影響我寫論文時特別注意章法與前後線索，因為我初讀此書時，以《史記論文》為讀本。[41]

《史記論文》是一部從文章撰作角度去評點《史記》的書。嚴先生通過《史記論文》的提點，進而特別注意論文撰作的章法與前後線索，可見他很重視論文的組織和表達方式，這是對寫作技巧的講究。

嚴先生在《中古時代幾部重要地理書》一文中又說：

> 我開始對《水經注》有興趣，是在大學時代，當時也不是由歷史的觀點來看這本書，最主要的目的是想看他的寫景文，而且我個人一向對遊記很有興趣，看完後果然收穫很大。《水經注》的寫景文實在美，而且簡要，他最長的一段寫景文是寫三峽，也只有一百五十餘字，其他的都很短，有的甚至只有幾個字就把當地風景描寫得很傳神，境界很高，真是不世美文。我想柳宗元的寫景文是遠不如他的。[42]

---

41 見嚴耕望《中國古史入門書目》附錄：《影響我一生最深的五本書》，《嚴耕望史學論文集》下冊，頁1348。《史記論文》一書，清人吳見思評點《史記》之作，其中既有閱讀方法的說明，也有文學藝術方面的提示。

42 見同上，頁1541。

一向對遊記很有興趣的嚴先生，在大學時代就去讀酈道元（469？-527）的《水經注》，讀的角度不是歷史而是寫景。他稱《水經注》為「不世美文」，並與他讀過的柳宗元（773-819）寫景文比較，可知他的閱讀範圍，已由《水經注》推廣至柳宗元的寫景文，甚至可能會再推廣至其他作者的遊記文章，才會作出有關比較的言論。再根據嚴先生自述，知道他晚年常與錢賓四先生談詩論文，又愛誦讀王維（701？-761）詩和杜甫（712-776）詩，而他自字為「歸田」，就取意自陶淵明（365-427）的《歸園田居》詩[43]。如果嚴先生對文學不感興趣，或對中文重視得不夠，大抵不會有這樣的表現。

嚴先生的史學論著，向以樸實、充實見稱，只要細讀過他的論著，應可看到他其實很講究篇章組織和材料安排，行文用字雖不講求華美，但下筆嚴謹、矜慎、潔要，應該是一位很重視寫作表達的史學家。在《治史經驗談》的「論文撰寫與改訂」一節中，嚴先生對自己的撰作要求和經驗有頗詳細的說明，這裏就不必再多費功夫轉述了[44]。

四　結語

嚴耕望先生為人與治史的風格，我以為或可用樸實、充實、堅實、平實來概括。他的同門兼好友余英時先生則用了「中國史學界的樸實楷模」來形容他和表揚他[45]。在「樸實」以外增加六字，不過表示對余說的呼應和強調。嚴先生上課時，曾向同學提示：論史、論人、

43 參閱嚴耕望《錢穆賓四先生與我》，《怎樣學歷史——嚴耕望的治史三書》，頁291-292及299。

44 參閱嚴耕望《治史經驗談》，同上，頁92-96。

45 參閱余英時《中國史學界的樸實楷模——敬悼嚴耕望學長》，《怎樣學歷史——嚴耕望的治史三書》附錄，頁327-335。

論事，不要輕下概括語，因為概括時總有不周全、不準確的地方[46]。我用了八個字來概括嚴先生的為人與治史風格，已試作較周至的考慮，仍不免有違師教，但為了論說的方便，也只好如此。

嚴先生的治史之說，我相信也可以用這八個字來形容。他的治史之說，主要已詳細而清晰地見於《治史經驗談》和《治史答問》。因此我們要考尋嚴先生治史之說的論據，除了上述兩書外，似乎不必再去東翻西檢罷？不過根據閱讀的印象，嚴先生的史學論著，有時總會出現些治史之說，有的是散句，有的是語段，部分內容，或已見於《經驗談》和《答問》，也有些不明顯見於這兩書的。無論怎樣，這些治史意見都不是成系統的述說，需要我們從中勾稽、整理、探析；有時為了印證或補充，也得要對《經驗談》和《答問》的內容，稍作引述。

本文試圖整合嚴先生散見各篇或各書的治史之說，使略成系統，在解說時，或許會有些偏差或不足，這就不免會招來「以蠡測海」的譏諷，而自己也不敢逃避這樣的譏諷，因此在擬定本文題目時，用了「蠡探」兩字。「探」有「探尋」、「探微」、「探析」等用意。所探主要在：從《經驗談》、《答問》兩書以外的論著，探尋嚴先生治史之說；根據字面之說，作稍進一層的解說或補充；探析不大顯著或較少人留意的治史意見，使不被忽略；偶然也會作言外之意或未盡之意的解讀或引伸。以上種種探述或析論，如與嚴先生所主張的原意有出入，那當然要由我來承擔責任。

——原載《中國古代政治制度與歷史地理——嚴耕望先生百齡紀念論文集》，齊魯書社（2019年12月）

46 嚴耕望《治史經驗談》第一節「原則性的基本方法」之六中，有「慎作概括性的結論」一目，說過類似意見。參閱同上，頁27。

孫國棟先生的治史宗旨與文化情懷

一　前言

孫國棟先生（1922-2013），字慕稼，抗戰時就讀於重慶國立政治大學，並曾響應抗日從軍，一九四九年來港。一九五五年，孫先生入讀由錢穆賓四先生（1895-1990）創辦及任所長的新亞研究所，當時研究所的教務長是張葆恆先生（1904-1970），導師則有唐君毅先生（1909-1978）和牟潤孫先生（1908-1988）。一九五七年，孫先生在錢先生指導下完成論文《唐代三省制之發展研究》，是新亞研究所的首屆畢業生。孫先生畢業後，即任教於香港中文大學成立前後的新亞書院；任教期中，又獲香港大學博士學位，並歷任新亞書院及香港中文大學歷史系系主任、新亞書院文學院院長、新亞研究所所長等職位，直至退休。

孫先生治史以唐宋史為範圍，而又以唐代政治制度史為主。同時，他大半生致力於守護錢先生及諸先賢創辦新亞書院和新亞研究所的宗旨，並不斷以闡揚中國歷史文化的真精神為己任。本文內容，主要從治史宗旨和文化情懷兩方面，論述孫先生的治史表現。

或可一提，在孫先生筆下，凡涉及「中國文化」時，有時會是「歷史文化」，有時會是「文化」，為免枝蔓，我在行文時不一定會一一說明。

二　治史宗旨

談孫國棟先生的治史宗旨，須了解他所秉承的師教和精神。他的師教主要來自錢賓四先生，他的精神以錢先生所提倡的「新亞精神」為中心。孫先生告訴我們，錢先生以「九十六年的生命，刻刻不忘中國歷史文化，時時以闡揚中國歷史文化之真精神為己任」[1]。至於所謂「新亞精神」，並不是自立門戶，以本不存在的門戶為門戶，而是鼓勵中國的知識分子，以愛敬之情，奮進不懈，去研治、弘揚中國歷史文化，並以為學做人融通合一為人生目標[2]。

下面有關孫先生治史宗旨的述說，大抵是依據上述意見而引伸或討論。

（一）闡揚中國歷史文化精神

孫國棟先生在追念錢賓四先生時指出，古今中外的學術巨人，大多致力於純學術研究，而於國家的存亡、文化的興衰，未必特別留意。錢先生雖也致力於純學術研究，但心意所在，卻不離國族的興衰與學脈即文化的絕續[3]。孫先生這樣說：

> 近八十年來我國學術界瀰漫一種反傳統的風氣，誤認中國社會所沉積的糟粕即為中國文化的傳統，於是拋棄之惟恐不速。賓四師獨拔乎流俗，撥開中國歷史表層的塵垢，抉發中國傳統文

1　參閱孫國棟《追念錢賓四吾師》，《生命的足跡》，2006年4月商務印書館（香港），頁40。

2　參閱拙文《現代國學界的通儒錢賓四先生》，香港中文大學歷史系編《扎根史學五十年》，2016年7月三聯書店（香港），頁32-34。

3　參閱孫國棟《追念錢賓四吾師》，《生命的足跡》，頁40。

> 化內在的真精神，提升中國人的文化意識，喚起我國人對文化的新醒覺，尋墜緒之茫茫，挽狂瀾之既倒，使中國文化在全球文化中重新定位，為中國文化創發新機運。[4]

所謂「撥開」歷史的「塵垢」，「抉發」中國傳統文化「內在的真精神」，就是要通過中國歷史文化精神的闡揚，來「喚起」國人對自己國族歷史文化的「新醒覺」。

在同一篇文章中，孫先生特別提到：

> （賓四師）九十六歲近去世之前寫最後一篇《中國文化對人類未來可有的貢獻》一文，指出「天人合一觀是整個中國傳統文化思想的歸宿處」，「是中國文化對人類最大的貢獻」。賓四師以前曾多次提「天人合一」一觀念，但九十六歲時更有新體悟，念茲在茲，叮嚀至再。他九十六年的生命，刻刻不忘中國歷史文化，時時以闡揚中國歷史文化之真精神為己任，真是一個「莊嚴的生命」！[5]

孫先生稱譽錢先生的生命是「莊嚴的生命」，「時時以闡揚中國歷史文化之真精神為已任」，可以說，這就是孫先生的治史宗旨之一。

至於所謂「中國歷史文化之真精神」，即中國傳統文化的「內在精神」，換個說法，就是「人文精神」。孫先生對「人文精神」的解說是：

> 中國文化常被稱為重「人文精神」的文化。……一種溫情的善行可以說是人文精神的表現，但僅此一點，未足以說明中國

4 見同上。

5 見同上。

> 「人文精神」的義蘊。……由個人的意志與生機、德性與慧力而創建合乎人道、充滿溫情的文化，才是中國「人文精神」的義蘊。[6]

孫先生遵從師教，他大半生的教學、研究取向，以至著述的表現，大多以闡揚中國歷史文化的真精神為宗旨，也就是以闡揚中國「人文精神」的義蘊為宗旨。

（二）溫情與敬意

讀過錢賓四先生《國史大綱》的人，大抵都會留意《引論》之前的提示：

> 自稱知識在水平線以上之國民，對其本國已往歷史，應略有所知……尤必隨附一種對其本國已往之歷史之溫情與敬意。[7]

所謂「本國之歷史」，實包含文化在內。錢先生以「溫情與敬意」提示《國史大綱》的讀者，而他自己也正是滿懷「溫情與敬意」，來研治自己國族的歷史文化和撰寫有關著作。

孫國棟先生非常同意錢先生這個主張，而且身體力行。他痛斥柏楊的著作，就是基於對中國歷史文化的愛護和尊重。他說：

> 柏楊先生著作的《醜陋的中國人》和《中國人，你受了甚麼詛咒》……認為中華民族是一個充滿罪惡的民族、中國歷史是一

---

6 見孫國棟《中國人文精神的開展及其衍生的問題》，《慕稼軒文存》第二集，第一部「文化與歷史」，2008年8月科華圖書出版公司（香港），頁28-29。

7 見錢穆《國史大綱》上冊扉頁後，1964年10月國立編譯館（臺北），頁1。

> 部黑暗的歷史、中國文化是一種墮落的害人的文化、中國人是不光榮的狡獪的動物。他主張將中國「五千年傳統文化作徹底的揚棄」，另創一新文化。……他不明白文化可以調整改進而不可以完全割斷然後求再生；他不瞭解民族與文化的血肉相連的關係；他不知道文化有自生自主的性格；他不認識民族文化必包含該民族賴以生存的力量；他不懂得中國文化是中國民族所以能屹立五千年的支柱；他不明白各民族文化都在吸收新養料，同時這些新養料必須經過文化生命消化吸收後再生長出來才能發榮滋長。[8]

有人以絕大偏見，刻意貶抑、鄙棄自己國族的歷史文化，孫先生感到痛心疾首，不惜以排句斥他「不明白」、「不瞭解」、「不知道」、「不認識」、「不懂得」……。跟著，孫先生強調：

> 今日，我們要的是反思，不是詛咒；是檢討，不是辱罵。世上不會有要求自毀其文化的民族，除非是一個自甘滅亡的民族！[9]

孫先生對中國歷史文化的愛護和尊重，可說情見乎辭。有這樣強烈的愛護之心和尊重心，就顯得他對自己國族的歷史文化，懷有無比的溫情與敬意。

學長羅球慶先生與孫先生是新亞研究所同屆畢業（1957）的同學，他在《敬悼孫國棟兄》一文中說：

> 錢（賓四）師在（《國史大綱》）書端告讀者，請必須對其本國

8 見孫國棟《我對文化的幾點瞭解》，《慕稼軒文存》第二集，頁13。

9 見同上。

> 已往歷史有一溫情與敬意，此語現常為新亞師生所引用，成為學習國史的格言。我們研究歷史，必先對國家民族文化有充分的尊重與愛護，斷不能鄙棄其歷史。國棟對《國史大綱》的寓意體會特深，我們由他暮年批判柏楊的文章中可見。[10]

羅先生的意見，應可讓人有理由相信：孫先生的另一治史宗旨，是錢賓四先生所倡言的溫情與敬意。

（三）通史致用

通史致用，是中國史學的傳統。致用，有兩層意思，一是陳古證今，以古為鑑，達到明古知今的目的；一是發揚民族意識，藉以取得古為今用的效果[11]。孫國棟先生治史，向來重視如何「致用」。他在談錢賓四先生的教育理想時，特別提到新亞書院的「學規」。「學規」共二十四條，由錢先生、唐君毅先生、張丕介先生（1904-1970）、吳俊升先生（1901-2000）諸新亞先賢所共同擬訂。「學規」的第一、二條說：

> 一、求學與做人，貴能齊頭並進，更貴能融通合一。
>
> 二、做人的最崇高基礎在求學，求學之最高旨趣在做人。[12]

「學規」一再強調「求學」與「做人」之間有密不可分的關係。所謂

---

10 見追思會籌備委員會編《孫國棟教授追思集》2013年8月香港中文大學歷史系（香港），頁43。

11 拙文《陳援庵先生「通史致用」析論》開篇有較詳細的說明。參閱《讀史懷人存稿》，2014年8月萬卷樓圖書公司（臺北），頁115-116。

12 見《新亞遺鐸》，2004年8月三聯書店（北京），頁1。

「求學與做人」，即顧炎武（1613-1682）在《與人書二十五》所強調的：

> 君子之為學，以明道也，以救世也。[13]

「明道」是理論方面的事，「救世」是實踐方面的事。以治史來說，「通史」是「明道」，「致用」是「救世」，這是對「學」、「行」並重的要求[14]。治史而不懂得「陳古證今」和「古為今用」，就說不上使「求學」和「做人」「融通合一」，即說不上「學」、「行」並重。

綜觀孫先生的著述，無論是長篇或短文，大抵都能貫徹這個宗旨。例如他駁斥柏楊貶抑國史的評論，並糾正柏楊版《資治通鑑》的誤譯，就是以自己的所「學」來「明道」，而再三糾正謬說，就是為了要阻截謬說的流傳和對世人的不良影響，用意在「救世」[15]。又例如他讀到三聯書店出版的《河殤》及有關《河殤》的「解說詞」，自言心情有「難以形容的沉重」[16]，於是撰文嚴正「指出《河殤》許多可議之處」[17]。這是因為《河殤》的作者，把當前種種不合理的情況，都歸罪於中國歷史文化，無異於為當政者文過飾非[18]。

孫先生其他有關文化與歷史的論述，如《慕稼軒文存》第二集所載[19]，以至《慕稼軒文存》初集「感時篇」、「苦難時代的人物」、「看

---

13 顧炎武《日知錄》，黃汝成《日知錄集釋》上冊，2016年12月上海世紀出版公司、上海古籍出版社（上海），目錄前頁2。

14 參閱余英時《儒家傳統，新亞精神——敬悼孫國棟兄》，追思會籌備委員會編《孫國棟教授追思集》，頁40。

15 參閱孫國棟《慕稼軒文存》第二集第二部「評柏楊」，頁241-330。

16 參閱孫國棟《河殤餘談》，《生命的足跡》，頁63。

17 參閱同上，頁86。

18 參閱同上，頁63-86。

19 參閱孫國棟《慕稼軒文存》第二集目錄。

中原大地」、「臺灣政情」、「香港九七前後」各分類標目下的文章[20]，大多是以治史者的所知、所感，來作切近現世的論政、論人、論事，有陳古證今或明古知今的目的。其中有些評論，或許會引起一些見仁見智的討論，但孫先生治史不忘現實，以「通史致用」為宗旨，則是很鮮明的。

三　文化情懷

研究歷史的人，總會涉及一些文化問題的討論，但不一定人人都愛重、維護自己國族的歷史文化，更不會人人都極力闡揚自己國族的歷史文化精神。孫國棟先生無論講課、演講或行事，時時以愛重、維護自己國族的歷史文化為念。在大半生中，他更不遺餘力，通過著述去闡揚自己國族歷史文化的精神。因此，我們固然可根據孫先生講課、演講、行事的情狀。去說明他的文化情懷，但摘取他的著述意見，探析他的撰作用心，也不難了解他的文化情懷。下面試分項說明。

（一）特重文化問題的討論

孫國棟先生向來關懷家國的興衰，並常為承傳、發揚中國文化而盡心盡力[21]。除了史學專書和史學專題論文外，孫先生還寫了許多闡釋、弘揚中國文化的文章，可見他對文化問題的關心。如《生命的足跡》一書「文化生命的延續」這標目下，就有三篇討論文化問題之作：《春秋時代的文化精神》、《河殤餘談》、《珍重珍重——我對新亞校歌的體會》[22]。又如《慕稼軒文存》第二集第一部「文化與歷史」

20 參閱孫國棟《慕稼軒文存》初集目錄，2007年5月科華圖書出版公司（香港）。

21 參閱孫國棟《生命的足跡》一書的封底說明。

22 參閱孫國棟《生命的足跡》，頁50-96。

這標目下，就有六篇討論文化問題的文章：《我對文化的幾點瞭解》、《從錢賓四先生的經學觀念看中國社會學術與政府的關係》、《中國人文精神的開展及其衍生的問題》、《文化、中國文化與新文化運動》、《民族主義與民族文化》、《〈中國文化的烏托邦精神〉讀後——就教於金觀濤先生》[23]。

又在《慕稼軒文存》第二集第二部「評柏楊」這標目下，就有五篇評論柏楊謬誤的篇章，內容雖為糾謬而作，但都與歷史文化問題有關[24]。孫先生的文集內，還有不少文章，內容或多或少涉及文化方面的討論，但因為題目的字面與文化沒有顯著的關聯，所以沒有計算在內。無論怎樣，我們說孫先生非常關注文化問題，特重文化問題的討論，應該是有根據的說法。

孫先生為甚麼會特重文化問題的討論？他這樣說：

> 中國文化延綿五千年，是現存人類文化中最長遠、性格最鮮明的一個自主自發的文化系統。……但是，因為時間長、地域廣、族裔雜，而且地理環境之不齊，自然災難之頻繁，加之朝代興亡，政權起伏……近代政治社會的急劇變化，繼之以中西文化乍然相遇，中國文化未能及時調整，於是顯出許多與時代不相應的弱點。[25]

中國文化源遠流長，時間長、地域廣、族裔雜，加上地理環境、自然災難、朝代興亡、政權起伏、社會變化……以至西方文化衝擊種種因

---

23 參閱孫國棟《慕稼軒文存》第二集，頁11-78。

24 參閱同上，頁241-330。

25 見孫國棟《我對文化的幾點瞭解》，《慕稼軒文存》第二集第一部「文化與歷史」，頁12。

素，於是產生種種問題。這些問題，都與文化有關，都要探討。因此，孫先生認為：

> 中國的知識分子，如果愛護中華民族，應該對中國文化作真誠的反思，認識她的長處而加以珍惜發揚；認識她的短處而加以改造或揚棄；探討她能使我民族長存的因素，亦找出她使我民族今日落在人後的原因。無論她的優點與缺點，長處與短處，我們都應作理性的檢討，不盲目推崇，亦不惡意毀謗，更進一步疏通中外文化，作適當的調整，為中國文化闢創一新境界。[26]

孫先生很愛護中華民族和中國文化，他當然會對自己國族文化的優點和缺點，常作理性而切實的檢討和討論。

（二）強調文化與國族的關係

國族，指國家民族，也就是國家和同屬一國的人民或人群。究竟文化與國族的關係怎樣？孫國棟先生說：

> 文化是人群心靈活動的結晶，人群的活動大體以民族為單元，所以文化可說是民族生命的一種表白。它從民族內心深處流露而出，又回過頭來涵育著民族。所以民族與文化是血肉相連的。[27]

---

26 見同上，頁13。

27 見同上，頁11。

孫先生又說：

> 歷史上既存在各種形態的國家，可見必有一種國家的「實質」藏潛於歷史中。這種「實質」雖然沒有固定形態。但必是具有力量的。我認為這一實質是人群、文化、山川、文物在長期歷史中所凝結而成的有機體，簡而言之就是歷史文化。[28]

歷史上有各種形態的國家，藏潛於國家的「實質」，會影響國家的形態。孫先生認為，這種藏潛的「實質」，就是歷史文化。孫先生筆下的「歷史文化」，就是「文化」。

孫先生還指出，近代歐洲出現的國家，稱為「民族國家」（Nation-state）。所謂民族，正是歷史文化這有機體的「代號」，國家與此相連，然後才有實質內涵。可惜一般政治學者，談到「國家」這個概念時，往往把歷史文化排除在外。流行的說法是國家有四要素：人民、土地、統治組織、主權，或將統治組織和主權併合為一，即所謂三要素：人民、土地、主權[29]。孫先生鄭重說明這種說法有不足：

> 政治學是研究人群生活組織的學問，關於人群生活組織的學問豈能完全忘記了人群的精神內涵……但是現在的社會科學受自然科學的影響，只重視實物而輕精神，所以只重視人民、土地、主權而不重視由歷史文化所涵育出來的人的「共同心靈」。……民族國家，只能從歷史文化產生。[30]

---

28 見孫國棟《論國家——海峽兩岸一國兩國之爭》，《慕稼軒文存》初集，頁86。

29 參閱同上，頁88。

30 見同上，頁88-89。

孫先生認為，國家內涵不能只重視物質的三要素而忽略精神的要素——歷史文化。

不過，有人卻認定中國五千年的歷史文化充滿罪惡，因而主張徹底揚棄[31]。孫先生不以為然，說：

> 民族文化是無法徹底揚棄的。民族文化帶有生命的特質，它不斷接受過去的影響，同時不斷創新；不斷剝落一部分，又不斷增長一部分；不斷在舊的基礎上產生新事物，又不斷在變化中保持其故常。所以民族文化的演進，可以不斷創發和吸收養料來豐富她的內容，決不能徹底揚棄以中斷她的生命。[32]

文化是國家民族的生命，全盤否定，徹底揚棄，等同要中斷她的生命。我們怎能把舊文化「全部割斷然後求再生，正如生命不能於死後求其再生」[33]！因此，孫先生不惜用不少精神、時間，大費筆墨，嚴詞駁斥，強調文化與國族有不可割分的關係。

(三) 竭誠維護中國歷史文化

讀過孫國棟先生的論著，聽過他的講課和發言，就知道他很愛重自己國族的歷史文化，遇到有人惡意攻擊或隨意誣蔑自己國族的歷史文化，他就會挺身而出，義無反顧地嚴詞辨析和駁斥。最能表露孫先生竭誠維護中國歷史文化這一鮮明立場的，是《慕稼軒文存》第二

---

31 參閱孫國棟《就教於柏楊先生——評〈醜陋的中國人〉》，《慕稼軒文存》第二集第二部，頁243。

32 見孫國棟《〈評醜陋的中國人〉引起的風波》，《慕稼軒文存》第二集第二部，頁266。

33 參閱孫國棟《我對文化幾點瞭解》，《慕稼軒文存》第二集第一部，頁11。

集。書的內容包括兩部分：第一部分是「文化與歷史」，第二部分是「評柏楊」。其他如《生命的足跡》、《慕稼軒文存》初集兩書，也有不少篇章，力斥攻擊或誣蔑中國歷史文化的謬論。「闡揚」或「弘揚」，是主動的述論；「維護」，則是被動的撰作。無論是主動或被動，都是為了自己國族的歷史文化，都能顯現孫先生的文化情懷。下面試就孫先生評《河殤》和柏楊的意見，略作說明。

《河殤》的作者，把黃河和長城視為中國文化的代表，而大肆貶抑。在《河殤餘談》的開篇，孫先生即表示，他讀到《河殤》和《河殤解說詞》，又看到《河殤》電視集，心情就有一種「難以形容的沉重」，而且又感到「空虛和失望」。原因是《河殤》的作者，把中國政治上的種種失誤，都「歸咎於中國文化」，而《河殤・序言》更說：「這種文化」，「在今天已經無可挽回地衰落了，崩潰了」[34]。孫先生當然並不同意這樣的判斷語，他指出，《河殤》的作者只知傾慕十九世紀帶有侵略性的西方工業文明，不免落伍，而其實，「『河』未『殤』也，仍請愛之」[35]！他又進一步說：

> 中華民族是一個多元化的、融合的大民族。中國文化也是一種多元的、融合的文化大系統。……中國文化的所以能悠久漫長，必有內在深厚的原因。《河殤》諸作者受一些外國學者的影響，將中國社會的外型與其他亞細亞民族比較，就隨便地將中國文化歷史下結論，而不內在地、主體性地從中國歷史文化精神去了解中國文化，這是非常懶惰的。[36]

---

34 參閱孫國棟《河殤餘談》，《生命的足跡》，頁63及72。

35 參閱同上，頁65-66。

36 見同上，頁72-73。

為了維護中國歷史文化，孫先生全面駁斥《河殤》之說。他一再強調「河」（黃河）既「未殤」，中國的長城「更不表示怯弱與封閉」，也不是「把城內的人民壓向一個權力核心」[37]。孫先生這樣解說：

> 長城的作用不在防守，更不表示怯弱與封閉，而是為中國設定疆域創造中國的體質條件。……它不僅建立中國的體質，同時在精神上亦強化起一個中國。二千年來在此版圖內，以統一為正常，以分裂為不正常，這是長城的重大意義，這點意義，遠遠超過於防守的意義。[38]

孫先生解說長城的作用和意義，可說也是從愛重中國歷史文化的角度來說明，藉以表示維護的心意。

「評柏楊」這部分，內含五篇評論柏楊之說的文章，清楚顯示孫先生維護中國歷史文化的堅定立場。他說：

> 不幸我讀柏楊先生幾篇堂皇的演講及精選的文章，發覺其中對中國文化、歷史人物的批評，大多信口開河，或認知錯誤、或惡意曲解、或斷章取義、或隨意誣蔑，不但不真不誠，而且對中國文化與民族，充滿怨恨之情，使人非常驚異。[39]

孫先生清楚表明，他反駁柏楊《醜陋的中國人》的重心，在柏楊「對中

37 參閱同上，頁75。

38 見同上，頁75-76。

39 見孫國棟《就教於柏楊先生——評〈醜陋的中國人〉》，《慕稼軒文存》第二集第二部，頁242。

國歷史文化不公平的判斷」，在處處「胡言亂語」，「亂談中國文化」[40]！因此，孫先生呼籲：

> 我覺得今日有良心的中國知識分子應該有勇氣承擔中國近代的苦難，有勇氣承擔再創發中國文化的使命，發動一次精神的醒覺，為中國文化之樹除害蟲、刈雜草、剪枯枝，抉發出中國文化的真精神……為中國文化開拓出一新境界。[41]

孫先生在發表維護中國文化的言論之外，更鼓勵有良心的中國知識分子，努力去抉發中國文化的真精神，努力去為中國文化開拓新境界。而孫先生正是不斷努力地去做這樣的事。

（四）關注歷史文化教育

孫國棟先生是史學家，也是歷史教育家，而歷史教育，又不能不涉及文化教育，所以孫先生也是歷史文化教育家。孫先生不但治史有成，自新亞研究所畢業後，他在香港中文大學成立前後的新亞書院和新亞研究所擔任教學、行政職務，長達二十六年[42]，而大部分時間都離不開教學工作，可說與歷史文化教育有密不可分的關係，因而他對中國歷史文化教育的問題，特別關注。這固然是他職分內應做的事，同時也是他的本性，因為他是一位愛國家、愛民族、愛歷史、愛文化的學人。

孫先生在《中國歷史教育的危機》一文的開首說：

---

40 參閱孫國棟《〈評醜陋的中國人〉引起的風波》，《慕稼軒文存》第二集第二部，頁262-263。

41 同見上，頁268。

42 參閱金耀基《敬悼孫國棟先生》，追思會籌備委員會編《孫國棟教授追思集》，頁23。

> 最近報章報道有關中國大陸、香港、臺灣三地的歷史教育情形，頗使人憂慮。[43]

所謂「最近」，指香港主權移交前的時間。他的憂慮，基於以下證據：據北京調查，有許多中學生，竟然不知「五四運動」為何物，可見對中國近、現代史知識的貧乏，「則對中國古代史想必更一無所知」。而香港的民意調查，發現有近半數（49%）的年輕人（主要指初、高中的學生），不肯承認自己是中國人，只承認自己是香港人，「顯示香港對中國史的教育失敗」。而臺北的高中歷史教科書編審委員會更大幅度改寫歷史教科書，採用「以臺灣為圓心向外擴展的『紀事』方式編排」，「顯然是以臺灣史為主軸，將臺灣史獨立於中國史系統之外」，這樣安排，「將必導致臺灣青年加強認同臺灣而淡忘中國」。有論者認為，這或許是本港多年中史教育失敗的後遺症[44]。面對這樣的危機，孫先生情辭懇切，建議大家必須重視含有認識民族、認識文化的歷史教育。他這樣說：

> 歷史的記述是民族生命的寫照，只有透過歷史然後可以認識民族，才可以對民族產生感情。所以歷史知識是凝固民族的基本力量。[45]

為了要強化凝固民族的基本力量，孫先生認為要通過歷史教育，教導年輕人對中華民族有下列基本認識：

---

43 見孫國棟《慕稼軒文存》初集，頁65。

44 參閱同上，頁65-66。近期有不少年輕人紛紛倡言「港獨」，有人認為，這也是本港多年中史教育失敗的後遺症。

45 見同上，頁66。

一、認識中華民族是具有五千年以上歷史的民族，一直延綿至今日。

二、認識中華民族能以寬大和平的精神，融合多種族裔而摶成全球最大的民族。

三、認識中華民族有光輝而豐富的文化內涵：她有無數使人仰慕的人物、她經歷過不少可歌可泣的動人史跡、她有屢遭挫折而能克服艱難繼續向前發展的強韌耐力、她有和平寬厚的文化傳統、她以人道思想為主導精神、她有容納吸收外來文化的博大胸襟。[46]

在三項「認識」中，孫先生對「文化內涵」的述說較詳，顯示他對文化的重視和對歷史文化教育的關心。

孫先生又強調，上述三項「認識」，對我國青年很重要。他說：

當青年有此認識，自然會產生一種願為此民族一分子的自覺。這樣歷史教育才算有成績。[47]

孫先生筆下的「青年」，我以為指的是中學、大學的學生以至已在社會就業的年輕人。孫先生又說：

要取得這種成績，我想，首先要從事歷史教育的人本身具備歷史修養，真正認識「歷史」對凝固民族的重要性，進而領悟中華民族所以比其他民族能源遠流長的原因。[48]

---

46 見同上。這段引文，在不失原意的原則下稍有節略。

47 見同上。

48 見同上。

孫先生的意見是，「有成績」的歷史教育，是使青年對自己國家的民族、文化有真正的認識，並「產生一種願為此民族一分子的自覺」。而從事歷史教育的人，自己既要具備充足的歷史文化修養，也要對凝固民族的重要性，有真正的認識，否則，就不能領悟中華民族所以能源遠流長的原因。孫先生的言論，應可代表他重視歷史教育包括文化教育的拳拳心意，也是他具有文化情懷的切實表現之一。

四　結語

孫國棟先生在《追念錢賓四吾師》一文中曾這樣推許老師：錢先生「刻刻不忘中國歷史文化，時時以闡揚中國歷史文化之真精神為己任」[49]。孫先生又進一步說明：

> 學術界常稱許賓四師為「史學大師」。其實賓四師的學術成就，決不為史學所限……。世人又喜稱賓四師為「國學大師」。賓四師的成就，又不限於中國經、史、子、集四部之學。他所著的《文化學大義》闡述人類文化的發展，已超乎經、史、子、集四部之範圍。……賓四師洵可稱「學術巨人」。[50]

稱錢先生「學術巨人」，是否最恰當？孫先生說：

> 「學術巨人」仍未能盡賓四的人格……賓四師固然致力於純學術，然其心意所在，又不離國族的興衰，與中國學術的絕續，

49 語見孫國棟《悼文三篇》，《生命的足跡》，頁40。

50 見同上。

> 所以賓四師心量之廣大，又超乎「學術巨人」之上，更為歷史文化巨人。[51]

錢先生心量寬綽，容納廣大，但心意所在，總離不開自己國族的歷史文化。「史學大師」、「國學大師」、「學術巨人」的稱謂，誠然不足以概括錢先生的學術表現和成就。孫先生認為應該稱錢先生為「歷史文化巨人」，這該是最恰當、最崇高的表揚，也可見孫先生極度重視中國歷史文化，他的極度重視，當然源自師教。

孫先生在《為中國招魂——追懷錢穆（賓四）師》一文中，又說：

> 中華民族本來是一個重視歷史、具深厚文化意識的民族。不幸自清中葉以後，內憂外患頻仍，國人對民族文化失去信心，以至百年來成為缺乏歷史知識的民族，民族文化亦花果飄零，民族靈魂幾乎墜地以盡。……有一人發憤而起，以挽救民族的靈魂為己任，終其一己，兀兀獨造，致力於尋釋中國歷史的真象，抉發中國文化的真精神。……這位人物，就是史學大師錢穆賓四先生。……他致力於學術八十年……他要探明中國的真歷史，發揚中國文化的真精神，為中華民族招魂，近年國人稍知尊重中國文化，賓四先生必居首功。[52]

孫先生在上文雖稱錢先生為「史學大師」，其實在心中是「歷史文化巨人」。錢先生所招的「魂」，是中華民族的「國魂」。何謂「國魂」？孫先生解釋：

---

51 見同上。

52 見孫國棟《慕稼軒文存》初集，頁123-124。

> 一個長久生存發展的民族，她的文化必蘊含某種合乎正義的優良品質，國人認取這品質，煥發內心的熱情，凝聚成一種力量。這種力量，無以名之，名之曰「國魂」。[53]

簡而言之，「國魂」就是一個國族文化的優良品質，一種力量，也就是國族文化的精神。錢先生大半生傾其全力為中華民族招魂，他的努力，人所共見，他內心的文化情懷，更是人所共知！

孫先生治學有成，他對學術、對中國歷史文化的貢獻，雖仍不足與錢先生比肩，不過他的治史宗旨，他所具有的文化情懷、他對闡揚中國歷史文化真精神的努力，與他的老師錢先生是一脈相承的。而且，他也像錢先生一樣，把他的大半生，都奉獻給中國歷史文化的研究和弘揚了。

本文對孫先生治史宗旨和文化情懷的述論，恐怕未能周備，也可能有偏差，如果有人視為「引玉」之說，也未嘗不可。

——「紀念孫國棟教授暨唐宋史國際學術研討會」發言稿（2017年6月10日）

---

53 見同上，頁123。

本港中國歷史教育面臨的問題與思考

一 前言

許多年前，我曾是本港中學中國歷史科[1]的前線教師，也曾是教育學院中學中史科師資培訓課程的導師。在中學任教時，我曾為中史科課時不足、教材不善、資源貧乏而煩惱，也曾為幫助高中生應付中史科大學入學試而日夜忙碌。當時談不上教學理念、教學設計，而只求在時限內，完成課程和學生考試成績有良好表現。我現時的教學，主要是研究所的史學專題講授，並不涉及中學中史科的教學。這麼說來，我應邀出席今次中學「中國歷史教育學術研討會」，似乎不是最適當的人選。不過，退一步說，遠離實際教學、不受多種壓力、避開「實戰」困擾的人，或許可在少受主觀因素干擾的情況下，提出一些或可參考的意見，供大家思考。賢者「見大」，不賢者「識小」，根據表現，我只能屬於「識小」的人了。

二 中史新課程的頒布與實施

本港教育局於二〇一八年五月二十四日向所有中學發出《通函》，公布中史科及歷史科的《修訂課程大綱》，根據《通函》的內容，我們知道教育當局為配合課程持續發展與更新的需要，課程發展

1 以下「中國歷史」多簡稱為「中史」。

議會於二〇一三年十二月成立初中中史及歷史課程專責委員會（中一至中三）及兩個相關工作小組，檢討現行初中兩史課程，並提供修訂建議。有了修訂課程初稿後，專責委員會經過兩階段的諮詢，將課程進一步優化，又取得四層級會議包括課程發展議會通過，最後宣布《修訂課程大綱》已獲教育局接納，並決定最快於二〇二〇至二〇二一學年在全港中學中一級開始逐步實施，取代一九九七年所公布的現行課程[2]。

新初中中史課程把中史分為九個「歷史時期」，同時把「文化特色」和「香港發展」編入相關中史發展時期的不同課題之內。此外，新課程亦設置選教及延伸課題，為課程提供較靈活架構，以便照顧學生的不同學習需要，並推動他們的自主學習。為了落實中史科新課程在學校的推行，教育當局將會在三個學年（2018-2021）為學校提供相關的學與教資源和一系列教師專業培訓，同時亦會協同專家學者、試教學校為前線教師提供更多專業支援，以便推廣良好的教學實踐[3]。至於新課程的課程宗旨、學習目標、課程架構、時間分配、學習內容等等，則已在初中中史《修訂課程大綱》中列出[4]。

在目前階段，初中中史新課程的實施，已如箭在弦上。因此，當務之急，我們似不必再回顧過往教學的得失、討論課程設計的是非，而是要思考在新課程要求下，本港學校、教師、學生所面臨的種種問題。

---

2 參閱《教育局通函第85/2018號》（2018年5月24日）。

3 參閱同上。

4 參閱《中國歷史科（中一至中三）修訂課程大綱》，2018年5月香港教育局（香港）。

三　本港中史教育面臨的種種問題（一）

（一）「專科專教」問題

根據報道，本港教育團體的代表和許多前線中史科教師，都對「專科專教」有強烈要求，而且通過公開媒體不斷發聲，提出「專科專教」是提升中史教學素質的有效措施；甚至表示「若不推行專科專教，恐怕一切都是空談」。而教育當局則引用數據回應說：現時四成九的初中中史科由主修歷史的專科教師任教，如果計入副修歷史的教師，比例更高達六成半，而高中則達九成四；教育當局並強調：學校已盡量安排受培訓的教師，負責中史科的教學[5]。從教育當局所提供的數據，可見「專科專教」如果僅限「主修歷史的專科教師任教」，而並不包括副修歷史的教師，在實施上人手不足五成，所以有政府消息人士表示：中史科「不會限定專科專教」[6]。

讓我們留意到的是，無論是教育團體、社會人士的言論或教育當局的回應，似乎都認為由副修歷史的教師教中史科並不理想，而教育當局就強調：在新課程實施前，學校其實已盡量安排受過培訓的教師負責中史科教學[7]。所謂「受過培訓的教師」，指的是副修歷史的教師？全未修歷史而任教中史科的教師？還是包括兩者？無論怎樣，「專科專教」似乎是大家認同的「理想」要求，但實踐起來有實際的困難，而對副修歷史或全部副修中史而任教中史科的教師，未有作善

5 參閱《星島日報》「港聞版」（2017年1月5日）；《明報》「社評」（2017年1月11日）；余津銘《中史若要讀得好，專科專教就是出路》，《香港01》「社會新聞版」（2017年7月2日及2018年1月31日）；香港教育專業人員協會《修訂中國歷史課程（中一至中三）第二階段諮詢意見書》（2017年11月30日）。

6 參閱《香港經濟日報》「港聞版」（2017年10月12日）。

7 參閱《星島日報》「港聞版」（2017年1月5日）；《明報》「社評」（2017年1月11日）。

意的肯定（或許未至出語貶抑），恐怕也不公允。而且，主修歷史的教師，是以中史為主嗎？關注的人似乎不多。上述情況，下面會稍有討論。

（二）「獨立成科」及必修問題

二〇一六年十一月，本港立法會已通過無約束力動議，要求規定把初中中史「獨立成科」，稍後已更新的《中學教育課程指引》以至第85/2018號的《教育局通函》，都清楚要求原本以中西史連結或綜合課程模式推行中史教育的中學，須修訂課程，使接近「獨立成科」後的中史課程。即現時採用兩史連結的中學（約佔全港百分之四），課程內容日後須以中史為主軸；而採用綜合模式的中學（約佔全港百分之七），則須為學生提供獨立兼具系統的中史單元。也就是說，在現時約九成中學已採用中史「獨立成科」的情況下，變相全港中學的中史科都成為必修而且「獨立成科」[8]。

初中中史「獨立成科」而且須是必修，本來是本港教育團體和不少社會人士（包括中史教師）多年來所積極爭取的，但在社會上也不是人人稱許。例如也有教育團體代表表示，中史獨立成科「其實意義不大」，因九成中學在過往已以獨立形式講授，現在明令「獨立成科」，會不會有政治因素的考慮？會不會有洗腦的意圖[9]？……意見不會一面倒，這或許是言論自由社會的特色。現在面臨的問題是：採用綜合課程或兩史連結模式講授中史的中學，教師經十多年的努力，有些已漸趨成熟或頗見成效，現時卻推倒重來，會不會使教師產生重新

8 參閱《星島日報》「港聞版」（2017年1月5日）；《教育局通函第85/2018號》（2018年5月24日）。

9 參閱《香港經濟日報》「港聞版」（2017年10月12日）；香港教育專業人員協會《修訂中國歷史課程（中一至中三）第二階段諮詢意見書》（2017年11月30日）。

適應的負擔？會不會對教師的信心造成打擊？再說，綜合和兩史連結的模式，為學生提供較廣闊的視野，有獨特價值，不是其他科目所可取代，這也是令人關注的問題[10]。至於政治因素的質疑，可預測在新課程實施時仍有人會不斷提出，甚至引發爭議，這或多或少也會影響教師的信心和新課程實施的成效。

(三) 教師認同新課程問題

初中中史《修訂課程大綱》在頒布前，經過兩階段的諮詢，第一階段是二〇一六年九月至十月，第二階段是二〇一七年十月至十一月。據說教師普遍贊成課程需要修訂，並認同課程修訂建議的框架；對於課程的宗旨、目標、大綱內容、設置選教及延伸部分等，都獲得八成以上教師的認同，所憂慮的，是教學時間不足、課程內容或許過多。因此，教育當局表示：經過四年多教育界不同角度的考慮後，新《課程大綱》已為業界廣泛認同[11]。

有了業界廣泛認同的基礎，新課程的推行，應該會較為順利，瞻望實施的前景，也會較為樂觀。不過，根據經驗，凡課程的修訂或改革，凡新課程的推行，不免對教學目標、教學內容、教學方法以至評量方式等等，都會有新要求和新負擔，這是課程發展、社會發展的需要，不得不如此；而教育界，特別是前線教師，對諮詢階段所提供的文字說明表示認同，其實只是對文字所傳達的訊息表示概括或某種程度的認同，到了真正實施時，或許會覺得實際操作情況與認同有差距，甚至會不適應一些要求或做法，那時不滿就會來了，抗拒情緒就

10 參閱《星島日報》「港聞版」(2017年1月5日)；《香港經濟日報》「港聞版」(2017年10月12日)；香港教育專業人員協會《修訂中國歷史課程（中一至中三）第二階段諮詢意見書》(2017年11月30日)。

11 參閱《教育局通函第85/2018號》(2018年5月24日)。

會出現了……，這自然會影響新課程推行的實效。簡單地說，新課程實施前爭取教育界包括前線教師的認同，增強推行的信心，是必要的做法，但認同與實施，無論是過程或結果，往往會有差距。信心是所有工作的動力，不過信心滿滿，未能「臨事而懼」，有時會是改善或進步的障礙。

（四）教學時間是否足夠的問題

所謂教學時間，一般指的是教學課節或課時。長久以來，中史科的課節都不足。一方面，的確因為中國歷史源遠流長、文化沈積深厚、歷代興衰複雜、社會情況紛紜、人物甚眾、文獻文物資料極多……，無論怎樣畫定範圍、選擇重點或刪減內容，總難令教師和學生滿意。另一方面，是校方不能不受全校各科課節分配的限制。從校方的立場看，教學課節必須對全校各科作通盤的考慮，不是某一科要多就可以增多。

根據初中中史《修訂課程大綱》的建議：學習中史的總課時，不可少於學習領域總課時的四分之一，即平均計每年級約每周兩課節，每年約有五十節可供教學之用，三年總計為一百五十節。不過這一百五十節，並不包括「延伸部分」的教學或指導[12]。顯而易見，教學課節並沒有因新課程的實施而增加。過往中史科教學課不足的問題，仍然從過往帶下來，沒有解決。解決的辦法不是沒有，就是減教學的內容和要求。教育當局似乎已根據諮詢，將部分課題和內容重整、重組或刪減，又另編選擇項目及另置延伸課題，以期適度減輕課程內容的分量[13]。但有了延伸課題和新課程的新教學要求，教師的工作負擔是

12 參閱課程發展議會、個人、社會及人文教育委員會《中國歷史科（中一至中三）修訂課程大綱》（2018年5月），頁9。

13 參閱《教育局通函第85/2018號》（2018年5月24日）。

否不減反增，是另一問題，不過仍很沈重，則是事實。所以大部分初中中史科教師，期望新課程能「確保」「有足夠的課時」[14]，就不足為怪了。有教育團體同時指出：初中中史科新課程以每周兩課節為目標，如果以此指標計算，整個人文學科所得到的課節，只可能佔現時初中階段總課的百分之十五，將原來官方所定給予人文教育可佔百分之十五至二十的空間變相收窄了[15]。可以說，教學內容太多，教學課節不足，永遠是中史科所面臨的困難。每周兩節固然不足，如果有些學校只配給一節（從前確有這種的情況），那就更困難了！所以教學時間不足，常常是中史科教師過往所面對的難題，也同樣是今後所面對的難題。

四　本港中史教育面臨的種種問題（二）

（一）教師負擔與支援問題

凡新課程的頒布與實施，總會增加教師的負擔，這已是慣常的話題，也是常識，本不煩多說，不過還是稍作說明罷。所謂負擔，包括：教師對新課程宗旨和內容的消化與適應；教師任教班級和課節的多少；配合課程要求設計新施教方法和新學習方式；延伸課題是課程架構的附加部分，也是教師工作的附加部分；等等。關於上述教師的種種負擔，無論是香港教育專業人員協會《第二階段諮詢意見書》或《中國歷史科（中一至中三）修訂課程大綱》，都沒有具體說明或建議，幸而在《教育局通函第85/2018號》中，有提到「支援學校的措施」。

---

14 參閱香港教育工作者聯會《「初中中國歷史科課程修訂」意見調查簡報》（2017年11月30日）。

15 參閱香港教育專業人員協會《修訂中國歷史課程（中一至中三）第二階段諮詢意見書》（2017年11月30日）。

關於支援的措施，如《教育局通函》所列：為學校提供教與學資源，如電子教學資源、試教示例、教學錄像片段、參考資料；同時也預備為教師提供一系列專業培訓，如為學校領導或中層管理者而設的領導和規畫課程，為科主任而設的知識增益、學與教策略及評估等課程，舉辦教師歷史考察團等等，又會請專家學者和試教學校為教師提供專業支援、組織學校網絡活動等等，使教師可分享教學經驗和實踐良好教學[16]。這些支援措施，或可顯示教育當局支援校方和前線的誠意，但部分措施，不正是對教師的工作有種種新要求嗎？例如須認識新教育資源的內容和掌握應用，又例如要不斷為學生設計新的學習方式，又例如須增益與課程有關的新知識，又例如要用時間與人交流經驗心得及參與相關課外活動……，都要教師多用精神和時間，這無疑是一種頗大的負擔。面對這些負擔，不是調整教學內容或稍減教學內容，就可以疏解的，何況還有「延伸課題」的部分。雖說「教師可按教學進度、學生能力和興趣是否教授，又或協助學生自學」[17]，但不能沒有指導內容和指導方式的考慮，如果說這不算工作負擔的一部分，恐怕同意的人不多。

（二）教學成效評量問題

談教學，無論哪一科，我們都會關注教學的宗旨、目標、內容、方法、成效。站在學生的立場，我們會用「學習」一詞代替「教學」。在教育研討中，必然會包括教與學兩方面，因為兩者密切相關。就我們所知，無論是教學指引或課程，一般都不會忽略宗旨、目標、內容等方面的說明，但教學成效或學習成效的評量（或稱「評核」），往往

16 參閱《教育局通函第85/2018號》（2018年5月24日）。

17 參閱課程發展議會、個人、社會及人文教育委員會《中國歷史科（中一至中三）修訂課程大綱》（2018年5月），頁10。

會略而不提，例如初中中史《修訂課程大綱》，就是如此[18]。我知道，如果涉及公開考試，例如中四至中六課程，一般才會有「評量」的專節說明。至於說明是否足夠，對教師的幫助大不大，那是另一回事，暫時不作討論。

我理解「中一至中三」與「中四至中六」的課程，對「評量」有上述分別，主要是因為中四至中六涉及公開考試的統一評量標準。不過，大家都明白，中一至中三是中四至中六的學習基礎，兩者關係密切：前階段的教學成效，會影響後階段的學習表現。加上新課程剛頒布，教師對新課程要重新認識和適應，如果設計課程者或教育當局，能提供一些教學成效評量的設計和實例，供前線教師參考，減輕他們的工作負擔，以免他們無所憑藉、取向失準，導致各校之間的教師，各自為政，成效不一。我們同意，教學是藝術，所謂教亦多術，不宜齊整畫一，更不應為了規範、統一而僵化。但教學成效，雖可容許有高低之別，但達標要求，除了須參考課程的宗旨和目標，是否該有些具體而可行的評量方式，供教師參考或採用？初中中史科教師，或許不會有公開考試的評量壓力，但面對學生的學習表現，如何評量成效，了解是否能達到共同指標的要求，也不是不要留意的問題，更不是不要思考的問題。

(三) 學生學習興趣問題

學科的學習成效，往往與學生的學習興趣有關。沿用近二十年的中史課程，教育界和社會人士，普遍認為有需要更新，教育當局也認同這樣意見。時代不同，社會發展，各科課程作出調整、更新，自是應有之義。在中史課程修訂前的諮詢過程中，當然會檢討過往課程的

18 參閱同上，頁5及頁10-18。

內容和教學，而相關的問題也會關注。我認為，學生學習中史的動機和興趣，大抵也會涉及。不過就我所見的教育團體意見書、《教育局通函第85/2018號》以至相關的教育新聞報道等等，都在這方面少所涉及。二〇一八年五月頒布的《中國歷史科（中一至中三）修訂課程大綱》中，列有「學習目標」，其中的第七項，則提出「課程的目標在於讓學生」「透過研習史事與採取不同的探究方法，培養學習中國歷史的興趣」[19]。《課程大綱》雖沒有提到「動機」，但引發學生學習中史的動機，應該也是培養興趣手段之一。

談到學習中史的興趣，在我的印象中，過往頗有人發表了不少意見。這些意見，歸納起來，大抵是：中史課程繁重、複雜、乏味，學生難以消化，減損了學習的興趣，因此必須調整、增刪，而增刪則以刪為主，要增的是新成分，分量不要多於所刪。又，學習中史，當然會涉及中國文化的論題，這些論題，有時會過於大、高、遠，對學生來說，不免有點虛，有點浮，難以掌握，更難以認同，到了後來，可能興趣不大。又，因時間不夠，教師在課堂上，往往匆匆講述歷史大事，提提重要人物，對史意無所闡發或深究，甚至有教師只讓學生分段讀讀課文就算了事，使本有學習興趣的學生，也變為沒有興趣。又，中史科內容講的都是陳年事，脫離現實生活，而習作、考核的形式又單調、乏味，學生難以產生學習的興趣。……總之，大多是負面意見。這些意見如不疏解，負面情緒就會滋長，課程修訂不修訂，恐怕分別不大。

（四）香港史安排問題

香港史在中史科的位置，是多年來頗受人關注的論題，近來這論

19 參閱同上，頁5。

題更愈來愈熱。在新修訂中史科課程頒布前，中史科對香港史的定位，是「香港人的中國歷史」，因此香港史的部分，只會重點講授與中國歷史相關、與國家有互動關係的內容，至於香港本身的發展歷程，則主要由歷史科處理。學生要是兼修中史科和歷史科，才會對香港史有較完整的認識。隨著中史科稍後落實為獨立必修科，基於整體各科課節的限制，有教育團體憂慮，歷史科可能被迫逐漸萎縮，於是學生就有可能在將來學不到歷史科才會講授的香港史內容[20]。從香港人須多認識本土歷史文化的理念出發，上述憂慮，不能說完全沒有理由。

我們再看中史科新課程的架構，可知中一至中三每級除「政治演變」、「文化特色」外，都有講授「香港發展」的內容。以三年一百五十課節計，「政治演變」有一百一十四節，佔總課節百分之七十六；「文化特色」有二十一節，佔總課節百分之二十一；「香港發展」有十五節，佔總課節百分之十五。《課程綱要》還在備註中說明：建議課節分配，並不包括「延伸部分」[21]。也就是說，「延伸部分」課節的多少，會影響上述課節的百分比。無論怎樣，講授「香港發展」只有十五課節或稍多於十五節課節，的確令人有不足之感，而且，要多講香港自身發展的歷程和特色，當然更感不足。問題是，從全校各科課節分配全盤考慮，我們不可能隨意為任何一科增加課節。面對這樣的問題，學校和教師在不影響全局的情況下，有沒有解決的方法？如果不能解決，該怎麼辦？

---

20 參閱香港教育專業人員協會《修訂中國歷史課程（中一至中三）第二階段諮詢意見書》（2017年11月30日）。

21 參閱課程發展議會、個人、社會及人文教育委員會《中國歷史科（中一至中三）修訂課程大綱》（2018年5月），頁8-9。

五　思考與建議

上面提到本港中史教育（主要是初中）所面臨的多種問題。談教育，離不開學校、教師、學生，因此討論的話題，都與三者有關。我的舉述，只有八項，當然並不周全，大家或可視為「引玉」的舉隅。現姑就所舉，作進一步的思考與建議。

（一）「專科專教」的倡議與實踐

所謂「專科專教」，又稱「專科專學」，是指教師須擁有與其任教學科相同的學位，並以該學科為教育文憑的主修科目，才可以任教該學科。例如一位在大學主修中文、副修歷史的教師，須另外讀取中史碩士，再於修讀教育文憑時主修歷史，才可名正言順地教歷史。以主修歷史、副修中文的教師為例，如要任教中文，也須另外讀取中文碩士，再於修讀教育文憑時主修中文，才可名正言順地教中文。因此，有人強調，這項要求，合乎邏輯，不可謂不合理[22]。

可思考的是，倡議或認同「專科專教」的教育界人士，包括前線教師，似乎都有這樣的假設，就是副修的人，他們的知識和能力，都一定弱於主修的人，因此他們必須再經高級學位、教育文憑的培訓，才勝任教副修的學科。事實可以如此一刀切嗎？而且，中史科一周只有兩節，如果「專科專教」，一位中史教師須任教多少班級，才可達到每周課節數目的要求？一所學校，可聘用多少中史教師？不妨再想想，主修歷史而偏向西史的教師，他們對中史的認識，一定勝過副修中史的教師嗎？何況主修中文的教師，副修大多會是中史而不是西史。明令規定，可方便教育當局和校方依令執行，但不一定切合實

---

22 參閱金津銘《中史若要讀得好，專科專教或是出路》，《香港01》（2017年7月2日）。

際。有人或許會說，按照邏輯，中、英語文科和術科可以實行，為甚麼中史科不可以實行？問題是，語文科每周有多少節？每校的術科教師每科可聘用多少位？

我的建議是，所謂「專科專教」，何妨稍為放寬，就是主修中文、副修中史或主修中史、副修中文的教師，可視為同一類，都可任教中史，讓校方對人手有較靈活的調配。當然，主修和副修歷史的教師，是否以中史為主，他們真正的認識和能力，校方還是要作具體的了解。而教育當局的責任，則主要在監察、輔導而不是按章規管。有政府消息人士指：中史獨立成科後，「不會限定專科專教」，有這樣的決定理由之一，或許教育當局也基於人手調配的思考罷[23]？

（二）中史「獨立成科」及必修

關於初中中史「獨立成科」及必修，已由教育當局明令宣布，可說是順應本港教育界和社會上較多數人的要求，屬名正言順的舉措，與九成中學實際上以獨立形式講授中史，是兩回事，不必混為一談。因為如果不是規定獨立及必修，校方在將來可能因種種理由，改獨立為非獨立，改必修為非必修，甚至因課節不足分配的困難，而去掉視為閒科的學科，而中史在過往是慣常被視為閒科之一的。總而言之，內裏潛藏了不穩定、不明朗的因素，所以教育當局規定初中中史須獨立成科必修，不見得沒有意義。至於是否意義重大，則可說是見仁見智。

不過，採用綜合課程或兩史連結模式講授中史，一般來說，或許未能突顯中史的重要，也未能在中史教育方面有顯著的成效。但據說有些學校，經校方和教師多年來努力磨合和用心設計，已逐漸引發學

23 參閱《香港經濟日報》「港聞版」（2017年10月12日）。

生研習中史的興趣，而且也的確為學生提供較闊的視野，並習慣了論事、論人、論制度、論建設等等，往往會作中外古今的比較述評，而不會作單一角度的評論或述說。因此，容許採用綜合或連結模式講授中史而有成效的學校，仍然可自決是否維持原有模式的中史教學，不失為可行的辦法，而自決的前提，可以有強化中史學習內容的要求。至於強化的程度和方式，則可參考新課程的宗旨和建議，由原校教師自行設計。這或可使本港初中中史科的教學，在新課程的規範下，仍然有「容納異己」的靈活空間，也符合本港社會愛多元、重自由的心理取向。

教育當局有初中中史獨立成科及必修的決定，引起政治因素的質疑，應屬意料中事。其實大家都明白，世界上每個國家的政府，都會盡力鼓勵或促使自己的國民，去了解、去認同自己國族的歷史文化，同時也會盡力鼓勵或促使他們去了解、去認同自己生活其中的本土歷史文化。而且，對自己國族歷史文化有較多的了解，才會對自己生活其中的本土歷史文化有更深的認識。學習中史與學習本港史之間，並不互相排斥，兼容並包，反而有互利互補、相輔相成的效果。提出質疑，只不過是有意引發話題，也顯示了對政府不信任的心態。總之，從教育出發，教好中史，讓學生產生學習中史的興趣，才是正事。質疑的言論或話題，稍後或會逐漸淡靜下來。反而不斷由官方發言，高調張揚愛國的必要，強調國民身分的認同，就會不斷引發質疑的話題，對中史新課程的順利實施，不一定是最有利的。

（三）前線教師的認同與支援

初中中史新課程公布前，對課程修訂建議的框架，有諮詢，有調整，有修訂，最後獲得教育界廣泛接受，而八成以上中史科教師也認同[24]。接受、認同是好事，有助於新課程的實踐，但對文件文字說明的接受和認同，與課程實踐是兩回事。而且工作負擔的壓力，也會使前線教師的不滿滋長，甚至會有抗拒的情緒，這自然會影響教學的效果。要避免出現這樣的情況，適時疏解、有效支援，都要有具體的考慮。

適時疏解的工作，可減少教師不滿的情緒，可提升他們的教學的信心。教育當局可通過文件傳遞、公開傳媒、教育短片、座談會等等，不斷就新課程的實施，提供解決問題的辦法，而參與新課程設計的教育專業人士，認同新課程理念及框架的教育團體，都應該積極參與疏解的工作。校方的管理層，也該以同情理解的態度，去疏解前線師的工作壓力。教師之間的互相疏解和教師的自我疏解，也是很重要的。

有教育團體的調查報告，顯示前線教師普遍期望中史科得到更多專業支援，以配合新課程的實施。支援包括：提供專業培訓、開辦復修課程、開發教學資源套、增設中史科教學助理、配應足夠課時、加強非華語學生的支援等等[25]。此外，支援的工作，還可包括：由教育機構或出版社，出版優質的中史課本及掛圖，編寫資料豐富的教師手冊，製作與中國歷史文化有關的電子書和紀錄片，提供圖文並茂的中史課外讀物，建立中史資料庫和文物圖片庫，舉辦各種形式的讀物展覽，組織各類考察活動及工作坊等等。如有可能，也可由教育當局、教育機構或團體，舉辦一些觀摩教學活動，讓成功的教學個案，得以向同行演示。這些可觀摩的教學活動，必須是教室中切實可行的教

24 參閱香港教育工作者聯會《「初中中國歷史科課程修訂」意見調查簡報》（2017年11月30日）。

25 參閱同上。據知教育當局對非華語學生學習中史，也預備有一些支援策略及措施，包括：調適教學內容、可採用英語輔助教學、製作中英對照歷史詞彙表、提供雙語學習資源、設計多元學習活動等等。參閱《星島日報》「教育版」載教育局局長書面回答立法會議員的質詢（2018年11月22日）。

學，不是為了表演而演示。學術性較強的演講會、研討會，也可以舉辦，讓教師參與。據說有中史科教師利用電腦擴增實境技術，活現文物，又可為課本內容加料。這些技術，各校之間可以分享[26]。又據說有中史科教師設立電子「知史」平臺，為本港師生提供與中史相關的有用資訊[27]，都是支援中史教育的好事。為了讓中史科教師教好中史、學生學好中史，一切有效的支援辦法都要考慮。

（四）教學時間與教學內容的分配

根據調查發現，過往任教初中中史科的教師，有百分之九十六承認未能教完整個課程，需要跳過或略教部分課題。到了新修訂課程的頒布，有百分之七十六教師，仍然憂慮新課程落實後，不能夠完成整個課程的內容，相反認為可教畢整個課程的只佔百分之十一，表示不知道的佔百分之十三[28]。我估計現實的情況是，新課程落實以後，表示不能夠完成整個課程的，大抵仍會佔多數。

從全校各科課節分配的通盤考慮，初中中史科不可能在每周兩課節外再增加一節，可考慮的做法，或許是再刪減教學內容和教學要求。不過，是否刪減，如何刪減，刪減多少，應該是課程實施一段時間以後再考慮的問題。面臨這樣的情況，中史科教師可做的準備工作是：

一、決定必教、略教和不教的內容或課題。

二、如何利用「延伸部分」的指導或教學，以補略教或不教的不足。

---

26 參閱《星島日報》「教育版」（2018年8月13日）。

27 參閱《星島日報》「教育版」（2018年9月4日）。

28 參閱香港教育工作者聯會《「初中中國歷史科課程修訂」意見調查簡報》（2017年11月30日）。

三、籌畫「延伸部分」何時進行和怎樣進行。

「延伸部分」是課程可資善用的空間，教師可通過課外活動或習作的形式進行，因此不會佔去每周兩課節的教學時間。活動或習作的形式可預先設計，最好通過多媒體設計、發放的形式，供教師、學生選擇，不宜單一或過分規範。教師也可選定範圍、課題，組織考察活動，或利用歷史文化有關的紀錄片或短片，先讓學生觀賞，再根據紀錄片或短片的內容，選擇答案、回答問題或繪製圖畫等等，使學生以輕鬆、愉悅的心情，去參與活動和完成習作。

本港的中國語文科教學，在七、八十年代，已有所謂「教是為了不教」的要求，但在中史科教學中，可能學科性質有別，教學向來重視知識多於能力，似乎沒有聽見有人作這樣的倡議。在有限的教學時間內，教師永遠有教不完的東西，我們是否可從現在開始，想想這方面的可行性？善用「不教」，或可節省部分教學時間。這樣，我們就可能會稍減教學時間不足的壓力。當然，怎樣達成「教為了不教」的要求，不是三言兩語可以交代，我們還是請有心人為提升中史教育水平而開始起動罷！

(五) 學習興趣與成效評量

興趣是學習的動力，這是絕大多數的教育工作者和學習者都知道的常識，我們不必多所論說。中史科教師是教育工作者也是學習者，不會沒有這樣的認識。可是很多學過或正在學習中史的人，都說「悶」，而不少中史科教師，也說「悶」。有人歸咎於中史內容太多，有人歸咎於教法乏味，有人歸咎於中史學習「無市場」、「無錢途」，有人歸咎於中史未能「專科專教」……，都是理由，但也不盡然。例如面對公開考試的壓力，校方和中學高年級的教師，大多以考試成績為目標，其他免談；又例如課節不足，又缺乏設備、支援，即使不用面對公開考試的初中中史科教師，也只好根據課本內容講授，甚至照本宣科，根本不談補充資料和施教方法。至於「專科專教」的教師，是否可引起學生的學習興趣，也不一定，甚至因教師所知所識太多，又不懂剪裁，講授時往往大量提供資料，要求太高，讓學生消化不了。

能引起學生對某科產生學習興趣，是技巧也是藝術。不過即使懂教學技巧和藝術的教師，如果客觀條件不足，恐怕也無能為力。如何精簡課程內容，提供足夠教學時間、設備和支援，是新課程實施一段時間以後要檢討的事情，現時急待要做的工作，可考慮以學生學習中史的興趣為專題，舉辦多一些研討會、教學心得交流會、工作坊、教學實驗報告會等等，更應由教育當局、大專院校、在職教師、教材出版商，介紹如何利用電腦科技輔助教學的設計，去引發學生學習中史的興趣，藉供中史科教師選用或參考。再說，有與趣尤其是有濃厚興趣研習中史的教師，才有可能言傳身教，引發學生學習中史的興趣，而且會不斷講求中史科教學的改進。

由於初中沒有公開考試的壓力，因此教學成效評量的方式，是否可打破框框，讓學生通過有趣味的閱讀、活動、製作，而有所表現？教師則可根據他們個人和小組的表現去評量他們所學的成果。在中國語文教學中，多年來已有學者不斷提出「教是為了不教」的要求，這是重視自學能力的培育。善用以「不教」為「教」，或可節省部分課堂教學的時間。而且有自學能力的學生，一般會逐漸產生濃厚的學習興趣，中國語文科如是，其他學科如是，我相信中史科也該如是。在評量中史學習成效的過程中，是否也可有自學能力的要求？值得我們想想。

(六)香港史的安排與政治憂慮

談到香港史在中史科中的安排，一般會涉及兩方面的問題：一是內容、二是政治。關於內容方面，有人指出，過往中史科對香港史只會重點講授與中國歷史相關、與國家有互動關係的內容，至於香港本身的發展，則主要由歷史科處理。中史獨立成科必修後，學生就有可能學不到歷史科才會講授的內容[29]。其實中史獨立成科後，「香港發展」就有十五節，如果「延伸部分」加一些香港史內容，學習課節就會多於十五節。至於教學時間是否足夠，那是另一問題。反而值得留意的是，新修訂的歷史科，如果處理香港本身發展的內容，合理的考慮，是不要與中史新課程內容重覆，如有妥善的呼應讓避安排，反而更有利於兼讀中史科和歷史科的學生。老實說，學校中任何一科，都可以有永教不完的內容，也都有時間永不足夠的事實，如何量體裁衣，充分利用有限時間去剪裁教學內容，向來是前線教師需要不斷關注的問題。

有人對中史獨立成科必修和中史科加入本港部分，表示憂慮外界會有政治方面的解讀，同時亦有政府屈服於政治壓力之說[30]。我們如果同意，所謂「政治」，內涵不過是「管理眾人的事」。在社會群體裏，我們每個人都經常出現管理與被管理的關係，這涉及人與人相處之道，因此，政治討論，實質上是人際關係的公民教育討論。中史科有它本身的主要教學目標，通過中史講授而達致公民教育的效果，也不是一件壞事。反而通過中史教育去介紹一種思想、一種主義，或灌

29 參閱香港教育專業人員協會《修訂中國歷史課程(中一至中三)第二階段諮詢意見書》(2017年11月30日)。

30 參閱《星島日報》「港聞版」(2016年9月28日及2017年1月5日);《香港經濟日報》「港聞版」(2017年10月12日);香港教育專業人員協會《修訂中國歷史課程(中一至中三)第二階段諮詢意見書》(2017年11月30日)。

輸某種政治信仰，鼓吹某種偏激主張，才是狹義的政治灌輸而不是廣義的政治教育即公民教育[31]。所以中史獨立成科必修和中史科加入本港史部分，都不該有政治的質疑和憂慮。質疑和憂慮的起因，大抵是缺乏互相信任的緣故。在本港，政治是個敏感的話題，也是個複雜的問題。其實我們要特別留意的，不光是課程的教學內容，同時也要留意教師的認識和態度，如果教師的認識不足，或有某種政治灌輸取向的態度，那才是我們要警覺的。

世界任何一國的國民，都應該認識自己國族的歷史文化，同時也要認識自己生長所在地的歷史文化，這是理所當然的事，有甚麼好爭論、好憂慮呢？至於哪些多教、哪些少教、哪些不教，則該從教育的角度來衡量，而不該用狹義的政治角度來取決。而將來學習內容的增刪，教學時間的分配，最好通過新課程的實施，再參考前線教師的意見，才去決定課程的調整和增刪。

六　餘論

新修訂初中中史科課程最快於二〇二〇至二〇二一學年在全中學中一級開始逐步實施，取代一九九七年所公布的現行課程。對比舊課程，新課程以「古今並重」為原則，精簡歷代政治史，刪減文化史課時，加強近現代史內容，增設「香港發展」部分，又加「延伸」部分[32]。據說新課程的內容、架構和修訂取向，已普遍為前線教師、教育界、社會人士所認同[33]。不過，認同歸認同，認同與課程實施，必

31 參閱拙文《論語與公民教育》，《未敢廢書》，2009年7月青森文化出版社（香港），頁154-156。

32 參閱黃錦良《談初中中史課程修訂》，《都市日報》（2017年11月8日）。

33 參閱《教育局通函第85/2018號》（2018年5月24日）。

然會有落差，這是意料中事。而且，其中有不足或引起爭議的地方，也是不必諱言的。通過正式實施前的試驗和實施後的結果，聽取前線教師和教育專家的意見，課程在將來或許會有進一步的修訂和改善。

臨末，我或許還有一些意見，供任教中史科的教師和關心本港中史教育的人參考：

一、文化是歷史的重要元素，歷史與文化兩者密不可分。錢賓四（穆）先生（1895-1990）認為，研究歷史，實質上是研究歷史背後的文化。他在《中國文化導論．弁言》中說：「中國文化，表現在中國已往全部歷史過程中，除卻歷史，無從談文化。我們應從全部歷史之客觀方面指陳中國文化之真相。」[34]換言之，除卻文化，我們怎樣談歷史？新課程刪減文化課並容許選教文化史專題，或許有助於減輕教學壓力，這是遷就現實的需要，但不該構成這樣的印象：我們不重視或減輕文化方面的教學。如何在新課程的規限內，仍可達到文化結合歷史的指導、傳揚中國文化精神的目的，是前線教師和關心中史教育的社會人士，所不可忽略的。

二、要引發學習中史的興趣，方法可以有很多，但其中一項，我以為是不可少的，就是任教中史科的教師，自己先要對中史有濃厚的興趣，如果教師對中史缺乏興趣，或興趣不大，在備課時，就會覺得悶，在課堂上，也會教得悶，這樣，受教的學生，又怎能不悶？錢賓四先生以「溫情與敬意」提示《國史大綱》的讀者，自有撰作的時代背景[35]。不過到了現在，我以為教師也懷著「溫情與敬意」來為中史科備課，來教中史，才會促使自己產生教學的興趣，同時也會促使自

34 語見錢穆《中國文化導論》，1953年4月正中書局（臺北），頁5。

35 參閱拙文《現代國學界的通儒錢賓四先生》，香港中文大學歷史系編《扎根史學五十年》，2016年7月三聯書局（香港），頁30-31。又，「溫情與敬意」一語，見錢穆《國史大綱》上冊「引論」前的提示，1964年10月臺灣商務印書館（臺北），頁1。

己的學生產生學習的興趣。沒有興趣的教與學，就不會有良好的教學效果。

三、在中史教學的過程中，無論教師或學生，都要認識「容納異己」的重要，都要有認識「異己之美」的胸襟，否則，徒然記得一些歷史事實，認識一些典章制度，知道一些歷史名人故事，並不算真的達到中史教育的要求。此外，如何通過中史教學，逐步培養學生的自學能力和轉化能力，也很重要。所謂自學和轉化能力，包括主動學習、解決困難、鑑古知今、通史致用，也包括由此及彼、聞一知二、舉一反三等等。表面看來，這樣要求難度頗大，也似乎有點不切實際。其實，現代年輕人的學習能力一般不低，教師只要先有這樣的存心，再盡力而為，總會逐漸見到部分學生受到影響。

四、世界上每個國家的國民，都要認識自己國族的歷史文化，這是理所當然的事，也是不必質疑的事，更不必無限上綱，把中史科視為「洗腦科」[36]。中國人須學中史，就像中國人須學中文一樣。學中史，不表示不學其他；中文以外，也該學其他語文。這是平常不過的道理，有甚麼好爭議呢？反而把中史科視為閒科，是行之已久的事實，有些學校，常常把中史科的一些教節，塞給那些教學課節不足，而極不情願或自知不勝任教中史的教師，也是長期存在的事實。這個事實不合理，也影響了教學的成效，但願今後不再出現這樣的情況！

二〇一八年一二月完稿

——原載《多元視覺——二十一世紀中華歷史文化教育》，秀威科技公司（2020年11月）

36 參閱梁一鳴《初中中國歷史何來洗腦？》，《星島日報》「教育版」（2017年12月6日）。梁氏在文中說：「（香港眾志）指控新修訂的初中中國歷史課程『只是希望將中史教育變成另一個洗腦愛國教育的工具，明顯有灌輸之嫌』。抹黑中史課程為洗腦科，並予全面否定，陷修訂課程的學者、教師委員和全港中史老師於不義。」

史學研究叢書・歷史文化叢刊 0602027

經史疑義辨析叢稿

作　　者　李學銘
責任編輯　林涵瑋
特約校稿　林秋芬

發 行 人　林慶彰
總 經 理　梁錦興
總 編 輯　張晏瑞
編 輯 所　萬卷樓圖書股份有限公司
　臺北市羅斯福路二段 41 號 6 樓之 3
　電話 (02)23216565
　傳真 (02)23218698

發　　行　萬卷樓圖書股份有限公司
　臺北市羅斯福路二段 41 號 6 樓之 3
　電話 (02)23216565
　傳真 (02)23218698
　電郵 SERVICE@WANJUAN.COM.TW
香港經銷　香港聯合書刊物流有限公司
　電話 (852)21502100
　傳真 (852)23560735

ISBN 978-626-386-029-2
2024 年 2 月初版一刷
定價：新臺幣 480 元

如何購買本書：
1. 劃撥購書，請透過以下郵政劃撥帳號：
　帳號：15624015
　戶名：萬卷樓圖書股份有限公司
2. 轉帳購書，請透過以下帳戶
　合作金庫銀行　古亭分行
　戶名：萬卷樓圖書股份有限公司
　帳號：0877717092596
3. 網路購書，請透過萬卷樓網站
　網址　WWW.WANJUAN.COM.TW
大量購書，請直接聯繫我們，將有專人為您服務。客服：(02)23216565　分機 610

國家圖書館出版品預行編目資料

經史疑義辨析叢稿 / 李學銘著. -- 初版. -- 臺北市 : 萬卷樓圖書股份有限公司, 2024.02
　面；　公分. -- (史學研究叢書. 歷史文化叢刊 ; 0602027)
ISBN 978-626-386-029-2(平裝)

1.CST: 漢學 2.CST: 學術研究 3.CST: 文集

030.7　　112021845